교육방법 및 교육공학

EDUCATION
교육방법 및 교육공학
김경진 · 김경 지음
아카데미프레스

머 리 말

교육이 중요하지 않다고 하는 나라나 사람은 아무도 없다. 정치, 경제, 문화, 사회의 모든 분야에서 선진국을 자처하는 나라도, 환경이 열악한 나라의 지도자들도 교육에 대한 중요성은 강조한다. '교육이란 무엇인가?'라는 질문에 대해 먼저 떠오르는 것은 '가르치는 것'이다. 그러나 '어떻게 가르치는가?'라는 방법론적인 질문을 한다면 그 대답은 간단하지 않다. 가르치는 데에는 무엇인가 최선의 방법, 즉 가장 좋은 가장 바람직한 교수방법이 있지 않겠느냐 하는 갈망이 교육방법 탐구의 시초이다.

인간의 삶의 과정은 교수 학습의 과정이므로 인간의 역사와 교수 학습의 역사는 같다고 할 수 있다. 교수 학습 과정은 우리 인간생활과 밀접한 관계를 가지며 존재해 왔다. 교수 학습에 대한 지식이 전혀 없이도 가르치고 배울 수 있다. 그러나 그 효율성은 매우 떨어진다. 경험에 의존하여 자신이 배운 대로 가르치기보다는 미리 교수 학습에 대한 이론을 숙지하고, 효과적이라고 검증되고 체계화된 연구 결과들을 활용하면 교수 학습의 효과를 극대화할 수 있다.

컴퓨터 테크놀러지의 급속한 발달은 교수 학습 환경에 획기적인 변화를 가져오고 있다. ICT(Information & Commmunication Technology: 정보통신기술) 활용교육, 인터넷 기반 교육이나 웹기반 교육은 말할 것도 없고, 가상교육, 사이버교육, 이러닝(e-Learning), 블렌디드 러닝(Blended Learning) 등의 새로운 개념이 이미 등장하여 사용되고 있다. 얼마 전부터는 휴대용 단말기나 유비쿼터스 기술을 활용한 'm-Learning' 혹은 'u-Learning'이라는 개념이 나타나 차세대의 교수 학습 환경 혹은 매체로서 그 영향력을 확장하면서 테크놀러지를 활용한 다양한 교수 학습의 실천적인 전략들이 개발 및 실행되고 있다.

따라서 본 저서는 기존의 연구를 통해 밝혀진 교수 학습 이론과 수업 설계 방법, 최근의 기술 변화에 따른 교수 학습 매체의 경향까지 폭넓게 소개함으로써 효과적으로 가르치는 교수능력을 함양시킬 목적으로 저술되었다.

본서는 여섯 개의 파트로 구성되었다. 제1부에서는 교육방법 및 교육공학의 기초에 대해, 제2부에서는 교수 학습의 심리학적 이해에 대해, 제3부에서는 교수학습 이론과 모형에 대해, 제4부에서는 교수 설계에 대해, 제5부에서는 교수-학습 방법 유형에 대해 다루고, 제6부에서는 스마트 교육에 대해 다루었다. 본서는 기본적인 교육방법의 원리부터 시작하여 실제의 학습 현장에 적용할 수 있도록 폭넓고 다양한 시각으로 접근해 보았다.

부족하지만 실기 교육 방법의 체계적 학습을 위해 투입된 노력이, 교육 현장에서 학습자의 지적 성장과 인격 형성 그리고 기능의 숙지를 돕기 위해 땀 흘리는 교사들에게 도움이 되었으면 하는 바람이다. 끝으로 이 책이 나올 수 있도록 도움을 주신 출판사 사장님과 편집부 여러 분에게 깊은 감사를 드린다.

차 례

스마트 교육

PART 1

교육방법 및 교육공학의 기초

CHAPTER 1

교육방법 및 교육공학

1) 교육방법 및 교육공학의 발달 과정

(1) 한국 교육공학의 역사

한국의 교육공학은 미국을 중심으로 한 서양의 교육공학 발전 과정과 같이 명확하게 구분되지는 않는다. 미국 교육공학회의 발전은 미국 교육공학회(AECT: Association for Educational Communication & Technology)에서 1920년대 시각 교육에서 출발하여 1990년대에 이르기까지 변화 과정에 대한 체계적인 정비를 통해 이루어진 상황이다. 이에 비해 한국 교육공학의 발전에 대해 한국 교육공학회(KSET: Korea Society Educational Technology)에서 이전까지 공식적으로 발전 과정이나 변천사를 정리, 발표한 바가 없었으나 2005년 한국 교육공학회 추계 학술대회를 기점으로 연구 논문들을 통해 보다 정립된 발전사를 발표한 바 있다.

한국에서는 1951년에 처음으로 '한국 시청각교육회'가 발족되어, 그 이듬해에 국내 최초로 이화여자대학교에 '시청각 교육' 과목이 개설되어 본격적인 학문적 영역 구축을 시작했다. 사실 한국의 교육공학이 미국을 비롯한 서양 교육공학 발전 과정에 나타났던 여러 이론적 · 실천적 요소들의 영향을 받아 형성되었다는 점에서 한국 교육공학 자체의 독자적 발전 과정을 논하기에는 아직 현실적인 어려움이 있다는 우려의 목소리도 있다. 그러나 한국 교육공학이 서양, 미국 교육공학의 영향을 받은 것은 사실이나 한국 사회 교육의 특수성과 독자성에 근거하여 한국식 교육공학을 뿌리내리고 있다는 점을 간과해서는 안 된다. 특히 1990년을 기점으로 한국 교육공학은 괄목할 만한 성장을 이루며 미국 교육공학과도 어깨를 나란히 하고 있다.

1990년을 기하여 괄목할 만한 성장을 이룬 한국 교육공학은 그 역사를 다음의 4단계로 나누어 볼 수 있다.

① 1950년대 초~1960년대: 교육공학의 태동기
② 1970년대~1980년대 초: 교육공학의 성장기
③ 1980년대 중반~1990년대 중반: 교육공학의 성숙기
④ 1990년대 중반~현재: 교육공학의 도약기

각각의 단계를 자세히 살펴보면 다음과 같다.

① 교육공학의 태동기(1950년대 초~1960년대)

한국에서 교육공학은 시청각 교육을 모태로 한다. 따라서 태동기는 시청각 교육이 도입된 시기로 볼 수 있다. 1951년 한국 시청각교육회 발족 이후, 본격적인 시청각 교육의 장이 열렸다. 이 시기에 이화여자대학교에서 시청각 교육 과목을 개설하면서 효과적인 수업 방법을 연구하기 시작했다.

이후 1957년에 문교부에서 시범 시청각교육원을 설립했고, 1963년에는 초등학생 대상의 교과목 라디오 교육이 본격화되었다. 또한 1970년부터 초등학교와 중학교 교과 내용을 중심으로 한 TV 방송이 시작되었다.

그러나 이 시기는 미국 시청각 교육 이론과 방법이 국내에 단편적으로 소개되고 수용되는 한계를 띠고 있다. 그럼에도 불구하고 교육공학의 태동기는 한국 전쟁 이후 혁신적인 교육 방법을 교육 영역에 도입하여 학교 교육

의 변화를 이루기 위한 강한 의지가 담긴 시기라는 점에서 그 의의를 찾을 수 있다.

② 교육공학의 성장기(1970년대~1980년대 초)

이 시기부터 본격적으로 프로그램 수업 이론이 도입되고 수업 체제 개발이 확산되기 시작한다. 특히 프로그램 수업 이론과 수업 체제 개발은 교육공학에서 강조하는 체계적이면서 절차적인 수업 원리, 개별 학습, 자율 학습의 개념을 띠고 있어 주목할 만하다.

이 시기에 행동주의 심리학에 기초를 둔 미국 교수공학의 이론과 방법이 도입되었다. 따라서 1968년에는 행동주의에 근거한 학습 이론이 국내에 영향을 미쳤다. 이후 1972년에는 수업 설계 모형, 수업 체제 개발 모형이 학교 교육에 확산, 새로운 성장기를 맞이하며 수업 과정 일반 절차 모형이 개발되어 학교 현장에서 널리 적용되었다. 또한 같은 해에 한국방송통신대가 설립되어 교육공학 성장에 박차를 가하게 된다.

③ 교육공학의 성숙기(1980년대 중반~1990년대 중반)

이 시기는 이전까지 성장을 거듭해 온 교육공학에 대한 연구가 활성화되고 그 연구 영역이 확대되는 성숙기로 볼 수 있다. 김희배(1997)에 의하면, "1980년대 이후 새로운 학교 교육 체제의 운영에 대한 교육공학적 접근 방법이 다양한 측면에서 모색되었다".

1984년 한양대학교에서 최초로 교육공학과를 신설하고, 1985년에 한국 교육공학회에서 '교육공학 연구' 학술지가 발간된다. 그리고 1980년대 말, 개인용 컴퓨터의 보급으로 이를 활용한 CAI(Computer Assisted Instruction)가 주목받기 시작한다. 더불어 이 시기에는 교육공학적 지식을 기업 교육이나 회사 조직의 연수에 활용하려는 움직임이 일어난다.

④ 교육공학의 도약기(1990년대 중반~현재)

1990년대 이후 꾸준히 성장세를 유지해 오던 교육공학은 교육 정보화 사업과 사이버 교육의 확산으로 다시 도약기를 맞이한다. 1997년 교육 정보화 종합 추진 계획으로 열린 교육 사회, 평생 학습 사회의 실현이 목적이 되며 교육공학은 다시 한 번 괄목할 만한 발전을 이룬다. 1998년 에듀넷(Edunet)이라는 교육 종합 정보 서비스망을 구축하여 운영하고, 1990년대 후반 사이버 교육이 등장하여 2001년 사이버 대학들의 설립으로 연결되며 사이버 교육 전성 시대를 누려 왔다. 현재는 사이버 교육에서 한 단계 발전된 형태인 유비쿼터스 학습으로의 이행을 준비하고 이끌며 그 성장 추세를 이어가고 있다.

교육공학의 영역은 설계, 개발, 활용, 평가와 관리로 나눌 수 있다. 이들 영역은 서로 보완적이며 의존적인 관계를 맺고 있다.

2) 교육방법 및 교육공학의 영역

(1) 설계 영역

Glaser(1976)는 설계의 본질은 현재의 상황을 가장 바람직한 것으로 변화시키려는 의도로 일련의 행위를 고안하는 것이라고 보았다. 교육공학의 설계 영역은 4개의 하위 범주로 구분된다. 첫째는 교수 체제 설계이며 둘째는 메시지 디자인, 셋째는 교수 전략, 넷째는 학습자 특성이다.

① 교수 체제 설계

교수 체제 설계(ISD: Instructional System Development)는 교수의 분석, 설계, 개발, 실행, 평가의 5단계가 포함된 조직적인 과정이다. 세부적으로 분석은 학습자가 무엇을 배워야 하는지를, 설계는 학습자가 학습내용을 어떻게 배워야 하는지를 정의하는 과정이다. 다음으로 개발은 교수 자료를 저작 또는 개발하는 과정이고 실행은 교수 상황 내에서 자료와 전략을 실제로 활용하는 단계이다. 마지막으로 평가는 교수의 적정성을 결정하는 과정이다. 이 같은 일련의 과정으로 이루어지는 교수 설계는 각 단계들 사이의 일관성이 요구되는 선형적인 과정인 동시에 순환적인 과정이라는 특징을 가진다.

② 메시지 디자인

메시지 디자인은 주의 집중, 지각, 기억력 등과 관련된 인지 과학적 원리에 근거하여 송신자와 수신자 사이의 의사소통에 직접적으로 관여하는 메시지 내용과 매체를 설계하는 것을 뜻한다. 따라서 메시지 디자인은 학습에 활용되는 매체와 주어지는 학습 과제의 종류에 따라 달라져야 한다.

③ 교수 전략

교수 전략은 단위 수업에서 학습 사태와 활동을 선택하고 내용 전달 방법 및 학습 내용을 계열화하는 일이다.

④ 학습자 특성

학습자 특성은 교수 전략이나 학습 상황 및 맥락, 학습 내용을 선정하는 데 지대한 영향을 미치는 주요한 요인이다. 이는 학습 과정의 효과에 영향을 미치는 학습자의 연령, 지능, 사회·경제적 환경, 동기와 같은 일반적 배경이나 선수 학습 경험을 의미한다.

(2) 개발 영역

개발 영역은 그 모태를 교수 매체 제작 분야에 두고 있다. 이 영역은 종종 청사진에 맞추어 집을 짓는 과정에 비유되기도 한다. 교육공학자의 임무는 과

학자들이 발견해 낸 원리에 근거한 절차를 활용하여 일을 하거나 그러한 절차를 밝히는 것이라 할 수 있다. 이러한 개발 영역은 다시 4개의 하위 범주로 나뉜다. 첫째는 인쇄 테크놀러지, 둘째는 시청각 테크놀러지, 셋째는 컴퓨터 기저 테크놀러지, 넷째는 통합 테크놀러지이다.

① 인쇄 테크놀러지

인쇄 테크놀러지는 책이나 화상 자료 등을 기계를 이용하거나 사진 인화 작업을 거쳐 제작하고 전달하는 방법으로 문자, 그래픽, 사진 등을 제시하고 재생하는 하부 구성요소를 갖추고 있다. 인쇄 테크놀러지는 선형적으로 읽히는 문자와 달리, 공간적으로 훑어볼 수 있다는 점과 문자와 시각 자료 모두 일방적이고 쉽게 수용되는 커뮤니케이션을 제공한다는 점에서 그 특징을 인정받고 있다. 또한 이는 매우 학습자 중심적이며 따라서 정보는 사용자의 의도에 따라 재조직되거나 재구성될 수 있다는 특징을 갖춘다.

② 시청각 테크놀러지

시청각 테크놀러지는 음성과 시각 메시지를 제시하기 위해 각종 기자재를 사용, 자료를 제작 또는 전달하는 방법이다. 주로 필름이나 슬라이드, OHP 자료를 비롯하여 텔레비전, 비디오 등을 이용하여 시청각적으로 메시지를 제시하는 데 활용된다. 시청각 테크놀러지는 시각과 청각적인 요소를 모두 포함하여 대체적으로 역동적인 시각 자료를 제시할 수 있으며, 이러한 제시 방법은 설계자나 개발자에 의해 결정된다는 특징이 있다. 또한 시청각 테크놀러지는 행동주의와 인지주의 심리학의 원리에 근거하여 개발되었으며, 실제적이거나 추상적인 개념을 물리적으로 형상화하는 것이 가능하다는 특징도 있다. 그러나 자칫 다수의 경우 교사 중심적이고 학습자와의 상호작용이 결여될 수 있다는 문제점도 있다는 점에 유의해야 한다.

③ 컴퓨터 기반 테크놀러지

컴퓨터 기반 테크놀러지는 마이크로프로세서에 기반을 둔 자원을 자료로 제작, 전달하는 방법이다. 이는 일반적으로 컴퓨터 기반 학습(CBI: Computer-Based Learning), 컴퓨터 보조 학습(CAI: Computer Assisted Learning), 컴퓨터 관리 학습(CML: Computer Management Learning), 최근 각광받고 있는 컴퓨터 기반 협력 학습(CSCL: Computer Supported Collaborative Learning) 등 다양한 형태로 적용될 수 있다.

④ 통합 테크놀러지

개발 영역의 마지막 하위 범주인 통합 테크놀러지는 컴퓨터의 제어하에 몇 가지 다른 유형의 매체를 통합하여 자료를 개발하고 전달하는 방법이다. 따라서 통합 테크놀러지는 무작위적이고 비선형적이며 동시에 선형적으로 사용할 수 있으며 학습자가 원하는 방법뿐만 아니라 개발자의 의도에 따라서도 사용이 가능하다는 특징이 있다. 뿐만 아니라 개념 제시는 학습자가 기존에 가지고 있던 경험에 부응하는 맥락에서 이루어지고 학습자에 의해 통제되며, 해당 학습의 개발과 활용은 인지 과학의 구성주의 원리에 그 뿌리를 두고 있다. 그렇기 때문에 학습 자체는 학습자의 인지 구조를 토대로 지식이 수업을 통해 구성되도록 조직되는 특징을 갖고 있으며, 다양한 매체 자원으로부터 문자와 이미지를 통합하여 자료가 제작되므로 보다 폭넓은 자료 제작이 가능하다고 할 수 있다.

(3) 활용 영역

4가지 영역 중 활용 영역은 교수공학의 어떤 영역보다 가장 오래된 전통을 가지고 있다. 이는 다시 매체 활용, 혁신의 보급, 실행과 제도화 등으로 나뉜다.

① 매체 활용

매체 활용은 학습을 위한 자원의 체계적 활용을 의미한다. 실제 수업 현장에 매체를 활용하는 절차는 교수설계 명세서에 기반을 둔 의사 결정 과정이라고 볼 수 있다.

② 혁신의 보급

혁신의 보급은 채택을 목적으로 하여 계획적인 전략을 도출하는 의사소통의 과정이다. 무엇보다 혁신을 보급하는 궁극적인 목적은 변화를 일으키는 데에 있다. Rogers(1983)는 혁신 및 변화 과정에 대해 이를 인지, 설득, 결정, 구현, 정착 등의 5단계로 기술할 수 있다고 보았다. 이러한 혁신의 보급, 즉 혁신을 학습하는 과정은 대인적 접촉이나 매스미디어 등 다양한 정보 채널을 활용하면서 진행될 수 있다.

③ 실행과 제도화

실행은 교수 자료나 전략을 실제 환경에서 사용하는 것으로 궁극적인 목적은 조직 내에서 개인이 적절하게 활용하게 하는 데에 있다. 한편 제도화는 그 조직의 문화와 구조 안에서 교수 혁신을 지속적으로 그리고 일상적으로 추진하는 것을 의미한다. 제도화의 경우 그 궁극적인 목적은 조직의 구조와 생활 안에서 혁신을 통합하는 것이다. 실행과 제도화의 의미와 궁극적인 목적을 보면, 이는 모두 개인과 조직 모두의 변화에 근거할 수밖에 없다는 특징이 있다. 이 밖에 정책과 규제도 있다. 이는 교수공학의 보급과 사용에 영향을 미치는 사회의 규칙과 행위를 뜻한다.

(4) 관리 영역

교육공학의 관리 영역은 매우 중요한 영역이다. 그 이유는 교육공학의 교수공학자들이 교수 설계, 개발 프로젝트나 학교 매체 센터, 산업체 학습 센터 등의 관리를 맡는 경우가 많기 때문이다. 이는 다시 프로젝트 관리, 자원 관리, 전달 체제 관리, 학습 자원 관리로 구성되는 4개의 하위 범주로 나뉜다.

우선 프로젝트 관리는 교수 설계, 개발 프로젝트를 계획, 점검, 그리고 조정하는 등의 일련의 업무를 총괄하는 것을 의미한다. 둘째로 자원 관리는 자원 체제와 서비스를 기획, 감시, 조정하는 업무를 뜻한다. 그렇기 때문에 자원 관리에서의 자원은 요원, 예산, 재료, 시간, 시설 그리고 교수 자원을 포함한다. 셋째로 전달 체제 관리는 교수자료의 보급이 조직되는 방법을 기획, 점검, 통제하는 일이고, 마지막으로 학습 자원 관리는 학습에 필요한 자원을 공급하기 위해 정보를 기획, 조정하며 이를 적절히 저장하여 학습 상황에 전달하고 처리하는 것이다.

(5) 평가 영역

대부분의 분야에서 평가는 그간의 성과를 되짚고 향후 발전의 토대를 마련할 수 있는 작업이 이루어지는 단계이다. 특히 교수-학습 프로그램에 있어서 프로그램의 가치를 판별하기 위해 프로그램의 목적과 사용 결과를 비교하는 과학적이고 체계적인 평가가 요구되고 있는 상황에서 그 중요도는 더욱 높아지고 있다.

Scriven(1980)은 평가는 교수 산출물의 장점, 진가 또는 가치를 규명하는 절차라고 보고, 평가의 결과가 교수 프로그램 또는 산출물을 향상시키거나 확장, 증진시키기 위한 의사 결정을 할 때 필요한 자료를 제공해 주는 데 그 목적이 있다고 주장했다. 따라서 교육 분야에서 이루어지는 평가는 프로그램, 산출물, 과제, 절차, 목표 또는 교과 과정의 질, 효과나 가치를 공식적으로 결정하는 활동이다. 그렇기 때문에 평가 대상의 질을 판정하기 위한 준거를 만들고 준거가 절대적인 기준인지 판단해야 하며, 이를 위해 관련된 정보를 수집하고, 평가 대상의 질적 수준을 결정하기 위한 준거를 실제로 적용할 수 있어야 한다.

교육공학 연구 영역에 따른 분류

연구 영역	하위 연구 영역	내 용
설계	교수체제설계(ISD)	ISD모형 개발, 체계적 교수설계모형 등 수업의 분석, 설계, 개발, 실행, 평가 단계를 포함하는 체계적 과정 관련 연구
	메시지 디자인	메시지의 물리적 형태 설계에 관한 연구, 텍스트 설계, 인터페이스 설계연구
	교수전략 방법	일반적인 교수전략 및 방법에 관한 연구, 다양한 교수 설계이론, 학습과제 유형별 교수전략, 구성주의 학습환경, 설계전략 연구(PBL, GBS, 학습 공동체 등), 교수설계이론 및 교수모델 탐색 연구 등 설계 시 시사점(가이드라인)을 도출하는 연구
		CAI 환경에서 교수전략 및 방법 연구
		하이퍼미디어/멀티미디어 환경의 교수전략 및 방법 연구
		WBI, E–Learnig 환경에서 교수전략 및 방법 연구
	학습자 특성	설계시 고려될 필요가 있는 학습자 특성 변인을 확인하고 어떻게 고려해야 하는지를 안내하는 연구
개발	인쇄매체	인쇄자료 제작 연구
	시청각 매체	필름, 슬라이드, TV, 비디오, 교육방송 등 시청각 자료 제작 연구
	컴퓨터 매체	정보를 디지털 데이터로 저장하고 전달하는 컴퓨터 기반 매체 제작 연구(CAI, CBI, CMI, ICAI)
	하이퍼미디어/멀티미디어	하이퍼미디어, 멀티미디어 제작 연구
	컴퓨터 네트워크 기반	컴퓨터 네트워크 기반, 온라인 학습매체 제작 연구(이러닝, WBI, 가상교육, 원격교육, M–Learnig)

활용	매체 활용	특정 매체의 효과적 활용을 위한 시사점을 얻을 수 있는 연구(ICT 활용현황, 인터넷/멀티미디어 활용 실태 연구)
	혁신과 보급	새로운 교육공학으로 고안된 혁신에 대한 수용자의 인식, 태도, 행동 변화 전략 관련 연구
	실행과 제도화	실제 현장에서 교수 자료 및 전략 실행 연구, 새로운 교육공학 혁신을 특정 조직 내 지속적으로 사용하고 지원하는 것에 대한 연구
	정책과 규제	교육공학의 보급과 사용에 영향을 주는 법규, 정책 관련 연구
관리	프로젝트 관리	ID 프로젝트 성공요인, 방해요소 분석, PM 업무 관련 연구
	자원관리	자원지원체제와 서비스의 기획, 감독, 조정 업무 관련 연구
	전달체제 관리	교수정보를 학습자에게 전달하는 매체 및 방법의 계획, 감독, 조정 업무 관련 연구, 원격교육체제에서 하드웨어/소프트웨어 요구조건, 사용자/관리자를 위한 기술적 지원, 설계자/교수자를 위한 가이드라인에 초점을 둔 연구(사이버교육 운영형태, 성공요인, 가상강의 운영실태, 운영지침 연구, 원격교육에서 전달매체별 비용효과 분석연구 등)
	정보관리	학습자에게 쉽고 용이하게 학습자원을 제공하기 위한 정보 저장 및 전달 업무 관련 연구
평가	문제분석	요구 분석 활동연구
	준거지향 측정	사전 설정된 목표의 학습자 달성 정도를 확인하는 기술 관련 연구
	형성평가	교수자료 및 프로그램 개선 목적의 형성 평가 연구
	총괄평가	향후 지속적인 활용에 관한 의사결정, 총괄평가 연구
그외	– 교육공학적 새로운 아이디어 접근, 테크놀러지의 소개, 설명, 미래 전망 연구 – 새로운 테크놀로지 기반 학습환경에서 학습과정, 교수 · 학습 과정에 대한 탐색 – 특정 학습이론 관점을 소개, 설명, 탐색하는 연구 – 교육공학의 학문적 정체성 등을 통한 교육공학 탐색	

CHAPTER 2

교육방법 및 교육공학 연구방법론

연구는 지식을 창출하는 기초적인 도구로 여겨져 왔다. 특히 교육공학은 실증주의에 바탕을 둔 양적 연구에 많이 치중되어 왔다. 그러나 최근 교육공학의 연구 방법은 질적 연구, 개발 연구, 형성적 연구 등 이전의 모습과는 다르게 다양화되고 있는 추세이다. 그 결과 교육공학의 주요 연구 방법으로는 질적 연구, 양적 연구(대표적 실험 연구), 개발 연구 등을 꼽을 수 있다.

1) 질적 연구 방법

(1) 질적 연구의 개념

질적 연구라는 것은 교육연구에서 다른 용어들과 혼용되는 용어라고 할 수 있다. 이러한 질적 연구 용어의 사례로는 다음과 같은 경우를 들 수 있다.

Brog와 Gall(1989)은 질적이라는 용어를 자연주의, 민족지적인, 주관적인 혹은 실증철학 이후의 연구와 같은 다른 용어들과 자주 교체하여 사용했다. Goetz와 LeCompte(1984)는 질적 방법을 사용하는 연구에 민족지적이란 용어를 사용하기도 했고, Lincoln과 Guba(1985), Erlandson(1993)은 질적 연구를 자연주의적 연구라는 용어로 표현했다. 이것은 질적 연구의 다른 표현들인 동시에 질적 연구의 성격을 드러내는 것이기도 하다.

(2) 질적 연구의 속성

질적 연구의 속성을 이야기할 때 특히 연구자의 태도는 매우 중요하다. 연구자는 대상으로부터 한 발짝 물러서서 비판적으로 상황을 분석할 수 있어야 하며 편견을 인식하고 걸러 낼 수 있어야 한다. 또한 추상적 사고를 할 수 있어야 하고 이론적으로 연구 대상에 민감성을 가지며 분석적인 거리를 유지해야 한다. 과거의 경험과 이론적 지식에 기반을 두고 관찰되는 것을 해석할 필요도 있다. 아울러 대상과 좋은 상호 관계를 유지해야 하며 타당성 있고 신뢰할 수 있는 자료들을 수집할 수 있어야 한다. 이것이 질적 연구의 중요한 속성들을 드러내는 것이라 할 수 있다.

(3) 질적 연구의 특성

질적 연구의 특징은 크게 5가지로 꼽을 수 있다. 첫째, 질적 연구는 의도적으로 환경을 조작하지 않고 자연스러운 환경에서 행해진다. 질적 연구는 통제적인 양적 연구와는 다르게 모든 상황을 받아들이고 자연스러운 상황 아래서 연구를 진행한다. 둘째, 인간 행동과 그 인간의 신념 및 의견을 세밀하고 풍부하게 진술한다. 질적 연구의 타당성 확보를 위한 이와 같은 작업은 매우 중요하다. 셋째, 개개인이 특정 환경에서 다양한 현실을 구성한다. 질적 연구는 특정한 현실을 반영하는 연구이다. 넷째, 연구자는 연구 대상과 서로 열려 있게 되고 연구 대상의 세계관 및 가치관에 영향을 받는다. 연구자와 연구 대상은 단순히 떨어져 있는 존재나 대상이 아니라 상호작용하고 공존하는 존재이다. 다섯째, 연구 문제는 연구가 진행되면서 나타나고 하나의 연구 결과가 다른 상황에서도 일반화될 수는 없다고 가정한다. 질적 연구는 특정한 상황에 대한 자연스러운 결과를 지향한다.

(4) 교육공학과 질적 연구

그렇다면 이번에는 교육공학에서의 질적 연구에 대해 살펴보자. 교육공학 분야에서도 역사적으로 질적 자료 수집이 있어 왔다. 교수 체제 설계자들도 개발의 착수 단계와 평가 단계에서 조사, 면접, 관찰과 같은 질적 방법을 사용했다. Hannafin(1989)은 ROPES라는 교수 설계 모델 개발에서 응용 인지주의 입장에 있으면서 인지적 원리와 행동주의 원리를 교수 설계에서 혼합 절충할 수 있다는 입장을 나타내고 있다. 또한 Weigmann(1996)도 예비 교사의 교육공학에 대한 효용성 및 태도를 알아보기 위해 두 기법을 결합한 연구를 한 바 있다. 이처럼 질적 방법을 선택하느냐, 양적 방법을 선택하느냐 하는 것은 반드시 양자택일의 문제가 아니다. 우리는 우리가 무엇을 왜 연구해야 하는가에 대한 견해를 확장시킬 필요가 있다. Newman(1989)이 말한 것처럼, "학습 환경이 교육공학에 영향을 줄 수 있다"면 이는 질적 연구가 필요함을 시사한다.

교육공학에서 질적 연구가 사용된 예를 살펴보면 초기 연구들의 경우 교실 내 매체 사용을 평가하고 묘사하기 위해 질적 방법을 사용했다. 교육공학 실험 연구자들은 태도 자료를 수집하거나 혹인 학생들의 행동에 대한 설명을 위해 질적 방법을 사용하기도 했다. 자료수집을 위해 질문지법을 이용하는 것이 전형적이지만 인터뷰를 사용하기도 한다.

(5) 질적 연구 설계

질적 연구의 설계와 방법은 연구자들이 질적 연구를 하고 있는 동안 계속해서 수정된다. Jacobs(1987)은 연구자가 처음에 다룰 문제에 기초하여 방법들을 선택하지만 연구 문제와 주제는 연구자가 연구하는 세계에 대한 인식이 변함에 따라 같이 변할 것이라고 말했다. 이후 Lincoln과 Guba(1985)는 연구 방법에 있어서 자연주의 연구는 연구 시작 전에 설계를 하기도 하지만 보통 질적 연구에서 연구 방법들은 연구가 진행되면서 바뀐다고 했다. 이후 Erlandson(1993)은 연구 방법을 미리 설계하거나 계획을 세워야 하지 않느냐는 질문에 대해 중도적인 입장을 취했으며, Bernard(1998)는 연구 문제가 무엇인지를 결정하는 데 있어서 연구자 스스로 5개의 질문을 해 볼 것을 제안하기도 했다.

질적 연구 설계의 분류 방법으로 Pelto와 Pelto(1978)는 인간 자원을 가장 기본적인 연구 수단으로 여기면서 방법을 언어적 기법과 비언어적 기법으로 분류했다. 이어 Goetz와 Lecompte(1984)은 방법을 상호작용적 방법과 비상호적 방법으로 나누었다. Lincoln과 Guba(1985)는 방법을 '인간 이외의 자원으로부터 자료를 모으는 것'과 '인간 자원으로부터 자료를 수집하는 것'으로 분류했다. 마지막으로 Bogdan과 Biklen(1992)은 방법이 단순한 이분법으로 분류되지 않으며 연구 방법이 '참여적'에서 '관찰적'에 이르는 연속선상에 있다고 보았다.

① 현장 이론(Grounded theory)

Strauss와 Corbin(1994)은 현장 이론을 체계적으로 수집되고 분석된 자료에 근거한 이론 개발을 위한 일반적인 방법론이라고 이야기한다. 이 이론은 지속적인 방법, 양적 연구에서도 적용될 수 있다. Brog와 Gall(1989)은 현장 이론 방법론의 목적에 대해 연구가 진행되는 동안 반복적인 자료 분석과 가설 분석을 통해 가설을 검증하고 이론을 개발하는 것이라고 했다. 연구자는 현상과 자료에서 이론을 세우기 때문에 철저하게 현상에 근거를 두는 입장을 취한다. 현장 밀착적인 이론을 개발하기 위해서는 선형적인 개념이 전혀 없이 하는 연구 대상에 대한 일종의 탐색 연구로 질적 연구 기법을 사용한다.

② 참여 관찰

참여 관찰이란 연구자가 연구 대상 속으로 들어가 관찰하는 것을 말한다. 즉 연구자가 연구 대상의 일원이 되어 연구 대상의 문제점을 살펴보는 방식이다. 질적 관찰 연구는 현장 노트의 형태로 연구자가 발생하는 상황에 대해 기록하는 것에 의존하므로 무엇을 관찰하고 기록할 것인가를 사전에 정해야 한다.

관찰자는 환경의 일부나 문화적 맥락의 일부분이 된다. 참여 관찰이 잘 되었는지를 판단하는 기준은 연구자와 참여자의 상호작용이다. 이들 간의 원활한 상호작용은 연구 결과를 유도하는 데 도움을 주고, 결과에 대한 타당성을 높여 준다. 연구 과정에서 녹화 방법을 사용하기도 하는데, 녹화를 하는 과정에서도 유의해야 할 것들이 있다. 먼저 모든 것을 녹화한다고 해서 관찰을 제대로 할 수 있는 것은 아니라는 사실이다. 연구자가 분석하고자 하는 것을 제대로 알 때만이 비디오테이프를 통해 성공적인 자료 수집을 할 수 있다. 노트도 마찬가지이다. 교실 현장을 있는 그대로 묘사하여 정리한다고 해서 연구 목적이 달성되지는 않는다. 연구 목적에 기반을 둔 질문에 의해 관찰과 기록이 이루어져야만 한다.

이러한 참여 관찰의 방법으로 Spradley(1980)는 관찰자가 취할 수 있는 여러 가지 역할을 논의하면서 관찰자의 역할을 내부자가 맡기도 한다고 주장했다. 참여 관찰 방법에서는 연구 장소, 연구 환경이 연구 문제에 대한 최선의 답을 찾기 위해 고려되어야 한다고 말했다. Bernard(1988)는 인류학적 관점에서 참여 관찰을 이야기하며, 단계를 ① 접촉 초기 단계에서는 두려움과 흥분이 있음 ② 그 문화에 대해 좀 더 자세하게 알아 가면서 느끼는 충격의 단계 ③ 집중적인 자료 수집 기간과 진정한 휴식을 필요로 하는 기간 ④ 연구가 더 집중되어 가는 단계 ⑤ 피로, 휴식, 허둥대는 활동 단계가 이어짐 ⑥ 마지막으로 조심스럽게 현장을 떠나는 단계로 제시했다.

이러한 참여 관찰 시 발생하는 윤리적 문제에 대해 Spradley(1980)는 연구 과정 전체를 통해 주의를 요할 것을 지적했다. 그는 윤리적 문제는 질적 연구 방법에서 흔하게 발생하는 것이며 연구자는 정보 제공자의 복지와 이익은 물론 권리와 흥미, 감성까지도 보호해야 한다고 주장했다.

Brog와 Gall(1988)은 참여 관찰 기법을 사용하면서 직면하는 문제에 대해 참여자가 누구인지, 무엇이 그들의 전형적인 행동 패턴이고 무엇이 불규칙적인 패턴인지를 확인해야 한다고 말했다. 또한 언제, 어디서, 어떻게, 왜 그런 현상이 일어나는지도 살펴보아야 한다고 했다.

③ 비참여 관찰

비참여 관찰은 참여 관찰에 비해 상대적으로 현장에 조심성 있게, 개입하지 않고 접근하는 자료 수집 방법 중의 하나를 이야기한다. 이러한 비참여 관찰의 유형에 대해 Goetz와 LeCompte(1984)는 비디오테이프나 오디오테이프를 사용하거나, 현장을 이야기체로 기록하는 유형, 근접학과 동작학, 상호작용 분석 프로토콜 등이 포함된다고 말했다. 또한 Bernard(1988)는 위장한 현장 관찰과 자연주의 현장 실험을 비참여 관찰의 종류로 거론했다. Alder와 Alder(1994)는 관찰 연구의 패러다임을 전형적인 민족지적 방법론뿐만 아니라 최근의 포스트모더니즘과 구성주의적 경향을 반영하면서 현실의 드라마적인 구성과 자동관찰까지 확대했다.

비참여 관찰에서 관찰자로서 연구자는 관찰되는 사람들과 상호작용을 별로 하지 않으며 연구자는 기본적으로 관찰하고 기록만 할 뿐, 참여자로서 특별한 역할을 하지 않는다. 이러한 태도를 통해 연구 내용에 편견이 개입되지 않도록 배려한다.

비참여 관찰에서의 관찰 유형은 구조화된 관찰 유형을 사용할 수도, 사용하지 않을 수도 있다. 구조화된 관찰 형식을 사용하면 기록되는 자료의 일관성을 확보하는 데 도움을 줄 수 있으며 훈련받은 관찰자들이 상당한 시간 동안 표집된 관찰을 하게 된다.

이러한 비참여 관찰은 하나의 연구 내에서 구체적인 문제들에 답하기 위해 한 상황에 초점을 맞춰 연구하는 경우에 이용되는데 이러한 연구 방법을 삼각법이라고 하며, 얻어진 관찰 자료 등의 자료는 결과에 대한 양적 보고를 하게 된다.

비참여 관찰을 수행하는 지침에 대해 Goetz와 LeCompte(1984)는 다음과 같이 이야기했다. 첫째, 연구자들의 여러 자료원에 대해 비개입적이고 편견을 갖지 않아야 한다. 둘째, 기록될 자료, 분석 단위는 연구 시작 전에 구체화되어야 하며 기록 방법을 개발하고 분석 단위의 선택 전략과 표집 방법을 결정해야 하고, 최종 단계에서 모든 과정을 검토, 수정해야 한다.

비참여 관찰은 양적 연구에서 학생들이 참여하는 동안 무엇을 하는가 하는 연구 문제에 답하기 위해 주로 사용되는데, 이러한 비참여 관찰의 변종으로는 행동 추적(trace-behavior: 인공물 혹은 문서 분석을 혼합하는 방법)이나, 소리내어 읽기 프로토콜(read-think-aloud)이 담긴 행동, 추적물, 인공물, 문서 등을 분석하여 학습자에게 자기들이 무엇을 하고 왜 그것을 했는가를 분석하는 방법 등이 있다.

비참여 관찰 기법을 이용한 사례 연구로는 학교 내 컴퓨터 이용을 다루는 것들이 있는데 여기서는 Dana(1994)와 Pits(1993)의 연구를 살펴보고자 한다. Dana의 연구는 1학년 선생님의 교육 신념이 교육과정과 수업에 어떻게 관련되는가를 연구한 것이며, Pits의 연구는 생물학 시간에 학생들의 활동을 연구한 것으로, 프로젝트를 수행할 때 어떻게 정보를 찾고, 찾은 정보를 조직하고 이용하는 것과 관련된 학생들의 조직과 활동을 연관시킬 것인가를 연구했다.

④ 면접

면접은 직접적으로 연구자가 연구 대상과 상호작용하는 고전적인 질적 연구 방법이다. Bernard(1988)는 면접의 종류를 4가지로 나누어 말했는데, 첫째로 비형식적 면접, 둘째로 비구조화된 면접, 셋째로 반구조화된 면접, 마지막으로 구조화된 면접을 꼽았다. 특히 비구조화된 면접은 연구 문제나 가설과 관련된 미리 구조화된 설문지를 만드는 것과 달리 연구자가 면담의 주제만을 정하고 면담에 들어가는 것으로 상황에 따라 연구자가 즉각적으로 대처하는 방법을 이야기했다. 반면 구조화된 면접은 면접 계획이 포함된다. 이러한 면접에 대해 Fontana와 Fery(1994)는 개인적 면접 혹은 집단의 면접을 분류하면서 최근에는 질적 연구의 경향에 맞추어 비구조화된 면접에 창조적이고 포스트모던적인 면접을 첨가했다.

먼저 비구조적인 면접 방법을 살펴보면, 이 방법은 상당한 기간 동안 특정 환경에 있게 되거나 참여 관찰을 하고 있는 연구자가 주로 선택하게 되며, 약간 느슨하나 탐색적인 방식으로 주제가 논의된다. 반면 체계화된 면접은 같은 질문을 같은 순서로 모든 응답자에게 해야 하는 경우에 이용하는 면접 방식으로, Goetz와 LeCompte(1984)는 이것을 조사라고 생각하지만 다른 학자들은 이것을 조사라고 생각하지 않는다. 다음으로 현장에서의 삶에 초점을 맞춘 면접은 내부인의 관점에서 삶과 문화를 이해하려고 노력하는 인류학에서 많이 쓰이고 있다.

이러한 면접의 시발점은 연구자들의 지각이나 판단보다도 응답자가 말하는 것을 잘 듣고 기록하는 것이다. 즉 원자의 순수성을 보존하는 것이 가장 좋은 방법이라고 할 수 있다. 좋은 면접에 대해 Bogdan과 Biklen(1992)은 응답자들이 편안한 상태에서 자신의 관점에 대해 자유롭게 이야기하는 면접이라고 말했으며, Bernard(1988)는 비구조화된 면접에서는 정보 제공자가 대화를 이끌도록 하고 대화에서 자연스런 탐색 질문을 하면서 어느 순간에 그 면점의 초점을 맞추도록 해야 한다고 주장했다. 또한 Lincoln과 Guba(1985)는 자세한 현장 일지를 써서 연구의 질을 확보하는 것을 강조했다.

Lincoln과 Guba(1985)는 면접을 실행하는 단계에 대해 첫째로 인터뷰할 대상 결정 방법, 인터뷰를 시작할 때 응답자에게 할 말, 면접의 속도 및 생산적인 면접 방법, 면접 종결 및 결론을 도출하는 방법 등을 기술했다. 또한 중요한 제보자와는 심층적 면담이 필요하며 반구조적 면접을 사용해야 한다고 말했다. 이러한 반구조적인 면접에서는 미리 질문의 개요를 작성해 가지만 실제에서는 대화를 해 나가면서 질문이 추가되거나 삭제되기도 한다. 면접에서 피면접자가 여러 명일 경우는 집단 면접 방법을 쓰기도 하며, 면접에서 얻어진 자료는 삼각법으로 해석적이고 변증법적인 과정을 통해 분석된다.

⑤ 문서 및 인공물 분석

먼저 문서 분석(document analysis)은 다양한 형태나 경로로 작성된 기록 자료를 입수하여 그 내용적 특성을 분석하고 기술하는 연구 기법을 말한다. 이것은 연구 대상으로부터 나온 문서나 논문, 도서, 시청각 자료 등의 각종 자료에 대해 내용 분석을 하는 것을 뜻한다.

이어 인공물 분석(artifact analysis)은 컴퓨터 기반 학습 시 컴퓨터에 의해 수집되는 학습자의 로그인 기록, 학습 시간이나 경로 기록 분석 등을 예로 들 수 있다. 이것은 다른 자료 수집 방법과 중복되기도 한다.

(6) 질적 자료 분석론

질적 연구자들은 연구의 기초에 깔려 있는 철학적 접근에 근거하여 연구 방법을 선택하게 된다. 이에 대해 Miles와 Huberman(1994)은 질적 자료의 분석 방법에 대해 3가지 접근 방법을 이야기했다.

첫째, 해석적 접근이다. 해석적 접근에서는 현상학적이거나 사회적 상호작용주의에 기반을 두고 총체적 관심을 제시한다. 이 접근법은 기호학, 심미적 비평주의, 민족지적 방법과 해석학에서 질적 연구자들에 의해 사용된다. 둘째, 협동적 사회 연구의 접근이다. 이것은 주로 행동 연구자들에 의해 사용된다. 셋째, 사회 인류학적 접근법이다. 이 연구 방법은 여러 자료원에 대해 상세하고 풍부한 묘사를 하고자 하고 자료 속에서 인간 행동의 규칙적 유형을 찾게 된다.

이번에는 질적 연구 설계의 분류 방법에 대해 살펴보도록 하자. 연구자들은 자료를 비교하고, 모으고, 대조하고, 분류하고, 정리한다. 이후 이론을 세우고 이것을 검증하기 위해 선택된 사례와 부정적 사례를 자세히 검토하게 된다. 여기서 사용되는 분석 절차들은 패턴 찾기, 연결하기, 관련시키기 등으로 구성된다. 질적 연구자는 사색을 통해 데이터의 의미를 파악하고 새로운 면접을 실행하여 더 깊이 있게 새로운 패턴을 찾게 된다. 현장 이론 접근법을 사용하는 연구자들은 끊임없는 비교 방법을 이용하기도 하는데 한 가지 방법으로 분석적 비교(analytic comparison)를 꼽을 수 있다. 이것은 현상들의 범주화를 위해 자료를 재검토하고 일련의 관계를 정의하고 가설을 개발하고 자료를 더 모으고 가설을 세련되게 만드는 것을 말한다. 자료를 수집할 때는 자료를 범주화하고 코딩하는 것을 포함하게 된다.

연구 초반에 기록된 자료를 조사하고 현장의 범주를 개발하기 시작하는데 이런 범주를 '코드'라고 한다. 질적 연구 방법에서 얻어진 자료들을 범주화하는 작업은 매우 중요하며 이것을 '자료 코딩하기'라고 한다. Miles와 Huberman(1994)은 자료의 코딩에 대해 기술적으로, 해석적으로 코딩될 수 있으며 코딩 과정의 처음에 목록을 만들어 현장에서 이 목록을 수정해 나가야 한다고 말했다. Spradley(1979)는 코딩의 방법과 면접 자료를 어떻게 분석하는지 상세하게 기술했다.

(7) 질적 연구의 평가 기준

질적 연구의 질과 정밀성을 평가하기 위한 기준은 사용된 방법에 따라 약간씩 다르다. 관찰 연구의 경우에는 연구자의 주관성과 편견에 기인하는 타당성의 문제가 발생할 수 있다. 따라서 타당성을 높이기 위해 여러 관찰자가 팀을 이루어 자료와 유형들을 교차 확인하는 방법이나 현장 이론 접근에서 연구를 진행하는 동안 연구자가 명제와 가설들을 수정하고 검증하는 방법들을 생각해 볼 수 있다. 질적 연구의 결과에 대해 신뢰도는 매우 중요한 문제인데, 이러한 신뢰도의 확보를 위해 여러 조건, 특히 시간과 장소를 달리하여 반복적으로 관찰할 것을 권유하고 있다. 신뢰도는 비슷한 결과들이 나타나게 되면 정당하다고 볼 수 있기 때문에 반복적 관찰을 통해 비슷한 결과물이 나타나는지 확인하는 작업은 유효하다.

2) 양적 연구 방법

(1) 실증주의 실험 연구

실증주의 실험 연구란 외적 정합성을 규정할 수 있는 가장 강력한 연구 방법으로 현장을 기술 · 설명 · 예측하는 것을 말한다. 여기서 실험 연구라는 것을 좀 더 구체적으로 살펴보면 처지, 자극, 환경 조건을 의도적으로 조작하거나 통제하여 연구 대상이나 물체에 어떤 변화가 있는지를 분석함으로써 인과관계를 밝히는 연구이다. 이것은 연구의 체계성과 엄격성에 따라 실험 설계와 준실험 설계로 구분될 수 있는데, 즉 실험 설계라는 것이 조건 통제가 완벽한 상태에서 처치 변인의 조절이 수월하고 가외 변인(extraneous variables)이 철저하게 통제된 연구임을 말해 준다. 반면에 준실험 설계는 조건 통제가 느슨하고 처치 변인의 통제가 철저하지 않은 실험 연구를 의미한다.

(2) 실험 설계의 유형

실험 설계(true experiments)라는 것은 조건 통제가 완벽한 상태에서 처치 변인의 조절이 용이할 때 방해 변인들을 무선화에 의해 제거하는 연구이다. 이것은 내적 타당도를 최대한 확보할 수 있는 연구로, 그 실험 설계는 다음과 같다.

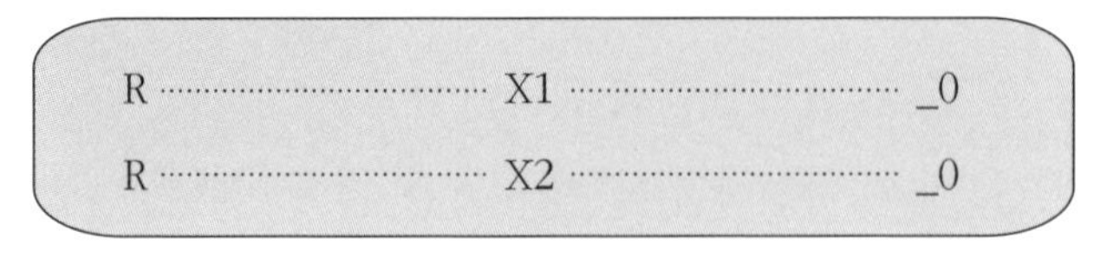

실험 설계

여기서 R은 피험자들을 우선적으로 배치했음을 나타내고 X는 실험 처치의 여부, 0는 관찰이나 검사를 했었음을 나타낸다. 실례로 Park와 Gittelman (1992)의 '동영상과 피드백에 대한 연구'를 살펴보면 시각적 제시 유형의 두 가지 상황(고정된 이미지와 동영상)에 3가지 조건의 피드백(설명, 결과에 관한 지식, 보통 피드백)을 교차하여 제공한다. 여기서 가장 중요한 결과 변인은 사후 검사에서의 학업 성취 점수이다. 이것은 동영상을 보여 준 집단이 다른 집단에 비해 사후 검사에서 우수하다는 것을 보여 준다. 이러한 결과는 실험 설계를 이용했기 때문에 환경이나 과업과 연관된 이질적인 요소보다는 오히려 동영상에만 기인한 결과라고 추론할 수 있다. 또한 종속 변인에 독립 변인이 영향을 미쳤다면 '인과관계'의 추론이 진행되었다고 할 수 있다.

반복 측정(repeated measures)이라는 것은 모든 피험자에게 모든 처치가 주어지므로 자신에 대해 통제의 역할을 하고, 여러 개의 검사, 관찰이 이루어진 것을 말한다. 그림으로 이 내용을 살펴보면 다음과 같다.

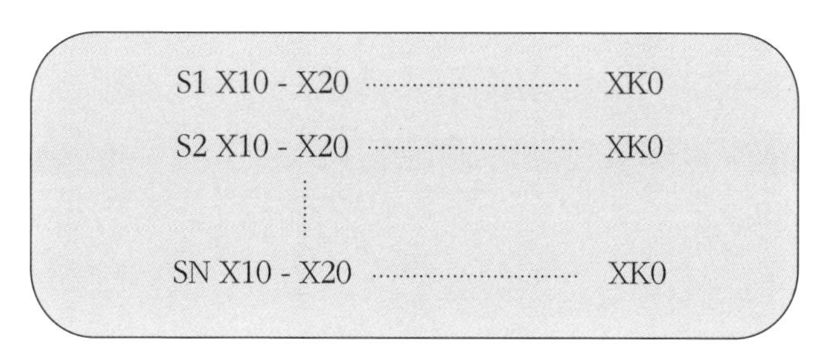

반복 측정

여기서 사용한 N명의 피험자와 K개의 처치는 각 개인에게 제공되며 각 피험자는 같은 계열의 처치를 받는다. 처치 순서를 무선으로 하면 이 순서 효과는 사라지게 된다. Winn과 Solomon(1993)에 의한 최근의 연구를 예로 들어 보면, 짝지어진 무의미한 단어가 3개의 그림 상자에 있는 위치 중 하나로 제시된 후 이 위치들은 'X는 Y를 가진다.', 'X는 Y이다.', 'X는 Y의 원인이다.'와 같은 3가지 이유 중 하나로 표현된다. 그 후 각 문장 속에서 단어의 위치를 역전시킴으로써(Y는 X를 가진다.) 각각의 그림에서 6가지 가능한 방법이 존재(3개의 문장 유형×2개의 순서)하게 된다. 이것의 단점은 이전에 경험한 처치(그림의 종류)가 그 다음 처치의 경험에 영향을 줄 수 있다는 것인데, 이러한 현상을 확산 효과(diffusion effect)라고 한다.

준실험 설계(quasi experiments)는 교육 연구에 있어서 처치를 위한 피험자의 무선 할당이 가능하지 않은 경우이다. 가령 한 해 동안 유사한 학습에 대해 교수 전략을 달리해 처치하고 그 뒤 종속 변인을 측정, 비교하는 것이 가능하다. 준실험 설계의 중요한 요소는 먼저 사전 검사를 통해 두 집단이 동등하다는 것을 확인하기 위해 사전에 하는 분석이다. 또한 준실험 설계에서는 무작위로 한 집단이 다른 집단과 차이가 있을 수 있고 이러한 이유로 종속 변인의 차이가 반드시 실험 처치 조건의 차이라고 볼 수 있는 것은 아니라는 점도 한 가지 요소이다. 이러한 경우 연구의 내적 타당도가 위협받기 때문이다. 준실험 설계를 그림으로 표현하면 다음과 같다.

X1 .... _0

X2 .... _0

준실험 설계

이것의 예로는 초등학생의 장기간의 컴퓨터 경험에 관한 효과에 관한 연구를 들어 보자. 초등학교 5~6학년 학생들에게 컴퓨터 집중 학습 프로그램의 효과를 검증하기 위해 컴퓨터 및 프로그램이 제공된다. 동일한 환경에 노출되어 있는 통제 집단의 학생들에게는 컴퓨터가 제공되지 않는다. 이러한 상황 속에서 두 집단에게는 집단의 동질성을 확보하기 위해 여러 과목에 걸친 사전 검사가 실시된다. 그 결과 이 두 집단에는 차이가 없었다거나, 차이가 있었다는 결론에 도달할 수 있다.

다음으로 시계열 설계(timeserial design)란 어느 한 개인이나 집단을 대상으로 삼아 종속 변인을 주기적으로 측정하고 이러한 측정시 시계열 중간에 실험적 처치를 도입하는 것을 말한다. 즉 실험 집단과 통제 집단이 없고, 무선화가 없다는 실험 처치는 종속 변인에 영향을 주었는가를 의심하게 할 수도 있다. 여기에서는 역사라는 가외 변인(extra variables)을 통제하지 못하고 있다는 점에 유념해야 하고, 실험 처치 x의 영향이 있는 것으로 추리되는 경우라도 이 역사 요인이 어떻게 작용했는가를 면밀히 검토해야 한다.

이에 대한 예로 Alper, Thoresen, Wright(1972)의 연구를 꼽을 수 있다. 이 연구는 적당하지 못한 학생 행동에 대한 교사의 긍정적 태도 증가와 적당하지 못한 행위에 대한 부정적 응답 감소에 관한 비디오 효과에 초점이 맞추어져 있다. 기준이 되는 자료는 두 번에 걸친 교사 자료를 모은 것인데, 첫째로 사전에 부적당한 행위를 무시하는 비디오와 피드백을 보여 주는 것, 둘째로 긍정적 행위를 수행하는 피드백과 비디오를 보여 주는 것이다. 교사의 태도는 서로 다른 곳에 초점을 둔 비디오 모형과 피드백을 부과했고, 분석 결과 시간이 흐르자 바람직하지 못한 행위에 간섭하는 경향이 비교와 피드백을 따르는 예견된 방향으로 변화한다는 것이 발견되었다. 이러한 시계열 설계에서는 특히 불안정한 행위의 패턴을 발견하기 쉽다.

(3) 타당성의 위협 요소

타당성의 위협 요소로는 다음과 같이 7가지를 들 수 있다. 첫째는 성숙이다. 성숙은 실험 처치 이외에 시간의 흐름에 따라 나타나는 피험자의 내적 변화가 피험자의 반응에 영향을 줄 수 있음을 말하는 것이다. 둘째는 검사이다. 검사는 사전 검사를 받은 경험이 사후 검사에 미치는 영향을 뜻하며, 검사 도구는 검사 도구의 변화, 관리자나 채점자의 변화 때문에 실험에서 얻은 측정 장치에 변화가 생기는 것이다. 셋째로 통계적 회귀는 피험자의 선정을 극단적인 점수를 토대로 해서 결정할 경우 일어나기 쉬운 통계적 현상을 의미한다. 넷째로 피험자의 선발이란 실험 집단과 비교 집단의 피험자들을 선발할 때 동질성이 결여되어 나타나는 영향을 말한다. 이어 다섯째, 여섯째 요인인 피험자의 선발과 성숙 간의 상호작용은 성숙 요인과 피험자의 선발 요인의 상호작용에 의하여 실험의 결과가 달라지는 것을 뜻하며, 마지막으로 역사란 사전 검사와 사후 검사 사이에 있었던 갖가지 특수한 사건들을 의미한다.

(4) 실험 연구의 수행 절차

실험 연구의 수행 절차는 주제 선택 → 연구 문제 확인 → 문헌 연구의 수행 → 가설의 구체화 → 설계의 결정 → 표집과 실험 도구 결정 → 자료 분석 기법 결정의 순서로 이루어진다.

먼저 주제 선택은 연구자에게 흥미가 있고 연구할 만한 가치가 있는 학습자를 통제, 수학적 개념 학습 등과 같은 일반적인 주제를 선택하는 단계이다. 이어 연구 문제 확인은 주제 선택 단계에서 선정된 문제의 범위를 좀 더 좁혀서 들어가는 것을 말하며, 문헌 연구의 수행은 주제와 연구 문제가 확인되면 관련 문헌을 탐색해야 하는 것을 말한다. 다음 과정으로 가설의 구체화에서는 가설을 잘 구체화시켜 이것을 실험 설계, 도구, 자료 분석 등 모든 단계를 풀어 갈 수 있도록 만드는 것이다. 설계의 결정에서는 앞 단계에서 실험 연구가 가능하다고 판단되면 그 다음 단계에서 구체적인 실험 설계를 해야 한다. 표집과 실험 도구 결정 단계에서는 실험 연구의 방법에 피험자 선정, 실험 재료 및 자료 수집 도구, 절차 등이 포함되어야 하는 과정이다. 이 단계를 거쳐 자료 분석 기법 결정에 이르게 되는데, 여기서는 실험 연구에서 자료 분석 기법은 연구 문제 및 얻어진 자료의 성격에 따라 달라질 수 있다는 것을 염두에 두어야 한다.

3) 질적 연구와 양적 연구의 비교

Lincoln과 Guba(1985)와, Denzin과 Lincoln(1994)은 “패러다임은 체계적인 일련의 신념들과 그 신념에서 나오는 방법이고 그 방법들이 현실의 본질을 볼 수 있게 해 준다”고 말하며 “근세 이후 실증주의가 등장하면서 ‘방법에 기초한 시대’가 열리게 되었고 최근까지 실증주의 패러다임에 의해 과학적 연구가 진행되었다”는 사실을 지적했다. 이러한 실증주의 패러다임은 근세 이후 가설, 조작, 사건의 능동적인 관찰, 가설의 평가를 주요한 활동으로 삼았고 그 연구 범위나 방법도 자연과학적 기준에 의해 제한되어 왔다. 이것이 바로 양적 연구의 바탕이라고 할 수 있는데 질적 연구 혹은 자연주의 패러다임이라고 부르는 최근 후기실증주의 패러다임에 의해 도전을 받고 있다.

(1) 질적 연구와 양적 연구의 비교

양적 연구는 실증주의적이고 양적인 방법을 사용하며 연구 문제와 가설을 미리 가지고 있다. 연구자는 연구 대상과 철저하게 객관성을 유지해야 하며 연구 대상에 대한 규범적이고 가치 합의적인 진술을 주관적이라고 여겨 객관적으로 검증이 불가능하다고 판단한다. 이러한 양적 연구의 방법은 연역적 추리를 통한 가설을 설정하고, 그 가설에 따르는 관찰과 자료를 수집하고 자료 분석, 자료 검증을 거치게 된다. 양적 연구는 결과를 매우 중요시하고 객관적 결론을 도출하기 위해 현실의 평균적인 경향을 보이게 된다.

반면 질적 연구는 연구자와 연구 대상의 상호작용으로 이루어지는 접근 방법을 말한다. 질적 연구에서 연구자는 연구 대상에 대한 선개념, 선가설을 배제하고 총체적인 이해를 시도하게 된다. 연구자가 연구 대상에 접근하여 주관에 충실하게 이해를 시도한다는 점이 양적 연구와 많이 다른 부분이다. 연구 대상이 세계에 부여하는 의미를 해석하기 위해 규범적이고도 합의적인 진술을 필요로 한다. 이 과정에서 연구자와 연구 대상 사이의 상호작용을 통해 상호 주관성이 획득되는 것이다.

질적 연구의 방법에서는 연구의 과정이 중요시된다. 이 말은 연구자가 연구 대상을 이해해 나가는 과정 그 자체가 중요하다는 것이다. 연구 대상에서 일어나는 미세한 사고, 행동으로부터 출발하여 대상의 전면적 이해를 도모한다. 이것은 양적 연구로 이해되는 범위를 넘어서 질적으로 인간을 폭넓고 깊이 이해하는 데 도움을 줄 수 있다.

연구 방법에 있어 큰 차이를 가진 이 두 패러다임에서 어느 한 가지만을 강요하거나 고집하는 것은 연구의 질을 방해하거나 제한할 수 있다. Goetz와 LeCompte(1984)는 "연구 모델을 극단적으로 양분하는 것은 옳지 않다. 생성-증명, 귀납-연역, 주관-객관 그리고 구성적-계산적 같은 양 측면을 신중하게 검토해야 하며, 이 요인들은 하나의 연구 설계를 기획할 때 균형을 이루도록 해야 한다"고 주장했다. 각 연구 방법을 사용하는 연구자들이 각 영역에서 모험을 하면서 지식의 진보를 가져오게 되고 문제 해결을 도울 수 있기 때문에 두 가지 패러다임을 같이 사용하는 것은 의미가 있다. 연구자는 실험 연구나 준실험 연구 방법과 질적 연구 방법을 혼합한 연구를 택할 수 있다.

양적 연구와 질적 연구의 비교

구 분	양적 패러다임	질적 패러다임
연구의 목적	설명, 예언, 통제: 사회적 현상의 인과 규명	이해: 인간의 해석과 지각을 이해하려 함.
실재의 본질	정체성: 실재는 변화되지 않는 사실들로 구성	역동성: 실재는 인간의 지각이 변화됨에 따라 변화
연구자의 관점	국외자: 실재는 양으로 나타낼 수 있는 자료로 존재	내재자: 실재는 인간이 존재하고 있다고 지각하는 바의 것
가치	가치 개방성: 가치는 적절한 방법론적 절차로 통제 가능	가치 제한성: 가치는 영향력을 가지며 연구를 수행하고 보고할 경우
초점	개별성: 미리 선택하고 정의한 변인을 연구	총체성: 전체적 또는 완전한 상황이 추구
방향	역검증: 미리 설정한 가설을 검증	발견: 수집된 자료에서 이론과 가설을 발견
자료	객관성: 자료는 인간의 지각과 독립	주관성: 자료는 환경 속에 있는 인간의 지각
도구	비인간: 미리 구성한 검사, 관찰 기록, 질문지 평정 척도 등을 사용	인간: 인간이 일차적 자료 수집 도구
조건	통제성: 통제된 조건하에서 연구를 수행	자연성: 자연적 상태에서 연구를 수행
결과	신뢰성: 객관적이고 반복 가능한 자료를 얻기 위한 실험 설계와 절차를 강조	타당성: 실제적이고, 풍부하며 총체적 자료를 얻기 위한 연구 설계와 절차를 강조

(2) 연구 방법의 상호 보완성

통상적으로 사회과학 연구자들은 질적 연구와 양적 연구를 구분한다. 연구자가 어떤 방법을 사용하여 연구하는가 하는 것은 자기의 세계관과 패러다임 하에서 연구 주제를 보고 연구 목적을 달성하기 위한 수단으로 선택하게 된다. 서로 상반되는 패러다임을 가진 질적 접근과 양적 접근은 상호 보완적으로 활용될 수 있는데, 이에 대한 4가지 입장이 존재한다(조용환, 1994).

첫째, 질적 연구와 양적 연구를 병행하는 것에는 한 연구자가 두 접근방식을 자유롭게 활용할 수 있다는 입장이 있을 수 있다. 둘째, 질적 연구자와 공동 연구자가 하나의 공동 연구에 참여하는 방식이 각자 다를 수 있다. 이때 서로 다른 언어를 사용하는 각 연구자 간의 지속적인 대화 노력이 필요하다.

셋째, 연구 논리와 연구 기법을 구분하여 연구 논리상으로는 양립할 수 없지만 연구 기법상으로는 양자를 혼합적으로 활용할 수 있다는 입장이 있을 수 있다. 마지막 넷째로 질적 접근과 양적 접근을 화합하거나 혼합하는 일의 가능성 여부를 떠나서 그것이 유익하지 않다고 보고 양자의 이질성을 유지하면서 보완하는 입장이 있을 수 있다. 이것은 연구를 종합, 분석하는 맥락에서 이루어지는 것이 바람직하다고 보는 입장이라는 점에서 둘째 입장과 차이를 가진다.

4) 대안적 연구 방법

(1) 개발 연구

개발 연구는 교육공학의 기술적이고 실천적인 성격을 보다 많이 반영하는 것이라 말할 수 있다. Seel과 Richey(1994)는 “개발 연구는 내부적 일관성과 효과성을 만족하는 학습 결과를 달성하기 위해 교수 프로그램, 설계 및 개발 과정, 그 결과로 만들어진 산출물을 설계, 개발, 활용, 평가하는 체계적인 과정이다”라고 말한 바 있다.

개발 연구는 교수 설계, 개발, 평가를 하면서 동시에 그 과정을 연구하는 상황을 포함한다. 또한 설계 및 개발의 효과, 전체로서의 설계, 개발, 평가의 과정에 관한 연구를 담고 있다.

① 개발의 의미

개발의 의미는 성장이나 변화의 의미를 파악하고 설계를 실현해 나가는 과정이라 볼 수 있으며 수업 자료를 만드는 과정이기도 하다. 이러한 개발을 통해 체계적 수업 설계의 과정인 분석, 설계, 개발, 구현, 평가를 할 수 있게 된다.

개발 연구에는 요구 분석이나 전단 분석(font-end analysis)은 물론 설계, 형성 평가, 총괄 평가, 제작 후의 운영 및 관리까지 포함된다.

② 개발 연구의 범위 및 성격

개발 연구의 범위는 설계, 개발, 이용 및 관리로 볼 수 있다. 여기서 설계란 설계, 개발, 평가를 위한 계획을 수립하는 것을 말하며, 개발은 제작 및 형성 평가의 수행을 뜻한다. 이용 및 관리는 이용과 관리 형성 평가를 포함한다.

개발 연구의 성격은 직접적인 문제 해결을 의도하는 응용 연구라고 할 수 있다. 이것은 절차나 과정에 관한 연구를 통해 지식을 창출하는 것이다. 그에 대한 예로 체제적 교수 설계 모형이나 미디어 선택에 관한 절차적 모델들을 들 수 있다. 실험 연구는 현상이나 실제를 설명하고, 이해를 도와주고 한 변인의 효과를 다른 변인과의 관련 속에서 이해하거나 예측하기 위한 연구이다. 이에 반하여 개발 연구는 과정을 연구함으로써 절차적 · 과정적 · 처방적 모델의 개선을 도모하며, 그것은 문제를 체계적으로 분석하고 그 문제를 해결하기 위한 전략을 설계 · 개발하여 구현 · 평가해 보면서 이루어지는 것이다.

③ 연구와 개발의 관계 및 개발 연구의 유형 및 연구 방법

그렇다면 이러한 연구와 개발은 어떤 관계가 있는 것인가? 결론부터 말하자면 새로운 지식이 연구에 의해 창조되면 개발은 그 지식을 실제 적용할 수 있게 한다. Stowe(1973)는 과학적 연구와 체제적 교수 설계의 방법론 간의 유사점을 지적하면서 "실제의 중요한 측면을 나타내는 정도에 따라 예측력을 가진다", "양자 모두 객관적이고 체계적인 문제 해결을 하며 절차적 모델을 이용한다", "새로운 문제 및 가설을 생성할 수 있다"고 역설한 바 있다.

이러한 개발 연구의 유형은 다음과 같다(Richey & Nelson, 1996).

첫 번째 유형은 수행 방법으로서, 사례 연구, 기술적 연구, 민족지적 연구, 평가 연구, 실험 연구, 역사적 연구, 관찰 연구, 철학적 연구, 질적 연구, 조사 연구 등의 방법 중 주로 사례 연구법이 사용된다. 이러한 사례 연구법이 사용되는 이유는 환경 변수들의 영향하에 진행되고 교수 개발의 과정의 복잡성을 탐구하는 데 적절하기 때문이다. 결론적으로 이 유형은 일반화의 정도가 제한적이며, 교수 산출물이나 프로그램에서 제안된 개선점들, 교수 제품이나 프로그램의 원활한 활용 조건들, 측정 교수 제품이나 프로그램의 효과, 효과적이고 효율적인 교수 제품이나 교수 프로그램의 설계, 개발, 활용을 위한 조건들이라는 것을 드러낸다.

두 번째 유형의 수행 방법은 설계, 개발, 평가 과정의 한 특정한 예를 탐구하는 연구와 달리 그 과정 자체를 탐구하는 것이다. 이러한 유형의 연구가 이루어지는 목적은 먼저 특정 설계 전략과 과정의 탐구를 위해서이고 설계나 개발 평가 모형의 개발에 도움이 되기 때문이다. 또한 설계, 개발, 평가 모형의 일반적인 검토에 유용하다. 이런 유형에서 사용되는 연구 방법에는 실험법, 준실험적 설계, 질적 연구 방법, 역사적 · 철학적 방법, 질문자법 등이 있다. 이러한 유형은 광범위한 설계 및 개발 연구에 적용 가능한 일반적 원리들이라 할 수 있다.

④ 개발 연구의 절차

개발 연구를 수행하는 연구자가 진행하는 절차(Richey & Nelson, 1996)는 다음의 5단계를 거치게 된다. 그 과정은 연구 문제 정의 → 관련 문헌 검토 → 연구 절차 → 자료 수집 및 분석 → 결과와 결론 내리기로 구성되어 있다.

먼저 연구 문제 정의에서 문제의 정의는 설계, 개발 또는 평가 과정의 특정 부분에 연구 문제의 초점을 맞춤으로써 행해진다. 이어 관련 문헌 검토를 거치게 되는데, 여기서는 당장 처리할 업무에 적합한 절차적 모형이나 효과적인 교수 산출물, 프로그램, 전달 체제의 특성 등 개발 과정에 영향을 주는 요소들 등에 초점을 두고 검토하게 된다. 연구 절차 단계에서는 개발 절차에 대한 상술이 들어가게 되는데, 개발 연구 과제에서는 모집단 혹은 표본 집단을 정확히 규정하고 설계와 개발 절차들이 상술되어야 하며, 연구를 기술적 연구로 하든 실험 연구로 하든 그 단계들도 상술되어야 한다. 자료 수집 및 분석에서는 설계, 개발, 평가에 관한 기록물, 구현 조건들, 개발 환경 등에 관한 자료들이 정리, 분석되어야 한다. 마지막으로 결과와 결론 내리기 단계에서는 결과 및 결론을 제시하는 다양하지만 새로운 절차적 모델을 제시한다든지 일반적 원리를 도출함으로써 교수 설계 분야에 기여해야 한다.

(2) 형성적 연구

형성적 연구는 형성 평가에 주목하여 교수 이론의 개선을 위해 나온 연구 방법(Dick & Carey, 1985)이다. 이 연구에서 형성 평가는 개발 과정의 초기 산출물을 개선하기 위한 활동인데 이 연구의 주요 특징은 다음과 같다(임철일, 1994).

먼저 연구 대상이 되는 교수 설계 이론 혹은 모형에 따라 교수 프로그램을 설계하여 개발한다. 이후 개발된 교수 프로그램을 중심으로 일대일 형성 평가를 실시하고 2단계에 걸쳐 일대일 검토를 하게 된다. 첫 번째 단계의 검토에서 연구자는 학습자가 학습을 할 때 질문 등을 통해 교수 프로그램의 장단점들을 확인하고 학습자 스스로 교수 프로그램의 개선 측면을 지적할 수 있는 기회를 부여한다. 이어 두 번째 단계에서는 첫 번째 단계에서 발견된 결과의 타당성을 확인하기 위해 보다 자연스러운 상태에서 일 대 일 검토를 하게 된다.

PART 2

교수-학습의 심리학적 이해

CHAPTER

3 학습

인간 행동의 많은 부분은 선천적으로 결정된 것보다 일상생활에서 접하는 경험을 통해 더 많이 이루어진다. 이렇게 인간이 경험을 통해 이루어 낸 행동의 변화가 학습심리학의 주된 관심 대상이다. 일반적으로 '학습'이라고 하면 쉽게 떠올릴 수 있는 것이 '교과 공부' 혹은 '학교 공부'이다. 그러나 사람이 태어나고 자라면서 행하는 많은 행동들은 우리가 교과 공부나 학교 공부를 하기 이전에 일상적인 생활을 통해 가능하게 되는 경우가 많다. 학교라는 정규 교육기관에 입문하기 전에도 인간은 몸도 제대로 가누지 못했던 신생아 시절 이후에 많은 것들을 일상생활 속에서 이루어지는 학습의 결과로 획득하게 되는 것이다. 이렇게 인간은 일상생활에서 많은 것을 학습하며 살아간다. 그리고 그 학습은 전 생애를 통해 끊임없이 일어난다.

1) 학습의 개념

(1) 학습의 정의

학습은 비교적 장기간 지속되는 변화를 일컫는다. 그러나 성숙이나 다른 요인에 의해 일어나는 변화는 학습으로 간주하지 않는다. 학습은 경험에 의해 생겨나는 변화만을 의미한다. 결국 학습은 과거 경험을 통해 일어나는 행동상의 변화로 비교적 영속적인 변화라고 볼 수 있다. 예를 들어 아기가 말을 배우게 되는 것이나 운전을 할 줄 모르던 사람이 운전을 배우는 것과 같은 인간의 행동 변화뿐만 아니라, 경험과 연습을 거쳐 강아지가 공을 집어 오고 돌고래가 공 돌리기를 배우는 것 역시 학습이라고 할 수 있다.

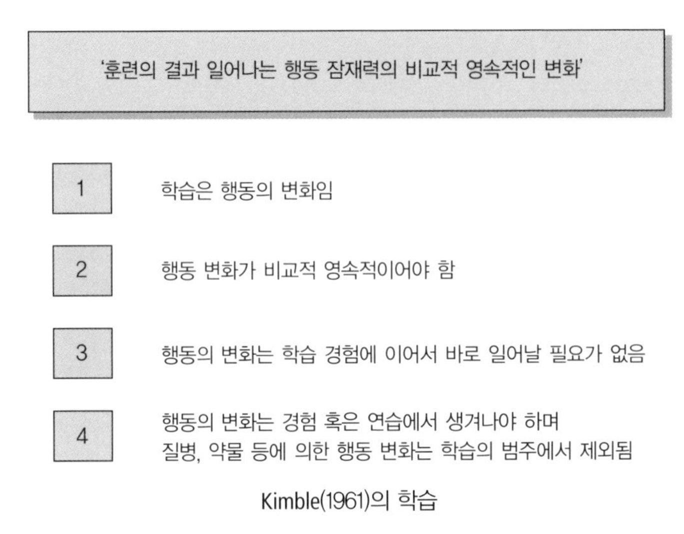

Kimble(1961)의 학습

(2) 학습심리학의 연구 범위와 이유

학습심리학의 연구 범위는 반사(reflection) 같은 단순한 행동에서부터 문제 해결과 같은 복잡한 행동까지를 포괄한다. 이렇게 인간이 행하는 대부분의 행위, 즉 반사와 같은 단순한 행동부터 문제 해결과 같이 고차원의 사고를 요하는 행동을 연구 대상으로 삼는 이유는 무엇일까. 그것은 인간이 어떻게 학습하는지에 대한 연구를 통해 학습이 일어나는 메커니즘과 원리를 체계적으로 이해하고, 이를 통해 인간이 적절한 행동을 학습하고 부적절한 행동을 제거하는 방법을 찾는 데 기여할 수 있기 때문이다.

(3) 학습의 현상과 과정

학습 현상은 학습된 결과로 나타나는 행동의 변화이다. 즉, 컴퓨터를 사용하지 못했던 학습자가 학습을 통해 컴퓨터를 원하는 용도로 사용할 수 있게 되었다면, 이러한 행동의 변화 자체가 학습 현상이 되는 것이다. 이러한 학습 현상은 학습자의 내적 과정을 통해 나타난다. 학습이 일어나는 구체적인 절차를 내적 과정이라고 하는데, 이는 학습자 내부에서 일어나는 과정으로 직접적인 관찰은 불가능하지만, 이를 통해 드러나는 학습자의 외적 행동을 통해 추론될 수 있다.

2) 학습 이론

학습은 어떻게 이루어지는 것일까? 특히 다른 동물에 비해 고차원적이고 복잡한 학습을 하는 인간의 학습은 어떤 과정을 거쳐 일어나는 것일까? 학습심리학은 바로 이러한 질문에 답하기 위해 학습 과정의 기본적인 과정을 규명하려고 하는 연구 분야이다. 즉 학습 이론은 앞서 살펴본 행동이 변화하기까지 이를 가능케 한 학습 과정이 무엇인지를 설명하고 해석하는 이론이다. 대표적인 학습 이론으로 행동주의 학습 이론, 인지주의 학습 이론, 구성주의 학습 이론이 있다.

(1) 학습 이론의 철학적 기저

지식을 바라보는 관점에 따라 객관주의와 주관주의로 나눠 볼 수 있다. 지식을 객관적이고 보편타당한 진리로 보느냐 상대적이며 주관적인 견해로 보느냐에 따라 전자는 객관주의, 후자는 주관주의라고 한다. 이것은 인식론에 따른 분류로, 지식과 진리의 성격을 어떻게 보느냐에 따라 교육의 방향도 달라진다. 지식의 성격에 따라 달성해야 하는 학습 목표, 교육 방법도 달라지며 평가에 이르기까지 전반의 과정에 차이가 발생한다.

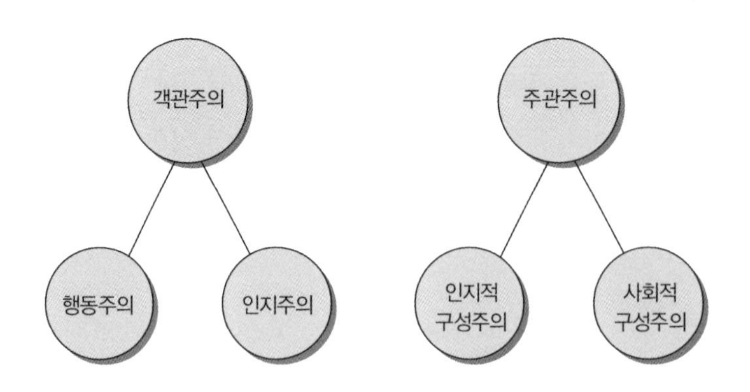

① 객관주의

객관주의란 세계에 대한 완벽한 지식인 진리가 존재하며 인간의 경험과는 독립적으로 실세계가 구조화되어 있다고 보는 관점이다. 지식은 인식의 주체와 독립되어 외부에 존재하며, 외부에 있는 지식을 내부로 전달시키는 것을 교육이라고 보는 것이다. 지식의 구성은 외부의 지식을 발견 또는 수용하여 체계적으로 구조화함으로써 이루어지는데, 이를 통해 모든 사람은 주어진 학습 목표를 달성할 수 있다고 보는 입장이다. 개개인의 사전 지식이나 경험에 따라 지식에 대한 이해 정도는 차이가 있겠지만, 그 지식의 본질적인 속성은 똑같으므로 결국 완벽한 이해를 추구하는 것이 궁극적인 목표가 된다(박성익, 2006).

객관주의의 입장에서는 의도적인 교육과정을 만들어 교육을 진행한다. 또한 교과서 중심의 사실 지식 및 기본 기능을 강조하는 교육을 한다. 학습자는 지식의 수동적인 수용자로 외부 실재를 반영하고 외부 실재에 의해 통제된다. 교사는 지식·아이디어의 보고 또는 전달자, 지휘자(commander), 재촉자, 교육과정 실행자로서의 역할을 가진다.

② 주관주의

주관주의 관점은 지식이란 객관적이거나 절대적인 것이 아니라 맥락에 적합한 의미 구성, 생활에 의미 있는 지식 구성이 가능하다고 보는 입장이다. 그래서 동일한 현상에 대해 개인은 다르게 해석할 수 있으며 각자의 해석에 따라 지식은 다르게 구성된다고 보았다. 주관주의에서 보는 지식은 기존 경험으로부터 개개인의 마음속에서 구성되는데, 이는 교육의 구성주의 개념으로 이어졌다. 지식의 구성은 자신이 속한 사회의 구성원들에 의해 영향을 받으며 지식은 역동적이며, 개인적, 사회적, 합리적으로 창출된다.

주관주의는 창조적이고, 아이디어 중심의 실천적 교육과정을 중시했으며 다양한 학습 자료에 근거한 구성 활동을 강조했다. 학습자는 생각 · 아이디어의 능동적 창조자로 지각과 구성에 근거하여 신체적, 사회적 경험을 통해 성장한다. 또한 교사는 생각 · 아이디어를 듣는 자, 촉진자, 안내자(guide), 조력자(helper), 동기 부여자, 지지자, 교육과정 재구성자 등의 역할을 한다.

(2) 행동주의, 인지주의, 구성주의 학습 이론

① 행동주의 학습 이론

학습을 외형적 행동의 변화로 보고 외부 자극에 반응하는 수동적 학습자관을 가진다. 수업 전략으로는 연습과 피드백을 통한 선행자극 · 행동 · 결과 · 강화가 있다. 이러한 과정이 반복되어서 학습은 일어나는데 학습자에게 바람직한 행동이 학습되기 위해서는 행동에 대한 보상과 강화를 적절히 활용해야 한다.

교수자는 관리자, 감독자의 성격을 가지고 학습자는 정보의 수동적 수용자, 청취자, 추종자의 성격을 가진다. 행동주의는 행동의 원인보다는 행동 자체를 강조하여 인간의 인지적인 요소를 소홀했다는 평가를 받는다.

② 인지주의 학습 이론

학습을 인지구조의 변화로 보고, 내적으로 정보를 처리하는 점에서 행동주의보다는 능동적인 학습자관을 가진다. 새로운 정보가 기존의 인지구조에 동화되어 내적인 변화를 가져온다. 인지구조의 변화를 촉진시키기 위해 정보의 구조화와 계열화 전략을 동원하는데 이는 정보처리 전략으로 설명할 수 있다.

교수자는 정보처리 활성자의 성격을 가지고 학습자는 정보의 능동적 처리자가 된다. 지식이 외부에 독립적으로 존재하는데 이를 학습자 내부에 전이시키는 데 관심을 두었다. 학습자의 내적 인지 변화에 주목하기 시작했다는 의의를 가진다.

③ 구성주의 학습 이론

구성주의는 크게 인지적 구성주의와 사회적 구성주의로 나뉜다. 인지적 구성주의는 학습을 개인의 주관적 경험에 근거한 의미구성으로 보고 환경과 상호작용하여 의미를 구성하는 능동적 학습관을 가진다. 사회적 구성주의는 학습을 사회적 상호작용을 통한 의미구성이라고 보았으며 이 또한 환경과 상호작용하여 의미를 구성하는 능동적 학습관을 가진다. 지식을 구성하는 요인으로 개인의 인지적 작용을 강조하느냐, 아니면 개인이 속한 사회, 문화, 역사적 상황을 강조하느냐의 차이에 따라 인지적 구성주의와 사회적 구성주의를 구분한다.

구성주의 학습 이론의 수업 전략은 유의미한 아이디어, 자료 등과 상호작용할 수 있는 풍부한 학습 기회를 제공하는 것이다. 이때 교수자는 촉진자, 안내자의 역할을 하며 학습자는 의미의 능동적 구성자, 산출자, 설명자, 해석자가 된다. 사회적 구성주의에서는 교수자가 학습자와 공동으로 학습에 참여하는데, 이를 위해 교수자는 학습자와 공동 참여자로서의 역할을 수행하게 된다.

CHAPTER

4 기억

사람 이름을 기억하는 단순한 과제부터 언어를 이해하고 사용하거나 보다 고차원적 사고에 이르기까지 기억이 관여하지 않는 것은 없다. 그러나 기억은 직접 관찰될 수 없기 때문에 심리학에서 비유적인 방법을 활용하여 이를 설명하려는 시도를 해 왔다. 기억을 설명하기 위해 가장 쉽게 활용될 수 있는 것은 바로 컴퓨터이다. 컴퓨터에 정보를 입력하고 저장하여 필요할 때 출력하는 것을 인간의 기억 메커니즘과 연관지어 설명하고자 하는 이론을 바로 정보처리 조망틀(information processing framework)이라고 한다.

이러한 정보처리 조망틀에 근거하여 기억을 설명하고자 하는 이론을 중다기억 이론(multi-stage memory theory)이라 한다(Atkinson & Shiffrin, 1968). 이 이론에서는 기억이 부호화(encoding), 저장(storage) 및 인출(retrieval)로 분류되는 기억의 과정과 감각 기억(sensory memory), 작업 기억(또는 작동기억, working memory), 장기기억(long-term memory)으로 나뉘는 과정으로 구성된다고 본다. 즉, 인간이 부호화를 통해 정보를 기억하면 그 다음은 부호화되어 기억된 정보를 기억에 저장해야 한다. 감각 기억, 작업 기억, 장기기억은 한 번에 저장할 수 있는 기억의 용량, 지속되는 시간, 정보가 기억에 저장되는 상태인 표상에 따라 구분된다.

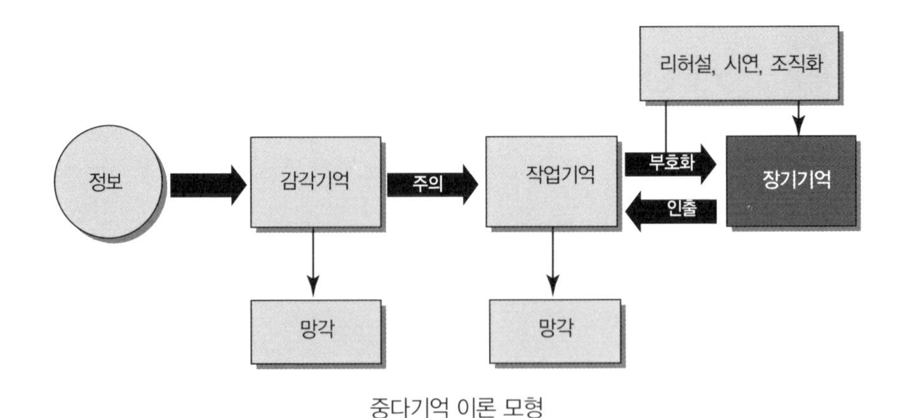

중다기억 이론 모형

1) 감각 기억

감각 기억은 인간이 접한 감각 정보가 인지 체계에 처음으로 등록되는 장소로 감각 등록기라고도 한다. 이 곳에서 정보를 기억하는 시간은 매우 짧으며 시감각 기억은 정보를 1초 이내, 청감각 기억은 2초 정도 유지할 수 있다. 감각 기억이 수행하는 가장 중요한 기능은 바로 물리적 정보를 단시간 내에 기억하여 여러 개의 정보를 연속적으로 처리하는 것이다.

(1) 감각 기억의 특징

감각 기억은 물리적 정보를 단시간 내에 기억하여 여러 개의 정보를 연속적으로 처리하고 모든 감각으로 정보를 받아들인다. 시각, 청각, 촉각, 미각, 후각 등 감각기관으로부터 정보를 받아들여 아주 짧은 시간 동안 정보를 기억한다. 감각 기억은 영상 기억과 잔향 기억으로 나뉘는데 실험을 통해 밝혀진 사실에 따르면 영상 기억의 지속기간은 1초, 잔향 기억의 지속기간은 4초이다. 많은 감각기관이 있지만 시각과 청각을 제외한 감각의 지속기간은 파악하기 어렵다.

2) 작업 기억

감각 기억에 등록된 정보 중 일부에 주의 과정이 더해지고, 그 과정을 거친 정보만이 작업 기억으로 전이될 수 있다. 작업 기억의 용량은 제한적이어서 단기 기억이라고도 한다. 작업 기억에서는 감각 기억에 비해 더 능동적인 정보 처리가 가능하다. 감각 기억에 있던 정보는 제시된 자극이 사라지면 수초 이내에 그 역시 소멸되지만, 작업 기억의 정보는 기억의 주체가 원하는 한 그 기억을 유지시키는 것이 가능하다.

(1) 작업 기억의 특징

① 저장용량

작업 기억에서 한 번에 처리할 수 있는 정보의 양은 제한되어 있다. Jacobs (1887)은 최초로 작업 기억의 용량을 측정하는 방법을 고안했다. 그는 피험자들을 대상으로 몇 개의 숫자를 읽어 주고 그것을 기억해 내게 하는 실험을 했다. 실험에서 그는 점차 읽어 주는 숫자의 개수를 늘려 갔는데, 피험자의 회상률이 50%가 유지되는 순간의 숫자 개수를 측정한 결과 '5~9개'로 나타났다. 그리고 이를 바탕으로 작업 기억의 저장용량은 '5~9개의 의미덩어리'라고 간주하게 된 것이다. 흔히 매직넘버 7이라고 불리는데 숫자는 7개, 무의미 철자는 4개까지 기억하는 것이 일반적이라고 한다.

② 지속기간

피험자들에게 의미 없는 철자 조합의 목록(예: SRLPC)을 제시하고 이를 되뇌지 못하도록 계산 문제를 풀게 한 실험을 실시했다. 그리고 일정 시간이 경과한 후에, 계산을 멈추고 피험자에게 앞서 제시한 철자조합의 목록을 회상하게 했다. 그 결과 처음에 항목을 제시한 후 약 20초가 지나면서부터 회상률이 눈에 띄게 저조해짐을 알 수 있었다. 이를 근거로 작업 기억의 지속기간은 약 20초라고 하게 되었다.

(2) Baddeley 이론

1960~1970년대에는 기억 이론의 수리적 모형에 기초한 대형 모형들(global models)이 정형화되었다. 이후 1970년대 중반에 작업 기억 모형(Baddeley & Hitch, 1974)이 나타났다. 이는 오늘날 고안된 모형에 지대한 영향을 끼친 이론이다. 작업 기억 모형은 1980년에 들어서면서 더욱 정교화되었으며, 그 이론적 중요성을 주목받기 시작했다. 이는 중앙 집행기, 시청각 잡기장, 음운 루프로 구성되어 있다. 각각의 구성요소에 대해 자세히 살펴보면 다음과 같다.

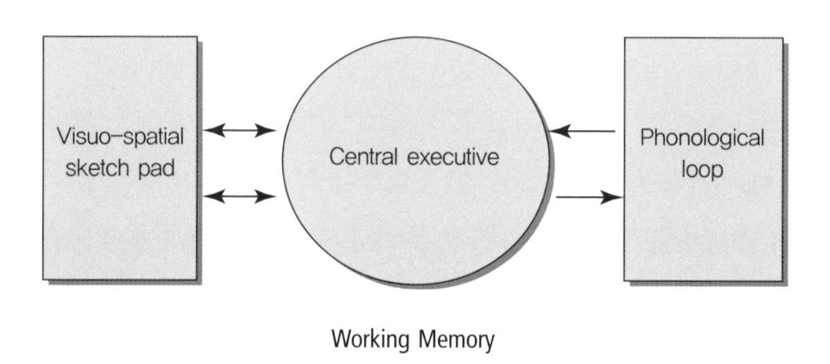

Working Memory

① 중앙 집행기

중앙 집행기는 작업 기억의 전체적인 작동을 통제하는 장치이다. 시청각 잡기장과 음운 로프와 같은 하위 체계는 이 중앙 집행기에 의해 운용된다. 세부적으로는 정보 처리자가 정보에 대해 언제 기억을 되살리고, 심상을 만들고 인출하며 통합하고, 이러한 일련의 처리들을 언제 중지하는가와 같은 활동을 조절하고 관리한다.

② 시각 잡기장

시각 잡기장은 시공간에 대한 정보를 일시적으로 작동시키고 조작하는 체계로 중앙 집행기의 통제를 받는다. 즉 작업 기억에서 처리되는 여러 가지 형태의 정보 중에도 특히 시각 기억과 시지각에서 정보를 획득하여 시각적 정보와 공간적 정보를 다루는 장치이다.

③ 음운 루프

음운 루프는 작업 기억에서 이루어지는 정보처리 중 특히 소리로 입력된 정보를 처리하는 장치이다. 이는 소리로 입력된 정보를 처리하기 때문에 입력된 소리에 대한 음운 저장소와 조음 통제 과정으로 이루어져 있다. 이중 음운 저장소는 짧은 시간에 한하여 음운 정보를 유지할 수 있는 기억 장치이다. 또한 조음 통제 과정은 외부로 소리가 나지 않는 조음과 같이 내적으로 되뇌는 과정을 통제하는 것을 의미한다.

3) 장기기억

작업 기억을 거친 정보는 장기기억에 저장된다. 즉, 단기기억에 있던 정보 가운데 적절한 정신 조작을 받아 유지된 정보가 전이되어 저장된 것이 바로 장기기억이다. 대다수의 연구자들은 장기기억의 용량을 측정할 수 없거나 용량에 제한이 없다고 말하고 있다. 일반적으로 짧게는 몇 분, 길게는 수십 년에 이르는 장기적 파지가 가능한 기억 장치라 할 수 있다.

(1) 장기기억의 처리 과정

작업 기억에서 처리된 정보의 일부는 망각되기도 하지만, 의미덩어리를 형성하고 이를 되뇌는 등의 성공적인 처리를 통해 망각되지 않으면 장기기억에 저장될 수 있다. 일반적으로 우리가 알고 있는 모든 정보는 작업 기억을 거치면서 망각되지 않고 장기기억으로 전이되어 온 것들이다. 그렇다면 정보의 처리 수준은 무엇이고, 어떻게 해야 정보를 잘 기억할 수 있을까? 장기기억에 영향을 미치는 여러 가지 특징들은 다음과 같다.

① 처리수준

작업 기억에 있던 정보가 장기기억으로 성공적으로 전이되기 위해서는 단순 반복 이상의 처리가 필요하다. 소리 혹은 문자라는 물리적인 수준의 되뇜을 유지형 되뇌임(maintenance rehearsal)이라 하는데 이는 장기기억으로의 전이에 도움이 되지 않는다. 무엇보다 정보의 내용에 주의를 기울이고, 깊이 있게 의미를 처리하는 것이 장기기억으로 전이시키기 위한 정보의 처리 수준이라 할 수 있다.

② 정교화

일반적으로 사람들이 제시된 정보를 저장할 때는 그 정보만을 그대로 저장하는 것이 아니어서 그 항목과 관련된 내용을 함께 기억한다. 이렇게 정보를 기억하는 데 부수적으로 이루어지는 정보의 연합이 후에 그 항목의 정보를 기억하는 데 도움이 되는데 이를 정보의 정교화라고 한다.

실험 1

아래의 문장을 제시하고 'apple'이란 단어를 얼마나 잘 기억하는지 알아봄
- 단순 : She cooked the apple.
- 중간 : The ripe apple tasted delicious.
- 복잡 : The small lady angrily picked up the red apple.

결과 : 가장 복잡한 문장 속에서 'apple'를 제시받은 집단이 나중까지 그 단어를 가장 잘 기억함

실험 2

- 보통 : 뚱뚱한 사람이 2미터 높이의 표지판을 읽음
- 적합 : 뚱뚱한 사람이 얇은 얼음을 경고하는 표지판을 읽음

결과 : 문장의 맥락에 적합한 단어일수록 잘 기억함

정교화의 예

③ 맥락 효과

Godden과 Baddeley(1975)는 수중 다이버들에게 40개의 단어를 해변과 20피트 수중에서 각각 학습하도록 한 후, 각각 이와 다른 환경과 같은 환경에서 회상하도록 하는 실험을 실시했다. 즉 피험자들을 두 그룹으로 나누어 물 속으로 다이빙을 시킨 후 단어를 암기하도록 했다. 일정 시간이 경과한 후, 한 그룹은 그대로 물 속에서, 다른 한 그룹은 해변에 나와 단어 암기 수준을 검사했는데 처음 상황과 같은 물 속에서 검사를 실시한 그룹이 단어를 더 잘 기억했다.

그 결과 장기기억에 정보를 저장할 때의 맥락과 정보를 다시 회상해 낼 때의 맥락이 어느 정도 일치하느냐가 정보의 회상률을 크게 좌우할 수 있다는 것이 확인되었다.

(2) 중다구조 지지 증거

중다구조를 지지하는 증거로는 초두 효과(primacy effect)와 최신 효과(recency effect)를 들 수 있다. 그 중 초두 효과는 초기 단어의 기억 효과를 말한다. 계열 투입 위치가 다른 것보다 더 빠르면 시연 기회가 많아 장기기억으로 쉽게 전이되기 때문에 회상률이 높다는 것을 나타낸다. 다음으로는 최신 효과가 있다. 이는 후기 단어의 기억 효과를 뜻한다. 가장 최근에 투입된 항목은 아직 기억에 남아 파지를 위한 시연을 계속할 수 있으므로 회상률이 높다는 것이다.

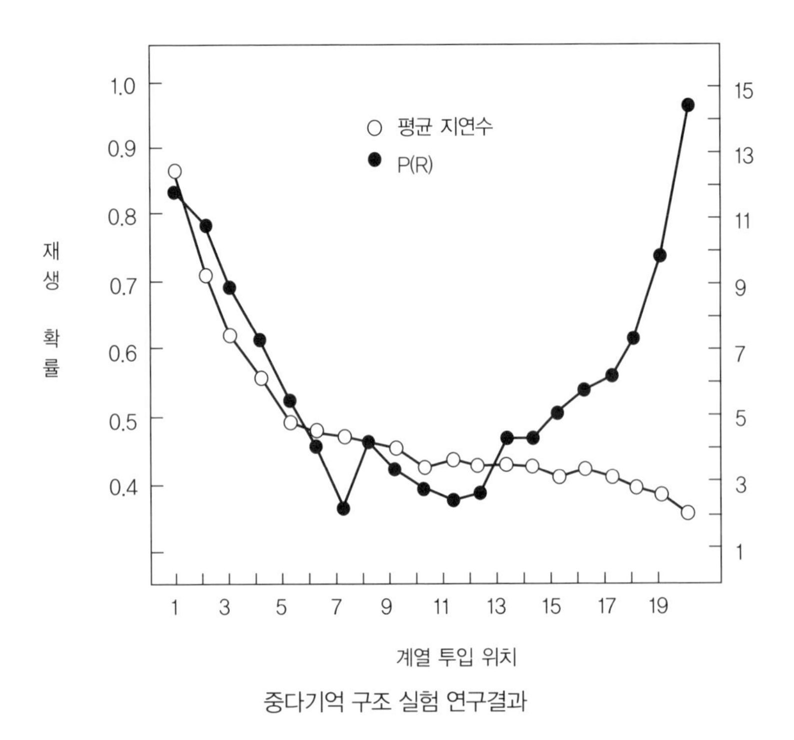

중다기억 구조 실험 연구결과

4) 망각

이전에 경험한 사건이나 많은 시간과 노력을 기울여 학습한 내용을 기억해내는 데 실패한 경우는 흔히 있는 일이다. 사람들은 습득한 정보를 보다 잘, 오래 기억하기 위해 나름의 방법을 찾는다. 그럼에도 불구하고 망각은 쉽게 일어난다. 그렇다면 망각은 왜 일어나는 것일까? 망각에 대한 3가지 이론은 다음과 같다.

(1) 쇠잔

쇠잔 이론은 정보를 획득하고 시간이 경과함에 따라 이를 망각할 확률이 높아진다는 이론이다. 기억은 중추신경계에 흔적으로 존재한다. 그런데 그 흔적을 인출하여 사용하지 않고 그대로 시간이 흐르면 신진대사 과정에 따라 그 기억이 희미해져서 결국에는 사라지고 만다는 것이다. 그러나 이 이론은 학습과 기억 검사 간의 파지 기간이 동일할 때, 그 기간 동안 겪은 경험의 종류에 따라 회상의 정도가 달라지는 현상을 설명하지 못한다는 한계가 있다.

(2) 간섭

간섭 이론은 파지 기간 동안 접하게 된 다양한 경험 때문에 망각이 일어난다는 이론이다. 이는 기억과 학습에 관한 연합주의 틀에서 발달된 관점이다. 예를 들어 A와 B 사실 사이의 연합을 학습하면, 연합 관계 A–B가 형성된다. 그런데 이때 A에 대한 반응으로 B를 회상해 내는 능력은 A에 또 다른 새로운 연합이 형성될 경우 간섭을 받아 B가 망각될 수 있다는 것이다.

(3) 인출 실패

인출 실패는 정보처리적 접근에서 제안된 망각에 관한 유력한 관점으로 망각은 저장된 정보에 접근하는 적절한 수단, 다시 말해 정보를 인출하기 위한 단서가 없기 때문에 일어난다는 이론이다.

5) 기억의 증진

기억을 증진시키기 위한 기법들은 기억법 또는 기억 조성법이라 한다. 이와 관련하여 기억을 증진시킬 수 있는 다양한 방법이 소개되고 있으나 주로 기억을 돕는 단편적인 사실이나 아이디어일 뿐, 궁극적인 인지 발달에 도움이 되지는 못한다.

(1) 원리

① 색인이용

색인이용(indexing)은 무질서하게 보이는 자료들을 자신이 잘 알고 있는 체계적인 지식과 연관시켜 기억하는 방법이다. 예를 들어, 역사적인 사건을 자신이 잘 알고 있는 동요와 관련지어 기억을 유지하는 방법이 있다.

② 군집화

군집화(chunking)는 단기기억의 양이 매우 제한적이어서 많은 양의 정보를 한 번에 기억하지 못하므로 대상 정보를 군집화하여 기억하는 방법이다. 즉, 하나의 군집단 위에 많은 양의 정보를 담아서 기억하는 방법이라 할 수 있다.

③ 심상법

심상법(imaging)은 단편적인 정보들을 심상화를 통해 정교화시켜서 기억하는 방법이다. 대상 정보를 정교한 그림과 같은 형태로 심상화하여 기억하면 정보를 더 오랜 기간에 더 정확하게 기억할 수 있다.

(2) 기법

① 패그워드법

패그워드법은 색인이나 심상을 이용하여 그 원리에 기초, 10개 정도의 리스트를 기억하는 데 유용한 기법이다. 1부터 10까지의 숫자에 운이 맞는 단어를 패그로 이용하여 정보를 완전히 암기한 후 다음에 기억하려는 항목들을 차례로 패그 단어와 관련시켜 상을 떠올려 기억한다. 이를 활용하면 후에도 숫자와 패그 단어만 떠올리면 이와 연상되는 항목들을 기억해 낼 수 있다.

② 장소법

장소법은 기억을 증진시키기 위해 숫자 대신 익숙한 장소를 사용하는 기법이다. 앞서 살펴본 패그워드에서 숫자 대신 익숙한 장소를 사용한다는 점을 제외하면 같은 기법이다.

③ 매개법

매개법은 무의미하고 임의적인 정보에 조직과 의미를 부여하여 기억을 증진시키는 기법이다. 대표적인 매개법으로는 매개 단어법이 있다. 이는 기억하려는 두 항목 간에 어떤 단어, 구와 같은 언어적 매개를 통해 전체를 의미 있는 정보로 만들어 기억하는 기법이다.

CHAPTER

5 행동주의

행동주의(behaviorism) 관점에서의 학습은 특정한 환경 자극이 제시되면 이에 대해 학습자가 적절한 반응을 하는 것을 의미한다. 그렇기 때문에 학습이 이루어지는 중요한 요소는 자극과 반응이며, 특히 자극과 반응 사이의 연상은 어떻게 만들어지고 강화되며 유지되는가가 주된 관심의 대상이 된다. 결국 긍정적인 행동의 변화를 가져왔던 자극에 대해 강화를 주어, 그에 따른 반응이 미래에 더 잘 나타날 수 있도록 수행과 내용의 결과의 중요성에 초점을 맞추는 것이다. 행동주의 학습 이론에서의 학습자는 주어진 조건에 반응하여 학습하는 존재로 간주된다. 이러한 관점에서 행동주의 학습 이론에서는 환경 조건을 매우 중요하게 여긴다.

한편 행동주의 학습 이론에서, 전달은 일반화의 결과로 간주하여 동일하거나 비슷한 특징을 포함하는 상황은 학습자에게 공통 요소를 통해 전달되도록 하는 것이다. 궁극적으로 행동주의 학습 이론의 지향점은 대상 자극에 대해 학습자가 바람직한 반응을 하도록 하는 데 있다. 그렇기 때문에 학습자로 하여금 적절한 반응과 반응을 일으키는 조건을 실행하는 방법을 알아야 한다. 따라서 수업은 대상 자극의 제시와 적절한 반응을 하도록 학습자에게 기회를 제공하도록 구조화되어야 한다.

행동주의 학습 이론의 기본적인 학습 형태인 연합 학습은 다시 2가지의 학습 메커니즘으로 구분된다. 그것은 고전적 조건 형성(classical conditioning)

과 도구적 조건 형성(instrumental or operant conditioning)이다.

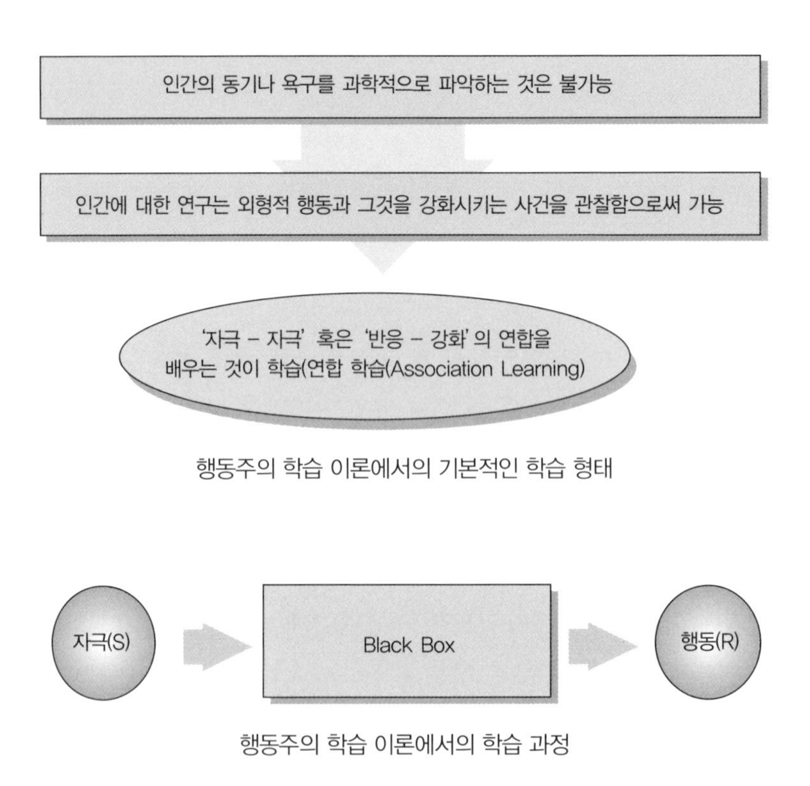

행동주의 학습 이론에서의 기본적인 학습 형태

행동주의 학습 이론에서의 학습 과정

1) 고전적 조건 형성

(1) 학습 원리

러시아의 생리학자 Ivan P. Pavlov(1849~1936)에 의해 이루어진 고전적 조건 형성에 대한 연구는 그가 행했던 개를 대상으로 한 유명한 실험으로 대표될 수 있다. Pavlov는 개의 침 분비를 측정하기 위한 실험 장치를 고안하고, 이를 사용하여 개가 침을 분비하는 것이 먹이가 개의 입 속에 들어갈 때마다 자동적으로 일어나는 반응이라는 것을 알아냈다. 그런데 이후에 개가 먹이를 주지 않았는데도, 자신의 먹이가 들어 있던 그릇이나 먹이를 주던 사람을 보기만 해도 침을 흘린다는 사실을 발견했다. 뿐만 아니라 개는 실험자의 발소리가 들리거나 문이 열리는 소리가 나도 침을 흘리는 반응을 보였다. Pavlov(1927)는 이를 심리적 분비(psychic secretion)라고 부르고 계속적인 연구를 진행했다.

이후 실험은 개에게 종소리를 들려주고, 그 몇 분 후에 밥을 주는 형식으로 이루어졌다. 이런 일이 수차례 되풀이되자, 개는 이제 종소리만 나고 먹이를 주지 않았음에도 침을 분비하는 반응을 보이게 되었다. 개의 이런 행동을 보고 Pavlov는 개가 종소리를 먹이와 연합했다, 즉 종소리와 먹이 사이의 연관성을 학습했다고 보았다.

이렇게 무조건 자극이나 조건 자극이 주어지고, 그 자극에 의해 행동이 비교적 영속적으로 나타나도록 학습되는 것이 바로 고전적 조건 형성이다. 고전적 조건 형성에는 4가지 요소가 있다. 우선 개가 먹이를 먹으면 자연적으로 침을 분비하는 것과 같이 학습되지 않은 자동적인 반응을 무조건 반사 또는 무조건 반응(unconditioned response: UCR)이라 한다. 그리고 이러한 무조건 반응을 일으키는 자극을 무조건 자극(unconditioned stimulus: UCS)이라 한다.

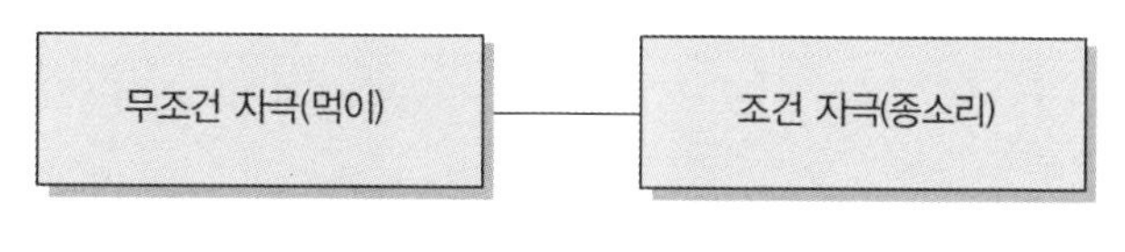

고전적 조건 형성의 학습 원리

초기에 종소리는 개의 침 분비를 유발하지 못했지만 종소리와 먹이가 연결되어 제시되는 상황이 여러 차례 반복되자 개는 경험을 통해 종소리가 난 후에는 먹이가 나온다는 점을 알게 된다. 이러한 과정을 통해 앞으로 먹이가 나올 것이라는 신호와도 같은 종소리가 울리자 개는 침을 분비하게 되는 것이다.

이처럼 어떤 자극이 무조건 자극과 연결되어 새로운 반응을 일으킬 때 그 자극을 조건 자극(conditioned stimulus: CS)이라 하고, 그 조건 자극에 대해 새롭게 형성된, 즉 학습된 반응을 조건 반사 또는 조건 반응(conditioned response: CR)이라 한다. 이때 침을 얼마나 자주, 오래 분비하는 것과 같은 사항을 조건 반응의 강도라 하여 학습의 정도를 나타내는 행동적 지표로 활용한다.

조건반사 파블로의 실험장치

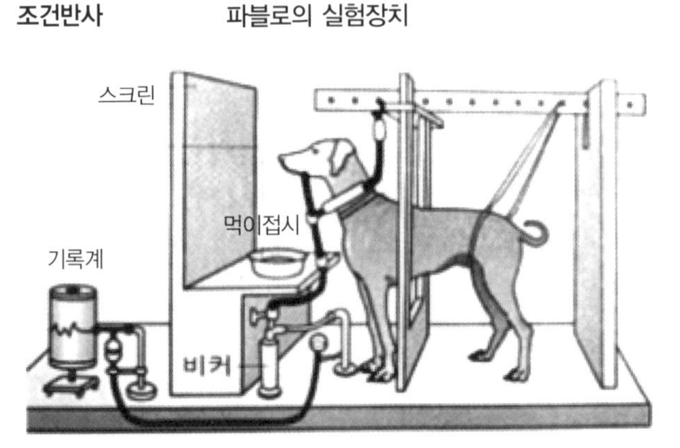

개의 타액은 튜브를 통하여 비커로 들어가는데 그때 벨브의 움직임은 스크린 뒤쪽에 있는 기록계에 전달되어 분비반응이 기록된다.

마지막으로 고전적 조건 형성의 원리를 살펴보면 다음과 같다. 첫째, 시간의 원리이다. 조건이 되는 자극은 무조건 자극의 제시와 거의 동시에 이루어져야 한다는 것을 의미한다. 둘째, 강도의 원리는 무조건 자극의 강도가 강할수록 조건 형성이 쉽게 이루어진다는 것이고, 셋째, 일관성의 원리는 동일한 조건 자극을 통해 일관성 있게 강화해 주어야 한다는 것을 의미한다.

(2) 학습 과정

고전적 조건 형성에서의 학습 과정은 조건이 형성되기 전과 조건을 형성하는 동안, 그리고 조건이 형성된 후로 나누어 볼 수 있다. 우선 조건이 형성되기 전, 즉 앞선 개의 실험에서는 종이 울려도 개가 반응을 보이지 않는다. 그러나 먹이를 보여 주었을 때 개는 타액을 분비한다. 이러한 상태에서 조건 형성을 위해 개에게 먹이를 줄 때, 종을 울리고 먹이를 주는 행동을 반복적으로 한다. 처음에는 종을 울려도 반응을 보이지 않았던 개가 점차 종과 먹이를 연결지으며 타액을 분비하는 반응을 보이며 조건을 형성하게 된다. 이렇게 조건이 형성된 후, 즉 학습이 이루어지면 이제 개는 종만 울리고 먹이를 주지 않아도 타액을 분비하게 된다. 이는 종을 울리고 먹이를 주는 자극이 개에게 학습되어 개에게 종과 먹이가 연결된 조건이 이미 형성되었기 때문이다.

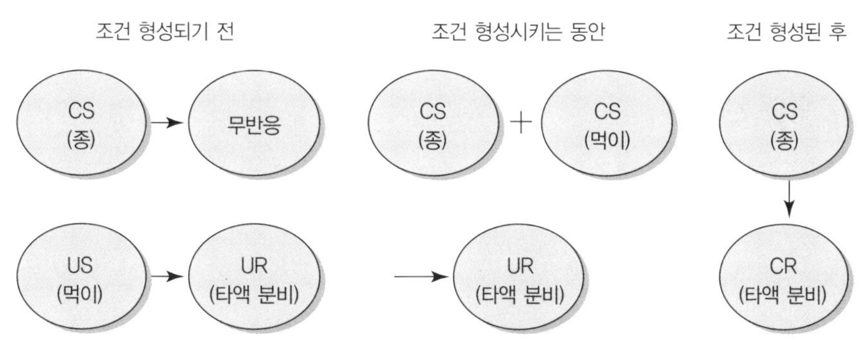

고전적 조건 형성의 학습 과정

(3) 소거와 자발적 회복

앞선 Pavlov의 실험을 통해 개는 종소리에 대해 침을 분비하는 반응을 학습하게 된다. 그런데 이렇게 학습된 개에게 실험자가 종소리만 들려 주고 먹이를 주지 않는다면 어떤 일이 일어날까? 그러면 개는 초기에는 종소리에 반응하며 침을 분비하다가, 이 같은 일이 반복되면 종소리에 대한 침 분비 반응은 점차 감소하고 결국에는 더 이상 침을 분비하지 않게 된다.

이처럼 CS가 UCS 없이 반복하여 제시되면 CR이 점차 사라지는데, 이를 조건 반응의 소거(extinction)라고 한다. 그러나 반응의 소거가 학습자에게 있어서 완전한 망각을 의미하지는 않는다. 종소리 후에도 먹이를 주지 않아 침 분비 반응이 소거된 개에게 일정 시간이 지난 후, 다시 종소리를 들려 주면 침 분비 반응이 다시 일어나기 때문이다. 이처럼 반응이 소거된 후에도 일정한 기간을 거쳐 CS를 제공하면 다시 반응이 나타나는 것을 자발적 회복(spontaneous recovery)이라 한다. 이는 소거된 반응이 완전히 소멸된 것이 아니라 잠시 억압되어 있었음을 알려 준다.

2) 도구적 조건 형성

(1) 학습 원리

도구적 조건 형성은 조작적 조건화 또는 강화 이론이라고도 한다. 고전적 조건 형성의 경우, 학습자가 유기체를 통해 두 자극 사이의 연관성을 학습하게 되지만 도구적 조건 형성의 경우, 학습자는 자신의 행동과 그 결과 간의 관계를 학습하게 된다. 즉, 도구적 조건 형성을 통한 학습은 스스로 어떤 반응을 한 후 그에 따르는 보상이 주어졌을 때 반응과 보상의 연습을 학습하는 것으로 이루어지며 이는 고전적 조건 형성보다 복잡하고 고등한 행동을 학습하는 데 적용될 수 있다. 또한 도구적 조건 형성에서의 '도구적'은 어떤 행동이 특정 결과를 초래하는 도구의 역할을 한다는 의미라고 볼 수 있다.

(2) Thorndike의 시행착오 학습

Thorndike의 시행착오 학습은 그가 고안한 문제상자(puzzle box)를 통해 살펴볼 수 있다. 그는 자신이 고안한 문제 상자에 배고픈 고양이를 넣고 고양이의 발이 닿지 않는 상자 바깥 쪽에 먹이를 놓았다. 고양이는 이 문제 상자를 빠져나가서 먹이를 먹어야 하는데 그러기 위해서는 상자 속의 널빤지를 밟음으로써 빗장이 뽑혀 문이 열리도록 해야만 한다. 이러한 상황에서 Thorndike는 배고픈 고양이가 탈출을 하기 위해 여러 가지 시도를 거듭하는 것을 관찰했다. 5~10분에 걸친 여러 시도 끝에 고양이는 우연히 널빤지를 밟게 되고 이로 인해 문이 열리면서 문제 상자를 빠져나가 먹이를 먹을 수 있게 되었다.

Thorndike는 관찰을 통해 고양이가 문제 상자에 들어가면서부터 나올 때까지 한 행동이 그 시도가 계속될수록 점차 향상되었다는 사실을 알아냈다. 초기에 날뛰기만 하던 행동에서 여러 시도를 거친 고양이는 널빤지를 밟는 활동을 해냈던 것이다. 이러한 Thorndike의 실험 결과는 이후 병아리, 개, 원숭이 등 다른 동물을 대상으로 한 비슷한 연구에서도 반복되어 나타났다.

Thorndike는 이렇게 많은 시행을 거쳐 수행이 점진적으로 향상되는 방식의 학습을 시행착오 학습(trial-and-error learning)이라 불렀다. 주어진 문제에 대한 합리적 이해 없이 여러 가지 시행을 하게 되고, 그 중 어느 하나가 문제 해결의 열쇠가 되면 그 반응이 학습된다는 것이다. 도구적 조건 형성의 원리를 살펴보면 다음과 같다.

첫째, 연습의 법칙이다. 이는 연습의 횟수가 많으면 학습은 강화된다는 것을 의미한다. 둘째, 효과의 법칙이다. 이는 보상이 뒤따르면 자극과 반응의 결합이 강해지고, 그렇지 않으면 자극과 반응의 결합이 약해진다는 것을 뜻한다. 마지막으로 학습할 준비 또는 목표 지향적인 행동을 할 준비가 되었을 때 학습이 만족스럽게 이루어진다는 준비성의 법칙을 도구적 조건 형성의 원리로 들 수 있다.

앞서 살펴본 바와 같이 도구적 조건 형성을 통한 학습은 스스로 어떤 반응을 한 후 그에 따르는 보상이 주어졌을 때 반응과 보상의 연습을 학습하는 형태로 일어난다. 그런데 이때 학습이 일어날 수 있도록 주어졌던 보상을 제거하면 어떤 일이 일어날까? 그렇게 되면 결국 학습된 행동에 대한 소거가 일어나지만 고전적 조건 형성의 경우와 마찬가지로 일정한 휴식 이후에 자발적 회복 현상을 보인다는 것이다.

(3) Skinner의 강화

Skinner는 관찰되는 인간의 행동과 그 행동을 일으키는 원인이 되는 조건 간의 연결고리를 강화로 보았다. 조작적 조건 형성에서 강화를 해 주는 행동이 바로 도구가 되는 것이다. 이러한 강화를 받은 행동은 후에도 지속적으로 일어날 수 있고, 반대로 강화를 받지 못한 행동은 빈도가 줄거나 소멸될 수 있다.

이같이 행동주의 학습 이론에서 학습이 일어나도록 하는 가장 중요한 요소인 강화는 일차적 강화와 이차적 강화, 정적 강화와 부적 강화로 나눌 수 있다. 일차적 강화는 음식이나 목마를 때 찾는 물과 같이 선천적인 욕구를 만족시키는 자극이나 사건을 강화물로 쓰는 강화이다. 이에 비해 이차적 강화는 학습된 강화로 원래 중성 자극이던 것이 일차적 정적 강화와의 결합으로 일차적 강화물의 기능적 속성을 획득하게 된 것을 의미한다. 예를 들어, 일을 잘 한 것에 대한 포상이나 칭찬할 만한 행동에 대한 칭찬과 격려, 애정 표현 등이 될 수 있다.

한편 정적 강화는 보상이 되는 것을 주는 강화로, 원하는 텔레비전 프로그램을 보기 위해 숙제를 하는 것을 예로 들 수 있다. 반대로 부적 강화는 싫은 대상물을 제거하는 강화로 엄마의 잔소리가 듣기 싫어서 숙제를 하는 것을 예로 들 수 있다.

강화를 주는 방법에는 여러 가지가 있다. 첫째, 고정 간격 계획은 강화가 주어진 후에 일정 시간 경과 후 강화를 주는 것이다. 둘째, 변화 간격 계획은 강화를 주는 평균 시간 간격은 일정하지만 강화와 강화 사이의 시간 간격이 일정하지 않기 때문에 유기체는 언제 강화를 받을지 모르게 된다. 셋째, 고정 비율 계획은 일정한 수의 반응을 나타낼 때마다 강화를 주는 것이다. 넷째, 변화 비율 계획은 학생이 두 문제를 풀면 한 번, 세 문제를 풀면 또 한 번 강화를 주는 것처럼 학습자가 생각하지 못한 일정하지 않은 반응 간격으로 강화를 주는 것이다.

(4) 학습 과정

도구적 조건 형성 이론에서의 학습은 유기체가 어떤 행동을 하고, 그 행동에 대한 보상이 주어지면 그 행동을 또 하게 되고, 보상 대신 벌이 주어지면 그 행동은 더 이상 수행하지 않는 것을 의미한다.

이 과정에서 학습자는 스스로 환경을 조작하여 주도적으로 행동하는 주체가 아니라 외부 자극에 의하여 단순히 기계적으로 반응한다. 도구적 조건이 형성된, 즉 학습된 행동의 경향성은 그 행동의 결과 학습자가 보인 반응 후에 보상이 주어졌느냐 그렇지 않느냐에 따라 강해지거나 약해진다.

Skinner의 S형 조건화는 고전적 조건 형성으로 자극에 의해 대응적 반응이 나타나 둘 간의 연합이 학습되는 것이다. 또한 선행하는 자극에 의해 통제되며 반응의 크기를 중요시한다. 이에 비해 R형 조건화는 유기체의 자발적인 반응에 따라 보상이 주어졌을 때 반응과 보상 간 연합이 학습되는 것으로 조작적 조건 형성은 결과에 의해 통제되며 반응의 확률 증대에 큰 관심을 가진다.

3) Skinner의 조작적 조건화

조작적 조건화 이론이란 어떤 행동이 외적 자극의 영향 없이 자발적 · 능동적으로 일어난 뒤에 그 행동의 결과에 의해서 학습이 이루어지는 것으로, 자극에 의한 반응보다는 유기체에 의하여 스스로 방출되는 반응에 관심을 둔다. 조작적 조건화는 조건 반응이 강화를 얻기 위한 수단이 되기 때문에 도구적 조건화라 할 수 있다.

조작적 조건 형성이란 조작적 행동의 결과에 의해서 학습이 이루어진다는 것을 기본으로 하여 행동은 지속적인 강화 경험의 영향으로 이루어지는 반응-자극-새로운 반응형 조건화이다. 반면에 고전적 조건화는 주어지는 자극을 강조한다.

이러한 행동주의 학습 이론에 따르는 조작적 조건화는 인간 대부분의 행동은 행동 결과가 바람직하게 나타났을 때 보상받음으로써 그 행동이 일어나는 빈도가 증가하고 학습이 더욱 잘 된다는 의미를 갖고 있다.

행동주의 블랙박스란 학습과 행동을 이해하기 위한 Skinner의 접근방법을 말한다. 그는 1974년에 "타인이 왜 그런 행동을 하는지 우리가 알 수 없기 때문에 느낌과 반성적 사고를 동원하여 이해하려고 하는 것이며, 내적 세계가

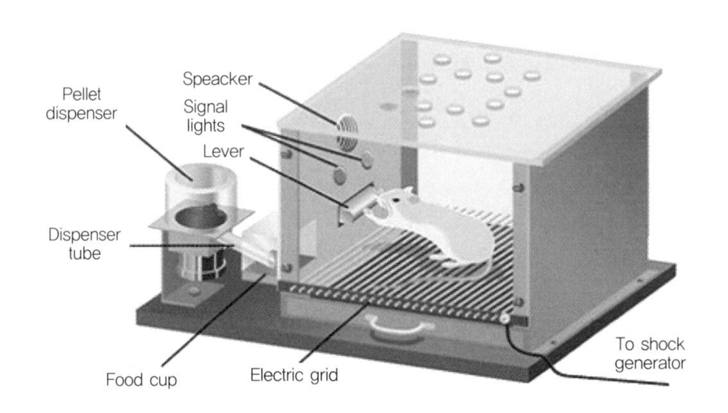

중요하다"라고 주장하며 이 이론을 제시했다. 또한 학습자를 블랙박스 상태라고 가정하고 환경을 조절하면 학습자의 행동을 변화시킬 수 있고 학습도 증진시킬 수 있다고 주장했다.

(1) 조작적 조건화의 기본 원리

Skinner가 제안한 조작적 조건화의 기본 원리로는 강화, 변별, 강화 계획, 벌 등이 있다. 각각에 대한 자세한 내용은 다음과 같다.

① 강화

강화(reinforcement)란 반응을 강화하는 것으로 행동의 발생 빈도와 반응 행동을 강화하는 것을 의미한다. 예를 들면 어떤 아동이 수업 시간에 발표를 아주 잘 하자 선생님이 상과 함께 많은 칭찬을 해 주었다면, 그 아동은 다음번에도 발표를 더 자주 잘 하게 된다는 것이다. 또한 발표를 해야 하는 상황에서 훌륭한 발표에 대한 보상은 행동의 결과로 작용한다는 것이다. 행동의 결과로서의 강화는 그 행동의 재발생 확률을 높여 주는 것이 되고 이러한 확률을 높여 주는 것은 모두 강화인으로 작용하게 된다.

② 강화인

강화인(reinforcers)이란 정적 강화와 부적 강화 시에 발생 빈도와 강도를 증가시켜 주는 역할을 하는 것을 의미한다. 강화인에는 일차적 강화인, 이차적 강화인의 2가지 종류가 있으며, 강화의 방법으로는 Premack 원리와 토큰 기법이 있는데, 차례로 살펴보면 다음과 같다.

강화인의 종류에는 앞서 말한 것처럼 일차적 강화인(primary reinforcers)과 이차적 강화인(secondary reinforcers)이 있다. 먼저 일차적 강화인은 무조건 강화인이라고도 하며 유기체의 특별한 훈련이나 경험 없이도 행동 반응의 비율을 높여 생리적 욕구를 충족시켜 주는 역할을 하는 강화인을 말한다. 예로는 물, 공기, 음식물 등이 있다. 이차적 강화인은 조건화 강화인이라고도 하며, 강화력이 없던 자극이 일차적 강화인과 적절히 연합되어 강화력을 가지게 된 강화인을 의미한다. 예로는 상장, 메달, 인정, 칭찬 등이 있다.

강화의 두 방법 중 하나는 Premack 원리이다. Premack은 강화 가치가 높은 활동이 강화 가치가 낮은 활동을 하도록 강화한다고 하면서 강화인을 제공하는 순서에 대한 방법을 설명했다. 여기서 가치란 강화가 없이도 활동에 소비되는 시간과 반응하는 정도와 관련하여 정의된다. 조건화된 활동의 가치가 처음 도구적 활동의 가치보다 더 높게 배열되면 처음의 도구적 활동의 발생 확률이 높아진다.

토큰(token) 기법은 Ayllon과 Azlin(1968)에 의해 개발된 기법으로 조작적 조건 강화 원리를 적용한 본보기이다. 바람직한 행동이 나타날 때 토큰을 강화물로 주어 획득한 토큰의 수에 비례하여 나중에 특혜를 주면서 친사회적 행동, 적응 행동의 빈도를 증가시키는 것을 말한다. 이 기법은 임상 장면이나 학습 상황에서 잘못된 행동을 수정시키기 위해 사용된다.

③ 변별 자극

변별 자극(discriminative stimulus)이란 반응이 강화를 받을 때 계속해서 제공되는 자극을 말한다. 이것은 강화를 받은 반응과 결합되어 행동의 단서로 작용하게 된다. 예를 들어 쥐가 상자 속의 빗장을 발로 벗겨 내고 먹이를 성공적으로 얻는 행동에 대해 반복적으로 보상을 받게 되면, 쥐의 수행 행동은 더욱 빨라지고 빗장을 제외한 상자의 다른 부분에는 전혀 주의를 기울이지 않게 된다. 이때 빗장을 변별 자극이라고 할 수 있다. 즉 유기체는 처음에는 신호가 되는 모든 자극에 반응하지만 점차 동일하지 않은 자극에 대해서는 상이한 반응을 보이게 된다. 변별 자극은 조작적 조건화 모델에서 조작적 반응으로 발전하고, 이것은 다시 조건화된 강화 자극으로 넘어가게 된다.

조작적 조건화 모델과 반대로, 조건 자극으로부터 조건 반응이 발생하면 그 자극과 유사한 다른 자극들도 조건 반응을 일으킬 수 있는 힘을 갖게 되는 현상을 자극의 일반화(stimulus generalization)라고 한다. Povlov의 실험에서 개처럼 종소리를 들려 주면 개가 반응을 보이는 것을 조건 반사라고 하는데, 이러한 조건 반사의 확장된 성향으로 종소리와 비슷한 소리만 들어도 반응을 보이는 것을 그 예라고 할 수 있다. 이러한 일반화 현상은 학생들의 학교 학습에서 한 과제나 학습 내용을 학습한 뒤 유사한 내용을 통합할 줄 알고 유사한 원리를 비슷한 상황에 응용, 적용할 줄 알게 하며, 새로운 문제를 해결할 수 있도록 해 준다.

④ 강화의 유형

강화에는 두 가지 유형이 있다. 첫째는 정적 강화(positive reinforcement)이다. 이것은 어떤 특정한 행동이 나오면 그 행동의 결과를 강화해 주는 자극을 제시함으로써 이후의 행동이 일어나는 확률과 빈도를 증가시키는 것을 말한다. 정적 강화는 행동을 강화하는 정적 강화인을 사용하게 되는데, 이것은 반응이 뒤따라 나왔을 때 그 상황에서 반응이 발생하는 가능성을 증가시켜 주는 만족스러운 자극을 뜻한다. 한 예로 학습에 있어서 정적 강화인으로 작용할 수 있는 것은 상, 돈, 칭찬 등이라고 할 수 있다. 학생은 공부를 잘 한 결과로 칭찬을 받거나 용돈을 받음으로써 더욱 공부에 몰두할 수 있게 된다. 이러한 경우 칭찬이나 용돈이 정적 강화인이 된다.

강화의 둘째 유형으로 부적 강화(negative reinforcement)를 들 수 있다. 부적 강화란 행동 결과에 대해 혐오스러운 자극을 제거하여 바람직한 행동 반응의 확률을 증가시키는 것을 말한다. 일반적인 예로는 자동차 안전벨트 신호음을 들 수 있다. 운전자가 안전벨트를 매게 되면 시끄럽게 울리던 경고음이 멈추게 된다. 안전벨트를 매는 행동이 혐오스러운(부적인) 자극을 사라지게 했기 때문에 앞으로 이런 활동(강화)을 반복하기 쉽다. 교실 상황에서 이러한 부적 강화의 예로는 수업시간에 모범적인 태도를 보인 학생들에게 청소당번을 면제해 주는 것을 들 수 있다. 학생들이 좋은 학습 태도를 보였을 때 청소라는 혐오적인 자극을 제거해 줌으로써 좋은 학급 분위기가 형성된다는 측면에서 부적 강화가 일어났다고 볼 수 있다. 이러한 부적 강화는 벌과도 비교될 수 있는데, 부적 강화의 경우 혐오적인 자극을 제시한다는 점에서 행동이 일어나는 것을 약화 또는 억압하는 벌과는 구별된다.

⑤ 벌

벌(punishment)은 감소되거나 억제된 행동과 관계있다. '벌 받은' 행동은 미래에 비슷한 상황에서 쉽사리 반복되지 않을 것이다. 다시 말해 벌이라는 것은 바로 그러한 효과이며, 사람들은 무엇이 벌 받는 것인지에 대해 서로 다르게 지각한다. 따라서 효과의 지속성과 영향력이 각각 다르게 나타날 수 있다. 실례로 어떤 학생은 학교의 벌에 관해 심한 공포를 갖고 있는 반면 다른 학생은 전혀 꺼리지 않을 수도 있다.

벌은 효과가 뛰어나지만 부작용도 갖고 있다. 첫째, 벌의 효과는 일시적이라는 점이다. 벌은 지속적으로 행동에 변화를 주기가 어렵다. 둘째, 벌은 반응을 억제하나 그 반응을 없애 버리지는 못한다. 즉, 긍정적 행동을 유도하기 위한 궁극적 해결책이 되지 못한다. 셋째, 벌은 어떻게 생산적으로 행동해야 되는지를 가르치지 않기 때문에 부적응적 행동을 초래하기도 한다. 벌은 잘못된 행동에 대한 지적의 의미가 강하기 때문이다. 넷째, 벌은 학습자가 어떻게 반응해야 할지 모르는 갈등을 빚게 하여 학습을 방해할 수도 있다. 앞서 거론한 것처럼 어떤 긍정적 행동을 제시하는 것이 아니라 부정적 행동에 대한 지적이기 때문에 학습자는 적절한 대응 방안을 찾기 어려울 수 있다.

⑥ 소거

소거(extinction)란 강화인이 더 이상 나오지 않게 될 때 행동의 빈도가 감소하는 현상을 말한다. 고전적 조건 형성에서 조건 자극이 나타났으나 무조건 자극이 뒤따르지 않았을 때, 즉 종소리만 있고 음식이 없었을 때 조건 반응이 소멸되는 것을 보게 되었다. 그리고 조작적 조건 형성에서는 평상시의 강화인이 보류되면 유기체가 특정 행동을 지속하지 않을 것이다. 다시 말해 그 행동은 소멸되는 것이다. 그러나 때때로 어떤 행동은 소거를 통해 없어졌다가 일정 기간이 지난 후 다시 발생하는 현상을 보이기도 하는데, 이를 자발적 회복 현상이라고 한다. 또한 어떤 행동을 소거시키기 시작하면 초기 단계에는 오히려 일시적으로 행동이 더 많이 나타나는 현상인 소거에 의한 행동의 폭발이란 것이 나타나기도 한다.

⑦ 벌의 대안

앞서 언급한 바와 같이 벌에는 다소 부정적 요인들이 있다. 따라서 이러한 부정적 요인을 가지고 있는 벌의 한계를 극복할 수 있는 대안을 찾게 되었는데 그중 하나가 타임아웃이다. 이것은 변별 자극을 바꾸는 것으로 학생이 적절한 행동을 할 때 학생을 강화해 줄 수 있는 상황에서 격리시키는 것을 의미한다. 둘째로 상반된 행동에 대한 강화를 들 수 있다. 이것은 학생이 잘못된 행동을 하지 않을 때 발생하는 학습 과정을 강화하는 것이다. 마지막으로 소거를 꼽을 수 있다. 소거는 원하지 않는 행동을 제거하는 것으로 잘못된 행동이 타인에 의해 강화되지 않도록 무시해 버리는 기법이며 벌의 대안으로 사용하는 것이 가능하다.

⑧ 학습의 과정

학습의 과정은 행동의 조형(shaping behavior), 행동의 연결(chaining), 약화시키기(fading), 행동의 유지(강화 계획)로 진행될 수 있다.

먼저 행동의 조형은 현재 유기체가 하지 못하고 있는 새로운 행동을 형성시키는 방법이다. Skinner는 조작적 조건화가 행동을 조형하는 방식은 조각가가 점토 조각을 조형하는 방식과 서로 유사하다고 말했다. 즉 Skinner에 따르면 상자 속에서 쥐가 음식을 얻기 위해 지렛대를 누르는 것이나, 학급에서 학생들이 새로운 문제를 해결하는 것 등은 바로 익숙하게 되는 것이 아니라 연속적인 단계로 보다 복잡한 강화로부터 생겨난다는 것이다.

이러한 행동의 조형은 목표 행동에 대해 계속적인 차별적 강화, 즉 목표 행동과 유사한 행동이 나올 때만 강화를 해 주기 시작하여 목표 행동이 나올 때까지 계속해 나가는 절차를 말한다. 여기서 차별적 강화에 대해 다시 설명하면 목표 행동을 설정해 놓고 그 쪽으로 접근해 가는 데 취할 수 있는 여러 행동 중에서 목표 행동에 좀 더 근접한 행동을 선택하여 적극적으로 강화하는 것을 말한다.

다음은 행동의 연결이다. 행동의 조형이 비교적 단순하고 연속적인 새로운 행동을 하게 하는 것이라면, 행동의 연결은 이미 학습자에게 알려진 개별적이면서 보다 단순한 행동들로 이루어진 복잡한 행동들을 확립하는 것을 말한다.

약화시키기는 반응을 불러일으키기 위한 촉진자나 단서 또는 다른 유용한 자극을 점차로 제거해 나가는 것을 말한다. 하나의 행동이 학습되고 실제적으로 활용될 때 교사는 점진적으로 사용했던 강화인을 제거해 갈 수 있는데, 이 과정을 통해 학습자는 더 이상 단서들이나 도움에 의존하지 않고 스스로 새로운 행동의 변화, 즉 학습을 해 나가게 된다.

마지막으로 행동의 유지(강화 계획)이다. 간헐적 강화는 유기체의 반응 횟수(비율 계획)나 시간의 경과(간격 계획)에 따라 조건부 계약을 맺어 시행되는데, 이를 강화 계획이라 한다. 강화 계획의 유형으로는 반응 횟수에 따른 고정 비율과 변동 비율로 간헐적 강화를 제시할 수 있다. 고정 비율이란 예를 들어 학습 과제를 성공적으로 풀 때마다 가산점을 주는 상황을 뜻하고 변동 비율이란 자동 도박기에서 레버를 제대로 누를 때만 돈이 떨어지는 상황을 의미한다. 반면에 시간에 따른 강화로는 고정 간격과 변동 간격이 제시될 수 있는데, 고정 간격이란 노동자가 일주일에 한 번씩 임금을 받는 상황을 말하고, 변동 간격이란 예기치 못하게 수시로 실시되는 상황을 의미한다.

(2) 고전적 조건화의 적용

① 학습의 운영

학급에서 집단이나 학생 개개인에게 가장 유용하게 사용하는 조건부 강화로는 토큰 경제 기법(Ayllon & Azrin, 1986)이 대표적인데, 이 기법에서 토큰들은 후에 원하는 물건이나 어떤 특권을 누릴 수 있는 것으로 교환될 수 있는 조건화된 강화인으로 작용하게 된다.

② 수업 목표

수업 목표는 행동주의 접근방법에 따라 적합한 행동에 대해 목표를 세울 수 있는데, 이때 학생들이 성취해야 할 수업 결과를 행동적인 진술로 열거할 수 있다. 바라는 수업 결과를 명백하고 관찰 가능한 행동적인 용어로 구체화하는 것이 중요하다고 할 수 있다.

③ 조건부 계약

조건부 계약은 교사와 학생 간에 이루어지는 동의로, 학생이 어떤 공부를 마쳐야 하며 성공적인 수행을 위해 기대되는 결과가 무엇인지를 구체화하는 것을 말한다.

④ 프로그램 수업

프로그램 수업은 학습의 조작적 조건화 원리에 따라 개발된 수업 자료들을 말한다. 학습원리로서 먼저 행동 목표들은 학생들이 수행해야 할 것을 구체화한다. 다음으로 수업 단위는 소단계의 프레임으로 나누어지고 테스트 문항을 제시한다. 이어 학습자들은 자신의 학습 속도에 맞추어 공부를 한다. 그 다음 학습자들은 그들이 프로그램을 진행해 가면서 질문에 대답하게 된다. 마지막으로 피드백은 학습자의 반응에 달려 있다.

⑤ 개별화 수업 체제

개별화 수업 체제란 1968년 F. Keller가 행동주의 원리를 기초로 하여 수업에 새로 적용한 결과 긍정적 효과를 보인 프로그램을 말한다. 이것은 개별적인 공부를 강조하고 학습자 자신이 학습 속도를 유지하는 것을 골자로 한다. 특징으로는 숙달 과제의 단위화, 보조 동료 교사의 활용, 보조 수업 방법들의 활용을 들 수 있다.

⑥ 조작적 조건화 이론의 평가와 전망

Skinner에 의해 구성된 조작적 조건화 학습 이론은 환경(자극, 상황, 사상)의 특성이 반응의 실마리로 가능하다는 기본 가정을 하고 있다. 조작적 조건화의 기본 모델은 3가지 조건적 상황, 즉 변별 자극(선행 상황), 반응(행동), 강화 자극(결과)으로 이루어지고 행동의 결과들은 상황적 단서가 제공되면 반응할 것이라는 가능성을 결정해 준다. 결과에 대한 강화는 행동을 증가시키며, 결과에 대한 벌은 반응을 감소시킨다.

⑦ 조작적 조건화 이론과 관련된 논의와 비판

조작적 조건화 이론에도 여러 논의와 비판이 존재한다. 먼저 인지주의 이론가들은 조작적 조건화 이론이 정신적 과정을 무시함으로써 인간 학습에 대해 불완전한 설명을 하고 있다고 반박했다. 언어학자들과 심리학자들은 언어 학습에 대한 Skinner의 설명(1957)에 대해 문제를 제기하면서 언어는 정신적 구조 속에서 학습되는 것이라고 반박했다. 기타 비판점으로 자극과 강화는 인간 학습을 설명할 수는 있으나 학습을 설명하기 위해서는 인간의 사고, 믿음, 느낌 등을 고려해야 한다고 주장했다. 또한 내적 동기화와 행동에 대한 Skinner의 주장의 한계점을 지적했다.

CHAPTER

6 인지주의

앞서 살펴본 행동주의 학습 이론 관점에서는 학습자를 고차원적인 수준의 사고를 하는 존재가 아니라 외부에서 주어지는 자극에 기계적으로 반응하는 수동적인 유기체로 보고 있다. 이 같은 자극과 반응의 연합을 지배하는 조건 형성 원리들로 인간의 학습 현상을 모두 설명하기에는 부족하다는 한계를 지적하며 등장한 것이 바로 인지주의 학습 이론이다. 인지주의 학습 이론에서는 학습자를 다양한 정보처리 과정과 같은 내적 사고 과정을 거쳐 상이한 결과를 생성해 낼 수 있는, 즉 인지 학습(cognitive learning)을 하는 존재로 보고 있다.

1) 인지주의 학습 이론

인지주의 학습 이론의 종류로는 통찰 학습 이론과 관찰 학습 이론, 정보처리 학습 이론, 신경망 학습 이론이 있다.

(1) 통찰 학습 이론

Köhler(1887~1956)의 침팬지 Sultan의 바나나 따기 실험을 통해 연구된 통찰 학습 이론은 문제 상황이 주어졌을 때, 문제 상황을 탐구하는 오랜 생각

끝에 해결책을 찾아내는 것이 통찰에 의한 것이라고 보는 이론이다. 이는 주어진 문제 상황에서 갑작스럽게 문제 해결이 이루어지는 측면에서 도구적 조건 형성과 비슷할 수 있으나 문제 해결이 이루어지는 과정이 시행착오가 아닌 통찰에서 얻어졌다는 점에서 차이를 가진다.

침팬지 Sultan의 모습

(2) 인지도 이론

인지도(cognitive map) 이론은 실제로 행동하면서 익히지 않아도 머릿속에서 생각하는 것만으로 학습이 가능하다는 것을 보여 준 이론이다. Tolman(1886~1959)은 미로를 달리는 생쥐 실험을 통해 동물이 미로에서 특정 반응에 대한 것을 학습하는 것이 아니라 미로가 어떻게 생겼는지에 대한 지식을 학습한다고 보았다. 즉, 동물은 미로를 다니며 미로에 대한 인지도(cognitive map)를 획득한다는 것이다. 이후 Tolman과 Honzik(1930)의 실험을 통해 인지도의 개념을 다시 한 번 설명했다. 결국 인지도 개념은 동물도 고차원적인 정신 활동을 할 수 있으며, 이는 인간의 일상 경험과도 일치한다는 시사점을 가진다.

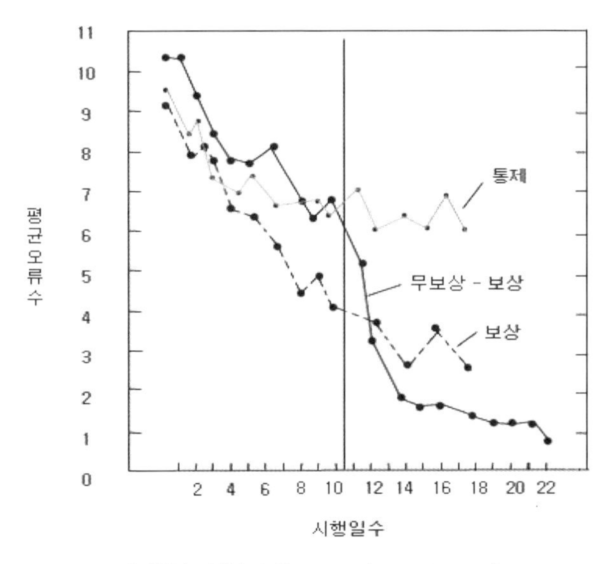

잠재학습 실험결과(Tolman과 Honzik, 1930)

(3) 관찰 학습 이론

만약 모든 학습이 조건 형성의 원리에 따라 이루어진다면, 학습되는 반응은 실제 수행을 거쳐 학습하게 된다. 그러나 모든 행동을 실제로 수행하여 학습하기에는 무리가 따른다. 즉, 인간의 모든 것을 직접적인 경험을 통해 학습하는 것은 아니라는 것이다. 인간뿐만 아니라 동물 역시 직접 경험하지 않고도 다른 개체들의 반응을 보고 모방함으로써 학습할 수 있다고 보는 관점이 바로 관찰 학습(observation learning)이다. 예를 들어 텔레비전에서 공격적인 행동을 자주 보는 아동이 그렇지 않은 아동에 비해 공격적인 행동을 할 가능성이 높은 것은 관찰 학습으로 설명될 수 있다.

(4) 정보처리 학습 이론

정보처리 이론은 인간 머릿속에도 컴퓨터와 같이 정보를 처리하는 장치가 있어 컴퓨터가 자료를 처리하고 저장하는 것과 유사한 과정을 통해 학습이 일어난다고 보는 이론이다.

(5) 신경망 학습 이론

신경망 학습 이론은 정보가 신경세포에서 어떻게 처리되는가를 밝히고 이를 이용하여 학습 과정을 설명하는 이론이다. 이 관점에서 정보는 동시에 병렬적으로 처리되며, 정보의 일부를 검색하면 관련된 정보가 동시에 인출될 수 있다고 가정한다.

	정보처리 이론	다른 학습 이론
이론 구성의 차이	다양하고 광범위한 이론을 포함한다.	한 명의 이론가나 특별한 조사 접근에 의해 구성된 것
접근 방식의 차이	실질적인 상황에 있어 정신적인 활동을 조사한다.	눈 운동 연구, 인지, 지각과 기억의 연구 과제 등의 실험적인 접근

2) 스키마 이론

스키마란 기억에 저장된 총칭적인 개념을 표상하는 자료 구조(data structure)이다. 흔히 스키마를 정신 모형으로 간주한다. 스키마 이론은 스키마 다발들이 표상되는 방법과 그 표상이 특정한 방식으로 지식의 활용을 용이하게 하는 방법과 관련된 이론이다. 과연 인간은 외부로부터 수용하는 정보를 어떻게 저장하고, 그 저장의 형태가 어떻게 되어 있으며, 추가적으로 받아들이는 정보에 대한 처리, 사용 빈도가 낮은 정보에 대한 처분이 어떻게 이루어지는지에 대해 설명하는 것은 모두 스키마 이론의 범주에 속한다고 볼 수 있다.

(1) 스키마 이론에 대한 이해

스키마(schema)란 바로 인간이 가지고 있는 사전적 지식을 뜻한다. 그런데 이러한 지식은 낱개로 존재하는 것이 아니다. 스키마는 스키마들끼리 연관성을 가지고 있으며, 그러한 연관의 정도에 따라 위와 같은 네트워크의 형태를 갖추게 되는 것이다. 즉, 인간은 받아들인 정보에 대해 네트워크 지식구조를 형성함으로써 지식을 처리하는 것이다. 새로운 자극이 들어오면 스키마가 활성화되는데, 이런 활성화된 스키마를 통해 변인 가치에 대한 추가 정보가 기대된다. 이러한 기대 충족에 맞는 구체적인 예시를 제공함으로써 학습이 용이해진다.

스키마 이론에서 정보는 스키마의 활성화나 현행 스키마의 수정을 교대로 일어나게 한다. 이해의 수준은 사람마다 각기 다른데, 과제를 접했을 때 바로 머릿속에서 스키마가 구성되어 활성화된다. 스키마는 인간의 모든 행위에서 행동 안내자의 역할을 하는데 사전 지식이 많을수록 더욱 익숙하게 지식을 구성할 수 있게 된다. 그리하여 스키마 이론에서 피험자에게 친숙한 맥락은 문제 해결에 적절한 정신 모형으로 접근할 수 있게 한다.

(2) 스키마의 습득과 수정

스키마 습득은 3가지 과정을 거친다. 이를 증대와 조율, 재구조화라고 하는데, 증대는 스키마에 새로운 정보가 들어왔을 때 이를 기억하고 학습하는 것을 말한다. 정보가 들어오면 기존의 스키마와 비교하여 일치하는지, 차이가 있는지에 따라 자신의 스키마를 수정하고 발전시키게 되는데 이를 조율이라 한다. 그러면 옛 스키마를 대처하거나 통합시켜 발전된 새로운 스키마가 나타나게 되는데 이를 재구조화라 한다.

스키마 습득의 세 가지 상이한 과정		
증대	조율	재구조화
교재나 어떤 사태에 대한 이해의 결과	새로운 개념과 원리의 예시에 따라 스키마의 수정이 조금씩 나타나는 것	옛 스키마를 대처하거나 통합하는 새로운 스키마의 창출
스키마 내의 정보를 기억, 사실을 학습	현존 스키마가 경험과 일치하도록 변하면서 발전	대부분 유추를 통해 일어나며 서로 다른 스키마 간의 조율

3) Ausubel의 유의미 수용 학습

(1) 의의

Ausubel은 교사가 교육내용을 체계적으로 정리하여 학생들에게 알기 쉬운 형태로 제시할 경우 발견 학습에 의한 것보다 더 효과적인 교수-학습 지도가 된다고 주장했다. 이때 교사는 단순히 학생들에게 학습 과제를 제시하는 것이 아니라, 먼저 배운 학습 과제와 논리적으로 연관시켜 제시해야만 학생들이 기계적인 암송을 하지 않으며 학습 과제를 의미 있게 받아들인다. 유의미 학습은 사전 지식을 유의미한 정보로 활용하면서, 새로 배울 지식과 관련하여 의미를 도출하는 학습 과정이라고 할 수 있다.

(2) 유의미 학습의 개념

유의미한 학습이 일어날 수 있는 조건으로는 첫째, 학습 과제가 논리적으로 유의미한 내용을 담고 있어야 한다. 둘째, 학습자가 그의 인지 구조 내에서 학습 과제를 수용할 수 있는 관련 정착 의미를 가지고 있어야 한다. 셋째, 학습자가 과제를 학습하려고 하는 의향이 있어야 한다. 유의미 학습을 촉진시킬 수 있는 방법으로 선행 조직자 개념을 사용하고 있다. 선행 조직자는 학습자로 하여금 학습하게 될 자료에 앞서 제시하는 도입 자료로 새로운 학습 과제보다 더 추상적인 형태로 제시되고, 일반적이며 포괄성이 높은 자료를 제공한다. 선행 조직자의 촉진으로 유의미 학습활동이 일어난 이후에 학습 내용이 학습자의 기억 구조에 남게 된다. 저장된 학습내용은 의미를 획득하여 파지와 전이를 촉진하게 된다.

(3) Ausubel의 유의미 수용 학습의 수업 원리

① 점진적 분화의 원리: 학습내용은 가장 일반적이고 포괄적인 의미에서부터 시작하여 점차 이를 세분화하고 특수한 의미로 분화시켜 제시해야 한다는 원리이다.

② 통합적 조정의 원리: 새로운 개념이나 의미는 이미 학습된 내용과 일치되고 통합되어야 한다는 것을 의미한다.

③ 선행 학습의 요약, 정리의 원리: 새 과제의 학습에 임할 때 현재까지 학습해 온 내용을 요약, 정리해 주면 학습이 촉진된다.

④ 내용의 체계적 조직의 원리: 학습의 극대화를 위해서는 학습내용이 계열적, 체계적으로 조직되어야 한다는 원리이다. 후행 학습과 관련된 선행 조직자의 역할을 한다.

⑤ 학습 준비도의 원리: 학습자의 기존 인지 구조뿐 아니라, 학습자의 발달 수준도 고려해야 한다는 원리이다.

⑥ 선행 조직자의 원리: 선행 조직자는 새 학습 과제가 학습자에게 쉽게 정착될 수 있도록 하기 위해 학습 과제의 제시에 앞서 제공되는 일반적이고 추상적이며 포괄적인 자료를 말한다.

(4) 유의미 학습 이론의 적용

Ausubel은 유의미 학습 이론을 적용한 수업방법으로 '선행 조직자 모형'을 제시하고 있다. 즉, 새로운 학습내용을 학습할 경우에 그 내용을 포섭하고 있는 '매우 일반적이고 추상적이며 포괄적인 개념'을 먼저 제시해야 한다는 것이다.

수업 단계 내용

1단계: 선행조직자 제시

① 수업의 목적을 명료화한다.
② 선행조직자를 제시한다.
③ 학습 과제와 학습자의 경험과 지식을 연관시킨다.
④ 학습할 의욕을 고취한다.

2단계: 학습 과제 및 자료 제시

① 학습 과제의 구속성과 사실성을 분명히 한다.
② 학습자료의 논리적 조직을 명확히 한다.
③ 자료를 제시한다.
④ 점진적 분화의 원리를 적용한다.

3단계: 인지적 조직화 강화

① 통합 원리를 사용한다.
② 능동적인 수용 학습을 고무한다.
③ 주제에 대한 비판적 접근을 취한다.
④ 학습내용을 명료화한다.

4) Bruner의 발견 학습

(1) 발견의 의미

학생들이 자신의 행동과 마음을 통해 능동적으로 학습하여 지식을 획득하고 자료와 증거를 재정리하여 새로운 통찰력을 갖는 행위를 말한다. J.S. Bruner가 주장한 '발견'은 우리가 일반적인 의미로 쓰는 '미처 보지 못한 사물이나 현상을 먼저 찾아내는 과정'과는 다른 것이다.

① 학문중심 교육과정과 Piaget의 지능 발달 이론에 기반을 둔 탐구적, 학습적 전략이다.
② 지식의 구조가 학생이 가지고 있는 심리적 구조와 일치하도록 하는 교수–학습의 방법에 관한 아이디어이다.
③ 주입식 교육과 반대된다는 의미에서 탐구학습과 같다고 볼 수 있다.

(2) 발견 학습의 개념

발견 학습은 J.S. Bruner가 지식 습득의 새로운 방향을 제시한 것으로 기본교재 학습내용의 사고와 탐구를 수단으로 발견적 학습과정을 통해 습득해 가는 학습 형태를 말한다. 학습자는 스스로 작은 일에서부터 과학적 현상에 이르기까지 문제점을 스스로 발견하여 문제를 해결하는 탐구자, 연구자의 역할을 할 수 있기를 기대한다. 교사의 지시를 최소한으로 줄이고 학생 자발적인 학습을 통해 목표를 달성할 수 있도록 한다. 발견 학습에서는 구체적 자료를 취급하여 학생 스스로 발견하게 하는 발견적 의미를 지니며, 소크라테스식의 문답을 통해 발견을 유도한다. 발견은 이미 알고 있는 아이디어의 내적인 재조직을 포함한다.

(3) 발견 학습의 특징

발견 학습은 교재에 대한 철저한 학습을 강조하며 학습의 과정과 방법을 중시한다. 교수자는 학습자가 알아야 하는 최종적인 형태로 학습내용을 제공하는 것이 아니라, 학습자 스스로 내용을 조직하도록 도와야 한다. 그만큼 학습자의 능동적인 학습을 강조한다. 발견 학습의 조건으로는 첫째, 학습 태세를 들 수 있다. 학습 태세란 학습자가 학습상황에서 정보 간의 관계를 찾으려는 내적 경향성을 말한다. 둘째, 요구 상태이다. 이는 학습자의 학습 동기 수준을 말한다. 보통 정도의 학습 동기 수준이 적절하다고 보았다. 셋째, 관련 정보의 학습이다. 학습자가 관련된 구체적인 정보를 많이 가지고 있을 때 발견이 잘 일어난다. 개인이 지니고 있는 정보의 범위가 넓을수록 정보 간의 관계를 쉽게 발견할 수 있다. 넷째, 연습의 다양성이다. 같은 정보라 하더라도 그 정보에 접촉하는 사태가 다양하면 그 정보를 조직할 수 있는 분류 체계의 개발이 용이해진다.

(4) 학습에 대한 발견 학습 이론의 시사점

Bruner는 수업 과정의 한 형태로 발견 학습 과정을 제안했는데, 발견 학습은 지식의 기본개념이나 원리를 의미 있게 이해하는 데 도움을 주었다. 또한 탐구정신과 기능을 학습하도록 함으로써 자아의 발견과 실현에도 공헌했다.

Bruner의 교수 학습 이론은 다음과 같은 장점을 가지고 있다. 지식을 발견하는 과정에서 학생들의 활동적인 참여는 학습내용을 보다 깊게 이해할 수 있게 해 주며, 지적 및 정의적 노력을 집중시킴으로써 배우는 것에 높은 가치를 부여한다. 그리고 외현적 보상보다는 내면적 만족감을 얻게 되므로 자신의 과제를 학습하려고 하는 의욕과 노력을 증가시킨다. 또한 자신이 스스로 지식을 발견했다는 것에 대한 자각은 흥미 있고 가치 있으므로, 학교 학습과 탐구 활동에 대한 긍정적 태도를 형성하게 해 준다.

CHAPTER 7

구성주의

1) 구성주의 학습 이론

학습은 학습자가 외부 세계에 존재하는 절대적이고 객관적인 진리를 수동적으로 받아들이는 것이 아니라, 스스로 주체가 되어 의미 있는 경험을 하고 그것을 통해 지식을 구성해 나가는 것이라고 보는 것이 구성주의 학습 이론이다. 따라서 구성주의 학습 이론에서는 실세계의 구체적인 경험 속에서 이루어지는 학습만이 진정한 학습이라고 본다. 또한 학습자가 자신의 지식을 외부 세계와의 상호작용을 통해 재구성하는 과정을 학습으로 보기 때문에 지식은 개인의 경험에 의해 구성되는 주관적인 것이고, 학습 활동은 개인적인 해석 활동이라 할 수 있다. 더불어 구성주의 학습 이론에서의 학습은 구성원들 간의 사회적 교섭과 참여로 이루어지며 이 모든 과정은 상황적 맥락을 통해 이루어지기 때문에 학습이 발생하는 상황적 맥락과의 연결을 강조한다.

구성주의에 있어 교육의 역할은 학생들에게 변화하는 사회에 능동적으로 대처할 수 있는 자질과 능력을 길러 주는 것으로 정의된다. 이러한 구성주의는 기존 교육에서 수업 설계가 가진 문제점을 극복할 수 있다. 다시 말해 구성주의는 객관주의가 갖고 있는 한계를 보완할 수 있는 것이다. 객관주의적 입장에서 본 수업 설계는 먼저 비활성 지식(inert knowledge)의 축적이라는 한계를 갖고 있으며, 지식의 재생산력이 결여(production deficiency)되어 있고 수동적인 학습자를 양산하게 된다는 문제점을 갖고 있다. 이에 대해 구성주의 교수-학습 이론은 이러한 객관주의적 입장의 수업 설계가 지닌 문제점과 한계를 보완하고, 고등 정신 능력의 함양을 위한 학습 환경을 제공하는 대안적 수업 설계를 가능하도록 한다.

(1) 구성주의의 개념

구성주의란 지식의 형성과 습득을 개인의 인지 작용과 개인이 속한 사회 구성원들 간의 사회적 상호작용에 비추어 설명하는 상대주의적 인식론에 기반을 두고 있다. 즉 학습자가 어떻게 지식을 구성하느냐(Duffy & Jonasec, 1992)에 관심을 두고 있는 것이다. 주관주의 인식론으로 우리가 경험하는 외적 실체는 존재하나, 그 의미는 우리 인간에 의하여 부여되고 구성되는 것이라고 본다. 학습은 구성적 과정으로 학습자가 지식을 내적으로 표상하고 경험을 개인적으로 해석하며, 능동적 과정으로 자신의 경험에 근거하여 의미를 개발하는 것이다. 이에 대해 Brown, Collins와 Duguid(1989)는 "세계를 조직하고 이해하는 방식은 다양할 수 있으며 보편타당한 절대적 진리, 객관적 실체는 존재하지 않는다고 보고 학습자의 경험에 뿌리를 두고 그 경험에 기초하여 색인(index)된다"라고 말한 바 있다.

이러한 구성주의 이론은 학습의 상황적 성격을 강조한 Piaget의 인지 발달론과 Vygotsky의 사회 문화 이론, Kant의 선험적 지식과 Dewey의 철학적 논리에 의해 지지된다. 구성주의는 이러한 이론들과 접목되어 대안적 교수-학습 이론을 제시하게 되었다는 점에서 그 의미가 새롭게 조명될 수 있다. 지식은 인식의 주체에 의해 사회·문화적인 영향하의 의미 있는 경험 및 타인들과의 상호작용에 의한 협상을 통해 형성된다.

앞서 거론한 것처럼 구성주의는 객관주의와 비교될 수 있다. 각각 '지식'이라는 것을 어떻게 생각하는지 살펴보면 먼저 객관주의 관점에서는 지식을 보편적 · 객관적 영향을 받아 형성되는 것이라고 본다. 즉 실재론에 뿌리를 두고 세계는 외부로 객관적으로 존재하며 그 의미 역시 우리의 경험과는 별도로 객관적 세계 속에 존재하는 것으로 파악하여 앎의 대상을 강조한다. 반면 구성주의에서 지식은 상대적 · 주관적 · 사회문화적 영향을 받아 형성된 것이라고 본다. 객관주의는 지식을 독립된 실체로 보고 학습을 외부로부터의 지식을 학습자 내부로 전이시키는 것이라고 인식한다.

구성주의는 몇 가지 기본 가정을 갖고 있는데, 첫째, 지식은 인식의 주체에 의해 구성된다. 개인이 지식을 구성한다는 가정은 인식 주체가 능동성을 갖고 있음을 의미한다. 즉 지식은 개인이 수동적으로 구성하는 것이 아니라 스스로의 경험을 바탕으로 능동적으로 구성한다는 뜻이다. 둘째, 지식은 맥락적이다. Brown, Collins와 Duguid(1989) 등은 학습은 그것이 발생하는 상황의 영향을 받는다고 가정했다. 셋째, 지식은 사회적 협상을 통해 이루어진다. 인식의 주체에 의해 주관적으로 구성되고 상황에 따라 다르게 구성되는 지식은 타인들과 상호작용하는 가운데 그 타당성이 검토되어 지식으로 형성된다.

	구성주의	객관주의
지식	상대적, 주관적, 사회분화적인 영향을 받아 형성	보편적, 객관적인 영향을 받아 형성 지식은 독립된 실체
학습	구성적 과정으로 학습자가 지식을 내적으로 표상하고 경험을 개인적으로 해석하며, 능동적 과정으로 자신의 경험에 근거하여 의미를 개발하는 것	외부로부터의 지식을 학습자 내부로 전이시키는 것
비판	인지 과부하와 방향감 상실, 학력이 저하될 우려가 있음. 기존의 교육 실제가 객관주의 입장의 행동주의에 익숙하여 구성주의 효과성에 의문을 제기	창의력, 문제 해결력, 비판적 사고, 협상 능력 등의 고차원적 인지능력을 함양하는 데 부족함

(2) 구성주의 교수-학습 원리

구성주의 교수-학습은 구성주의적 인식론에 기초한다. 이것은 기존의 객관주의 교수 원리가 가지고 있던 기본 가정에 정면으로 배치된다. 객관주의 교수 원리는 기본적으로 행동주의 학습 이론을 바탕으로 한다. 학습의 목적도 외부적 실체로서의 지식을 가장 많이 효과적으로 학생들에게 전달하는 것이다. 따라서 교사는 학생에게 많은 지식을 전달하고 지속시키기 위한 지식의 전달자 역할을 하게 된다. 이 과정에서 수업에서는 교사 주도적 과제 분석, 행동적 목표의 진술, 준거 지향 평가, 수업 전략적 처방, 프로그램 수업 등이 강조되고, 학습이 끝났을 때의 객관적 평가가 강조된다. 학습자는 수동적 존재로서 지식을 습득, 보유하는 존재로 인식된다.

반면에 구성주의 학습에서는 학습자의 능동성, 창의성, 자기 주도성, 책임을 중요시한다. 즉, 학습자가 자신이 원하는 목표를 결정하도록 하는 것이다. 구성주의의 목표는 추론, 창의적, 비판적, 반성적 사고, 문제 해결, 인지적 융통성의 획득이라고 할 수 있는데, 이에 대한 기본 가정은 학습자 개인의 기본적인 인지 구조를 바탕으로 환경과 상호작용을 하여 자신에게 의미 있는 지식을 구성하는 것이다. 여기서 교사의 역할은 학습자의 학습을 도와주고 촉진하는 것이라 할 수 있다. 학습자에게 무엇을 가르쳐 주느냐보다는 학습자가 능동적으로 새로운 지식을 인지 구조 내에 구성할 수 있도록 도와주는 것이 주요 역할인 것이다. 교사는 학생들이 스스로 지식을 구성할 기회와 동기를 부여하는 역할을 하며, 조언자, 조력자, 촉진자, 자원 제공자, 안내자, 동료 학습자라고 할 수 있다.

구성주의 학습에서 강조되는 것은 복잡하고 비구조화된 다양한 상황과 관심의 제시 및 사회적 협상과 협력적 학습 환경을 조성하는 것이다. 구성주의에 대한 평가는 사전에 설정한 목표에 근거한 준거 지향 평가보다는, 수행 평가나 포트폴리오 평가, 실제적 평가(authentic assessment), 역동적 평가 등의 대안적 평가와 같이 실제 과제를 수행하는 학습 과정 속에서 자연스럽게 이루어지는 질적인 평가를 지향한다.

2) 구성주의 학습 환경 설계

구성주의적 학습 환경을 설계할 때는 다음과 같은 요인을 고려해야 한다. 첫째, 학습자가 흥미를 갖고 자발적인 참여를 유도할 수 있는 교수 목표와 학습 과제를 제공해야 한다. 둘째, 복합적 과제를 제공함으로써 실제로 직면하는 문제에 적응할 수 있는 고차적 기능의 학습에 초점을 두어야 한다. 셋째, 실제 환경에서 직면하게 될 문제를 학습 과제로 구성함으로써 학습자의 인지적 요소와 일치되는 학습 환경에서 인지적 도전감을 부여한다. 넷째, 학습자 스스로 문제 해결 방안을 개발하고 스스로 사고 과정을 통해 해결하도록 한다. 다섯째, 학습자의 사고를 촉진시켜 주고 도전감을 줄 수 있는 학습 매체나 자료 등의 학습 환경을 구성해 준다. 여섯째, 학습자가 이해한 것을 다른 관점에서 검토해 볼 수 있는 환경을 제공하여 이해에 대한 깊이와 질을 심화시킨다. 일곱째, 학습 과정에 대한 자기 조절 학습 전략을 개발해 준다.

이와 같은 요인을 고려하여 만든 구성주의적 학습 환경 모형이 인지적 도제 모형, 정황 수업 모형, 인지적 융통성 모형, 문제 중심 학습 모형이다. 이것들은 실생활의 상황적 특성을 반영할 수 있는 비구조화된 복잡한 과제를 대상으로 한다는 공통점을 가지고 있지만, 실세계의 복잡성을 반영하는 방식에 있어서는 각 모형마다 차이가 있다.

(1) 인지적 도제 모형

인지적 도제 모형(cognitive apprenticeship)이란 안내 역할을 하는 전문가(교사)의 참여 및 책임이 점차 학습자에게 이양되게 함으로써 초보자가 특정 과제 수행 행동을 내면화하도록 도와준다. 인지적 도제 모형은 3단계로 구성되는데 먼저 교수적 시범 단계에서는 문제 해결을 위해 전문가가 구체적으로 시범을 보이는 단계이다. 이어 교수적 지원 단계는 문제 해결을 위한 인지적 틀을 제공하기 위해 학습자들이 과제를 수행할 때 교사가 안내, 조언으로써 지원하는 것이다. 마지막으로 도움 소멸 단계는 학습자가 스스로 문제를 해결할 수 있도록 학습 과정의 통제를 점진적으로 학생들에게 이양하면서 교수적 지원을 점차 줄여 나가게 된다.

이와 같은 인지적 도제 모형은 Collins, Brown, Newman(1989)에 의해 구체화되었으며, 학교 교육 제도가 갖추어지지 않았던 과거의 지식이나 기술의 전수 방법으로 사용했던 전통적 도제 방법을 현대 사회에서 요구되는 교수 방법의 형태로 적용하고 변화시킨 것이다. 학습자들이 현실과 동떨어지지 않은 실제적 상황에서 전문가의 과제 수행 과정을 관찰하고, 실제로 과제를 수행해 보는 가운데 자신의 지식 상태의 변화를 경험할 수 있도록 하는 것이다. 과제 관련 지식 습득과 함께 전문가와 초보자의 인지 전략의 차이를 시범(modeling)을 통해 보여 주고 교수적 지원(scaffolding)을 하여 전문가의 전략을 초보자가 습득하고 내면화할 수 있도록 도와줌으로써 사고력, 문제 해결력과 같은 고차적인 인지 기능의 신장을 도모하고자 하는 교수 방법이다. 기존 교수 설계에서 경시되었던 현실과 유사한 상황에서의 학습, 실제적 과제 수행 경험, 교사와 학생의 밀접한 상호작용, 토론을 통한 역동적 학습 과정을 중시한다.

인지적 도제 학습은 모든 학습 대상자와 모든 학습 영역에서 적용 가능하며, 국어 또는 영어 독해라든지 작문, 수학 문제 해결과 같이 복합적이고 인지 전략을 요하는 기본 영역에서 인지적 도제 이론에 근거하여 수업했을 때 많은 도움을 받을 수 있다. 이에 대해 Collins(1989)는 "학생들로 하여금 주어진 자료를 이해하는 데 도움을 줄 뿐만 아니라 학생들이 직면한 새로운 상황에서 그들이 갖고 있는 비활성 지식과 기능을 적용할 수 있도록 해 준다"고 말한 바 있다.

(2) 정황 수업 모형

정황 수업 모형이란 밴더빌트 대학의 인공지능 연구팀에서 개발한 수업 모형이다. 이것은 상황 학습(situated learning) 이론을 바탕으로 교수 매체를 활용한 학습 환경을 제공해 주고 이를 통해 현실 상황에서 해결 가능한 문제 해결력을 증진시키고자 시작된 수업 방법이다. 이 수업 모형의 목적은 학습자들이 활용 가능한 지식을 갖도록 중요한 점을 상황적으로 제시하고 다양한 관점에서 문제 상황을 바라보도록 하여 문제에 대한 인식과 해결책을 구하도록 하는 것이다.

정황 수업 모형은 인지적 도제 모형과 비교해 볼 때 특정 사회집단의 문화적 동화를 유발하고 상황성을 전제로 전개되는 학습 환경이라고 할 수 있으며, 실제적이고 협동적인 학습을 강조하고 학습자의 인지적 성찰을 통한 사고력을 배양한다는 점에서 공통점이 있다. 정황 수업 모형을 적용한 예로는 재스퍼 우드베리 문제 해결 시리즈, Young Sherlock 프로젝트가 있다.

(3) 인지적 융통성 모형

인지적 융통성이란 새로운 상황의 요구에 맞게 기억 내 지식을 융통적으로 재구성하는 능력을 말한다. 인지적 융통성 모형은 Sprio, Coulsion, Feltocicli, Anderson(1988)에 의해 구체화되었으며 개인의 인지 구조의 변화에 초점을 두고, 여러 가지 개념이나 지식 등이 서로 복잡하게 얽혀 있는 비구조적 과제들을 해결함으로써 궁극적으로 연합적 지식틀(schema assembly) 형성을 강조한다. 이것은 비구조화된 지식의 본질을 학습자에게 인식시키기 위한 교수 설계의 원리이며, 다양한 지적 표상을 사용하여 학생들이 충분히 다룰 수 있을 정도의 복잡성을 지닌 과제로 작게 세분화된 다양한 소규모의 예를 제시하는 것이다.

이 모형에서 재학습이란 동일한 학습 과제를 여러 번 반복하여 탐색하는 것을 말하며, 조망 교차는 동일한 학습 자료를 서로 다른 방향에서 해석할 수 있도록 여러 관점에서 바라봐야 함을 의미한다.

(4) 문제 중심 학습 모형

문제 중심 학습 모형(PBL: Problem Based Learning)이란 의과대학 교수였던 Barrows(1994)가 의대생 교육을 위해 고안한 학습 방법이다. 이것은 실생활 문제를 중심으로 교육과정과 수업을 구조화한 교육적 접근으로 학습자들이 문제를 해결해 나가는 과정을 통해 비판적 사고 기능과 협동 기술을 신장하도록 하는 학습 형태이다. 학습자에게 주어진 문제나 과제에 대한 자신의 견해나 입장을 형성하여 제시하고 설명하게 하고, 나아가 그것을 방어할 수 있는 능력, 협동 학습 능력을 함양하는 것을 기본 목표로 한다.

PBL의 핵심적인 특징은 먼저 문제로부터 학습을 시작한다는 것이다. 따라서 학습자들은 그들의 정보 수집이 문제를 해결하기 위한 목적에서 이루어진다는 것을 보다 쉽게 인식할 수 있게 되어 자신이 왜 학습해야 하는지를 잘 알 수 있다는 이점이 있다. 또한 PBL은 비구조화된 문제를 사용한다. 비구조화된 문제는 현실세계의 복합적인 상황을 잘 반영해 줄 수 있으므로 이의 사용은 PBL의 핵심적인 요소가 된다. 마지막으로 자기 주도적 학습 능력을 강조한다. PBL에서 학습자들은 자신이 직접 문제를 선정하고 동료들과의 협의를 통해 문제의 해결책을 고안하게 된다.

PBL은 집단 학습, 개별 학습, 그리고 다시 집단 학습의 세 과정으로 이루어지며 문제 제시 → 자기 주도적 학습 → 소집단 학습 → 일반화 → 반성의 단계를 거친다. PBL이 적용될 수 있는 범위는 광범위해 초등학교 1학년생부터 대학원 수업, 교사 연구 프로그램, 신임 교수를 대상으로 하는 교수법 워크숍, 그리고 기업 교육에 이르기까지 다양한 학습자에게 적용할 수 있다. 외국의 경우에도 학교 교육은 물론, 교장 리더십 교육(Bridges & Hallinger, 1995)에까지 폭넓게 활용되고 있다.

(5) 인터넷 환경

인터넷은 실제와 매우 유사한 가상 환경을 제공하고 학습자와 전문가가 공유할 수 있는 환경으로 학습자들이 의미를 구성하는 데 있어 보조 역할을 한다. 인터넷은 구성주의 학습 원리에서 사용되는 자료로 학습자가 지식을 구성하는 과정에서 다양한 시각을 경험하고, 그 구성한 지식의 타당성을 검토하는 데 매우 중요한 역할을 하며, 인터넷에서 제공되는 사회적 상호작용은 시·공간적 제약에서 벗어나 전통적인 교수 수업에서 학습자들이 접할 수 있는 견해나 시작의 범위를 확대시키며, 질적 면에서도 차이를 보일 수 있다. 구성주의 학습 원리에서 인터넷은 학습자들의 지식 구성 과정을 구체적인 자료로 제시하기 때문에 학습자들이 자신의 학습에 대한 검토와 타인의 비평을 수용할 수 있는 최적의 환경이다.

3) Vygotsky의 사회적 인지 발달 이론

(1) 사회적 구성주의

사회적 구성주의는 Vygotsky의 발달 심리 이론을 그 이론적 근거로 하는데, 인간의 인지적 발달과 기능은 '사회적 상호작용이 내면화되어 이루어지는 것'이라는 견해이다. Vygotsky는 인지란 사회적 상호작용의 내면화임을 주장하면서 인지 발달에 있어서 대화의 중요성(교사–학생, 부모–아동, 동료 등)

과 근접 발달 영역(Zone of Proximal Development: ZPD)의 개념을 강조한다.

근접 발달 영역을 자세히 설명하면 자신의 힘으로 혼자서 수행할 수 있는 발달 수준과 다른 사람의 도움을 받아 수행할 수 있는 잠재적 발달 수준 간의 간격을 말하는 것이다. 이것은 사회적 구성주의의 핵심 원리로 지식이 지식 참여를 통해 구성됨을 보여 준다. Rogoff(1990)는 근접 발달 영역을 가장 효과적인 사회적 상호작용의 유형이라고 규정하며 보다 능숙한 사람의 안내를 통해 공동의 문제를 해결할 수 있다고 했다. 대표적인 학자들로는 앞서 거론한 Vygotsky, Rogoff, Lave, Cole, Cunningham 등이 있다.

(2) 기본 명제

인지 발달이 사회문화적 맥락 속에서 이루어진다고 보았다. 사회, 문화, 역사와의 맥락의 상호작용을 중시했다. 그리하여 인간은 환경과 상호작용하는 존재라는 것이다. Vygotsky는 그 중에서도 사회에서 사용하는 언어를 통해 개인의 인지가 발달한다고 보았다. 사람은 언어를 통해 내적 사고를 하며, 언어 안에서 사회적 소통과 상호작용이 가능하다는 입장이다.

(3) 주요 개념

① 역사, 사회적 환경

마음, 인지, 기억 등의 개념은 개체의 배타적 속성으로 이해되기보다, 역사, 사회적 맥락의 영향을 받아 정신 간, 정신 내적으로 실행되는 기능으로 이해되어야 한다.

② 심리적 도구

사람들은 환경을 다루기 위해 심리적 도구를 창출했듯이 자신의 행동을 다루기 위해 심리적 도구(기호)를 창출했다. 아동의 발달 가능성에 대한 잠재 가능성을 시사한다.

③ **근접 발달 영역**

실제 발달 수준과 잠재적 발달 수준을 구분하여 인지적 발달이란 역사, 사회의 영향을 받는 것으로 강조한다.

(4) 발달 기제

중요한 타인, 교사, 능력 있는 또래는 아동의 역사, 사회적으로 설정된 기호체제(말, 글, 수체계 등)를 이용하여 환경 내 대상 혹은 사상의 구분을 가능하게 한다. 아동은 성인의 지도하에 자신의 행동을 조절하지만 이러한 정신간 과정은 곧 내면화되어, '이것을 하지 말아야지. 대신 저것을 해야겠군' 하면서 스스로에게 내적인 말을 하는 정신내 과정으로 변형하고 자신의 행동을 조절한다.

따라서 언어를 발달 기제의 중요한 도구로 보았다. 언어는 사회적 경험이 내면화된 것이며 사회적 언어는 개인의 언어(혼잣말)를 형성한다. 즉, 유아는 처음에는 언어를 사회적 상호작용의 도구로 사용하다가 점차적으로 크게 말하거나 의도한 행동을 말로 하면서 환경과 개인적 상호작용을 시작한다. 그 결과 언어가 유아의 행동 구조의 근원이 되거나 사고를 지지하는 근원이 된다.

아동의 자기중심적 언어 단계에서는 자기, 언어가 사고와 행동에 영향을 미치기 시작한다. 사적 언어는 나이들면서 사라지는 것이 아니라 좀 더 들을 수 없게 되고, 점차 정신 속으로 숨어들어 내적 언어가 된다.

(5) 언어 발달 4단계

① **제1단계(원시적 단계, 0~2세)**

비지시적 언어가 가능하다. 이 시기는 언어와 의식적 사고가 결합되기 이전이다.

② 제2단계(순수 심리적 단계)

언어의 상징적 기능을 발견한다. 언어와 사고가 차츰 결합되기 시작하는 시기이다.

③ 제3단계(자기중심적 언어의 단계, 유치원 시기)

독백 형태의 언어를 사용한다. 이때 언어의 성격은 자기중심적이다.

④ 제4단계(내적 언어 단계, 7세 정도)

자기중심적 언어가 감소하고 내적 언어로 이행하게 된다. 논리적 기억이라는 수단을 사용하여 사고하는 시기이다.

(6) 근접 발달 영역

개인 정신 기능의 사회적 기원을 역설하는 Vygotsky는 인간의 고등 정신 기능이 원래는 공동 활동을 통해 생겨난 것이며 그것이 이후에 개인 내로 내면화(internalization)된다고 한다. 사회적 국면에 있던 정신 기능들, 즉 인지가 개인적 국면으로 옮겨지는 데는 정신의 도구들인 기호들(signs), 그 가운데서도 언어가 중요한 매개 역할을 담당하게 된다. 그리고 공유된 환경에 있던 정신 기능들이 개인 내로 들어오게 되는 지점을 Vygotsky는 그 자신의 독창적인 개념인 근접 발달 영역(Zone of Proximal Development: ZPD)이라 지칭했다.

Vygotsky는 아동 발달에 영향을 미치는 사회적 관계를 강조한다. 그가 의미하는 사회적 관계란 '교수적 관계'를 말하는 것으로, 이때 교수자는 성인(교사, 부모)이거나 자신보다 더 유능한 또래일 수 있다. 자신의 환경 속에 있는 이들과의 상호작용을 통해 '중재 학습 경험(mediated learning experience)'을 가짐으로써 아동 내부의 발달 과정이 일깨워지고 아동이 이를 내면화함으로써 독립적인 성취를 이룰 수 있게 된다. 다시 말해 아동의 발달은 사회적, 문화적 상호작용의 결과이며 나중에서야 개인적인 것이 된다는 것이다.

그의 아동 발달에 대한 개념은 이미 아동이 도달한, 다시 말해 완료된, 실제적 발달 수준뿐 아니라 아동 내에서 현재 발달이 진행되고 있는 상태인 잠재적 발달 수준이나 능력을 포함한다. Vygotsky가 근접 발달 영역의 개념을 설명하는 데 있어 보다 관심을 가진 발달 수준은 바로 잠재적 발달 수준으로 아동의 능력이나 발달 상태는 성인이나 유능한 또래와의 공동 활동을 통해 가장 잘 드러난다고 보았다.

PART 3

교수-학습 이론과 모형

CHAPTER 8 교수–학습 이론

1) Gagné의 교수–학습 이론

Gagné 이론 구성의 핵심은 학습된 능력(learning outcomes), 학습의 사태(events of learning), 학습의 조건(conditions of learning)으로 정의된다.

(1) 학습된 능력(학습 결과)

Gagné 이론을 구성하는 첫 번째 핵심 요소는 학습된 능력이다. 학습된 능력이란 학습의 결과 얻어지는 것, 즉 학습의 목표를 말한다. 학습된 능력은 5가지 범주로 구성되는데, 각 범주는 지적 기능(intellectual skills), 인지 전략(cognitive strategies), 언어 정보(verbal information), 운동 기능(motor skills), 태도(attitudes)이다.

지적 기능이란 읽기, 쓰기, 수의 사용 등과 같이 상징이나 기호를 사용하는 능력을 뜻한다. 즉 방법적 지식과 절차적 지식을 의미하는 것이다. 이것은 다시 위계상으로 변별–개념–규칙–고등 규칙이라는 하위 기능으로 분류된다. 먼저 변별(discrimination)이라는 것은 사물의 속성들 간의 차이점을 구별할 수 있는 능력을 뜻한다. 다음으로 개념(concept)이란 사물을 특정 유목으로 분류할 수 있는 능력으로 구체적 개념과 정의된 개념이 포함된다. 규칙(rule)이란 개념들 간의 의미 있는 관계를 나타내는 것으로 '원리'로도 불린다. 마지막으로 고등 규칙(higher-order rule)은 여러 개의 규칙이 조합된 것으로 문제 해결 장면에서 동원되는 사고 유형이라고 할 수 있다.

학습된 능력의 두 번째 범주인 인지 전략이란 개념이나 원리를 이용하는 지적 기능의 특수한 영역으로 개인 자신의 행동을 지배하는 전략적 지적 기능을 말한다. 다시 말해 기능은 개인의 학습이나 기억, 사고를 통제하는 것이고 이것의 역할은 개념과 규칙의 활용을 조절하고 점검하는 것이다.

다음으로 언어 정보란 명제적 지식 혹은 선언적 지식으로서 사물의 명칭이나 사실의 진위 등을 다루며, 학교 교과 대부분을 차지하는 것이다. 인간은 한 가지 사실이나 일련의 사태에 대해 다양한 방법을 통해 진술할 수 있다. 학습자의 행위적 목적 중의 하나는 정보에 대해 올바르게 진술하고 표현하는 것이기 때문에 언어적 정보는 학습에 매우 중요한 요소라고 할 수 있다.

운동 기능은 어떤 일을 수행하기 위한 신체적 움직임과 관련된 것을 말한다. 이것은 보통 장기간의 반복적 연습을 통해 학습된다. 피아노 연주하기나 글씨 쓰기 혹은 공 차기 등이 운동 기능의 예라고 할 수 있다. 이러한 운동 기능은 속도, 정확성, 힘, 유연성에 따라 그 수준이 판별된다.

태도는 어떤 대상에 대한 찬성, 반대 혹은 좋아함, 싫어함과 같이 선택을 하게 하는 내적 경향성을 의미한다. 일반적으로 이것은 인지적 · 정의적 · 행동적 속성들로 구성되는데, 인지적 속성이란 어떤 대상에 대한 아이디어를 의미하며, 정의적 속성이란 인지적 속성에 수반되는 감정을 말하고, 행동적 속성은 그 대상에 대해 어떤 행위를 하려는 의도를 의미한다.

(2) 학습의 사태

이것은 학습자 내부에서 일어나는 일련의 정보처리 과정을 의미한다. 이러한 학습의 사태는 9단계로 설명할 수 있는데, 주의–기대–작동 기억으로 재생–선택적 지각–의미의 부호화–반응–강화–재생 단서–일반화의 순서라 볼 수 있다.

먼저 주의란 학습자가 대상 자극을 감각기관을 통해 받아들이는 것으로, 그 결과로서 학습에 대한 기대가 일어나게 된다. 기대는 설정한 학습 목표에 도달하기 위한 학습자의 동기화를 의미한다. 재생은 이미 가지고 있는 관련된 정보를 장기기억으로부터 작동 기억으로 재생하는 것이다. 선택적 지각이란 들어오는 자극을 수용 가능한 것만 선택적으로 지각하는 것을 말한다. 의미의 부호화란 수용된 자극 특성들이 개념망 속에서 장기기억으로 저장되는 것이다. 반응과 강화는 하나로 묶여서 작용하게 되는데, 의미의 부호화 이후 반응이 일어나고 이에 대한 강화가 뒤따르게 되는 것을 말한다. 마지막으로 재생 단서와 일반화도 하나의 연결된 작용으로서 강화 후 상황에 적합한 능력을 발휘하기 위해 장기기억에서 사용할 수 있는 부가적 단서를 추구하며 새로운 상황으로 적용하여 일반화하는 것이다.

① 학습의 9가지 사태

수업 사태라고도 하는데 수업 장면에서 교수가 학습의 사태를 통제하는 일련의 활동을 말하며, 학습이 일어나는 시기에 학습자 주의의 자극 장면을 공간적 차원에서 적절히 배열한다는 것이다. Gagné는 수업 사태를 9단계로 나누면서 이러한 9가지 사태들이 학습의 내적과정을 돕기 위한 외적 도움을 주는 하나의 가능한 방법들임을 주장하면서, 이들 각 사태의 구체적 특성은 학습이 의도하는 능력에 따라 달라져야 한다고 주장한다. 이러한 교수의 9가지 사태들은 하나의 학습능력을 가르치기 위해 교수를 계열화하는 기본적인 원리들로 해석될 수 있는 것이다.

- 주의 집중 유도하기
- 학습자에게 수업목표 알려 주기

- 선행학습의 회상 자극하기
- 자극 제시하기
- 학습 안내 제공하기
- 수행 유도하기
- 피드백 제공하기
- 수행 평가하기
- 파지와 전이 증진하기

(3) 학습의 조건

학습의 조건이란 학습의 내적 과정에 맞게 외부에서 부여되는 수업 활동을 말하는데, 여기서 수업이란 학습의 내적 과정을 도와주는 기능을 수행하는 것을 뜻한다. 수업 활동의 일반적 과정은 주의 집중시키기-목표 제시-사전 학습 재생-자료 제시-학습 안내-수행 유도-피드백 제공-평가-파지 및 전이의 촉진 단계로 이루어진다.

지금까지 Gagné 이론을 구성하는 세 가지 핵심 요소를 살펴보았는데, 성공적인 수업이 이루어지기 위해서는 특정 학습 영역에 대한 학습 분석이 먼저 이루어져야 한다. 이러한 학습 분석을 학습 과제 분석(task analysis)이라고 한다. 학습 과제를 분석할 때는 학습 과제(학습된 능력)에 따라 학습 과제를 분류하고 행위동사를 사용하여 학습 목표를 구체적으로 진술해야 한다. 또한 학습 과제를 구성하고 있는 하위 요소들을 나눈 다음 이들 사이의 선후 혹은 상하 관계를 밝혀 학습 위계(learning hierarchy)를 정하는 것이 중요하다고 할 수 있다.

(4) 학습된 능력별 교수-학습 이론의 적용

앞서 살펴본 Gagné 이론의 핵심 구성요소 3가지를 통해 각 학습 목표 영역에 따라 다른 교수 활동이 필요하다는 것을 알 수 있었다. 지금부터는 5가지 범주의 학습된 능력, 즉 지적 기능, 인지 전략, 언어 정보, 운동 기능, 태도에서 학습의 조건과 교육적 시사점에 대해 알아본다.

먼저 지적 기능은 변별 학습, 구체적 개념의 학습, 정의된 개념의 학습, 규칙의 학습, 문제 해결의 학습으로 다시 나눠 볼 수 있다.

첫째, 변별 학습에서 학습의 조건은 내적 조건으로, 변별하는 데 필요한 다양한 반응 연쇄들을 기억해 내고 재생해 낼 수 있는 능력을 말하며, 외적 조건으로는 자극에 대한 학습자의 정오 반응에 따라서 선택적 강화를 제공하는 것을 뜻한다. 이것은 매우 단순한 작용으로 보여 그 필요성이 간과되기 쉬우나 사람들은 평생에 걸쳐 새로운 변별을 학습해야 하며, 변별은 학습된 결과의 하나일 뿐 아니라 더욱 복잡한 형태의 학습에 기초가 된다는 것을 시사한다.

둘째, 구체적 개념의 학습은 그 조건에서 내적 조건이 사전에 변별된 학습을 통해 획득된 능력이고, 외적 조건은 대체로 일련의 언어적 단서들을 말한다는 것을 의미한다. 이것은 교육적 면에서 사례를 제시하여 학습자에게 개념을 획득하도록 하면 학습자가 처한 모든 경험에서 개념의 일반화가 일어날 것이라고 기대할 수 있다는 시사점을 가진다.

셋째, 정의된 개념의 학습에서 학습의 조건은 내적 조건으로 학습자가 학습해야 할 개념의 정의를 나타내는 구성 개념을 이해하고 언어적 기능을 가지고 있어야 하고, 외적 조건으로는 보통 구술 혹은 인쇄된 형태로 정의를 제시하는 것을 의미한다. 이것은 학습하고자 하는 개념과 관련된 긍정적 예들을 포괄적으로 제시하고 비예들이 예들과 결정적 차이를 보일 때 가장 효과적으로 학습된다는 점에서 교육적 시사점이 있다.

넷째, 규칙의 학습에서는 내적 조건으로 규칙을 구성하고 있는 개념들에 대한 지식, 외적 조건으로 계열화된 언어적 교수라는 학습의 조건을 가진다.

이것은 대부분의 학교 학습이 정의된 개념을 포함하는 규칙 학습으로 이루어지고 복잡한 규칙들을 효과적으로 획득하기 위한 선수 요소로서 단순 규칙의 학습을 필요로 한다는 교육적 시사점을 함의한다.

지적 기능의 마지막 유형인 문제 해결의 학습은 내적 조건으로는 이전에 학습한 관련 규칙들을 회상하고 스키마와 학습한 인지 전략을 활성화할 수 있는 능력을 말하고, 외적 조건으로는 규칙의 회상을 자극하는 질문 등의 언어적 교수를 말한다는 학습의 조건을 가진다. 이것은 학교 교육의 가장 중요한 목적이 문제 해결 능력의 함양이라고 볼 수 있기 때문에 다양한 종류의 문제 해결을 연습해 보는 것이 필요하다는 점에서 교육적 시사점을 가진다.

다음으로 인지 전략의 학습 조건에서 내적 조건은 단순 규칙을 구성하는 개념과 규칙들의 언어적 진술을 이해하는 능력이고, 외적 조건은 언어적 교수라고 정의한다. 이에 교육적 시사점으로 사고와 문제 해결에 적용될 수 있는 인지 전략을 학습할 수 있다는 것을 꼽는다.

언어 정보의 학습 조건은 내적 조건으로는 기존의 조직화된 지식, 부호화 전략을 들 수 있고, 외적 조건으로는 의미 있는 맥락 제공하기, 독특한 단서 사용하기, 반복 활용하기를 들 수 있다. 교육적 시사점은 언어 정보는 평생을 통해 유용하며 다른 종류의 능력을 학습하는 데 구성 요인이 되고, 사교의 도구로서도 기능한다는 것이다.

운동 기능의 학습 조건은 내적 조건으로 부분 기능의 회상과 실행 절차의 회상을 들 수 있고, 외적 조건으로는 언어적 지시, 사진, 시범, 반복 연습, 피드백 제공을 들 수 있다. 이것은 다양한 운동 기능의 학습이 학교 교육에서 중요하며, 특히 복잡한 절차의 운동 기능 학습의 경우에는 실행 절차가 초기에 획득될 필요가 있다는 점에서 교육적 시사점이 있다.

마지막으로 태도의 학습 조건에서 내적 조건으로는 다양한 개념 및 관련된 정보를 들 수 있고, 외적 조건으로는 고전적 조건화, 강화, 모델링 등 다양한 기법을 들 수 있다. 이것이 가지는 교육적 시사점은 태도 학습은 모든 종류의 교육 프로그램에서 중요한 것으로 간주되고 있으며, 만약 태도가 형성되고 변화될 수 있다면 태도는 학습 결과나 교수 목표로 수용되어야 하는 것이다.

Gagné 이론에서의 용어 개념

용어	해설
학습 사태	학습자 내부에서 일어나는 일련의 정보처리 과정으로서 학습의 내적 조건으로도 표현됨
학습 조건	학습의 외적 조건으로서 교사가 수행하는 수업 활동을 의미함
운동 기능	어떤 일을 수행하기 위한 신체적 움직임과 관련된 능력을 의미함
과제 분석	학습 과제를 구성하고 있는 하위 요소들로 나눈 다음 그들 사이의 선후 혹은 상하 관계를 밝혀 학습 위계를 정하는 것
인지 전략	개인의 학습이나 기억, 사고를 통제하는 기능으로서 개념과 규칙의 활용을 조정하고 점검하는 역할을 함
지적 기능	읽기, 쓰기, 수의 사용 등과 같이 상징이나 기호를 사용하는 능력으로서 방법적 지식을 의미함
태도	어떤 대상에 대한 찬성–반대 혹은 좋아함–싫어함과 같이 선택을 하게 하는 내적 경향성을 의미함
언어 정보	사물의 명칭이나 사실을 포함하는 명제적 지식을 의미함

2) Carroll의 학습 모형

"학습자가 과제를 학습하는 데 필요한 시간을 사용할 수 있도록 한다면 학습에서 성공할 것이다." – Carroll

(1) 학습 모형의 개관

학교에서 이루어지는 다양한 형태의 학습 가운데 지적 학습에 작용하는 중요

변인들을 추출하고 그 변인들 간의 상호 관계를 기초로 하여 학교 학습의 방안을 체계화한 것이 J. Carroll(1963)의 학습 모형이다. Carroll의 학습 모형은 학교 학습을 촉진하고 개선하는 데 필요한 실질적이고 구체적인 전략을 제안하고 있다는 점에서 매우 중요한 교수 모형이라고 할 수 있다. 이 모형은 먼저 인지 능력의 개인 차에 관심을 가진다. 또한 학교 학습의 성공에 영향을 주는 요인과 그 요인이 상호작용하는 방법을 모색하며, 시간(time)의 척도를 도입한다. 이것은 학습한 지식의 새로운 상황에의 응용, 즉 전이와 관련된 학습 목적(기능 학습)에 적합하나 태도와 성향과 관련된 학습 목표에는 적용되지 않는다.

수업 변인으로는 ① 수업의 질(과제 제시의 적절성) ② 기회(과제의 학습을 위해 주어진 시간)를 설정할 수 있고 개인 차 변인으로는 ① 교수 이해를 위한 학습자의 능력(일반 지능과 언어 능력이 복합된 것) ② 과제 학습을 위한 학습자의 적성(과제를 일정한 기준까지 학습하는 데 필요한 시간량으로 측정) ③ 학습자의 '지속력'(학습자가 학습을 위해 스스로 사용하려는 시간량)을 설정할 수 있다. 이렇게 설정한 변인과 학습 정도의 관계는 다음과 같은 식으로 표현한다.

$$\text{학습 정도} = f\,\frac{\text{지구력} \times \text{학습 기회}}{\text{적성} \times \text{수업 이해력} \times \text{학습의 질}}$$

즉 학습의 질이 좋으면 학습 과제를 이해하는 정도가 높아지므로, 학습의 질과 수업 이해력이 상호작용하는 것으로 볼 수 있다. 또한 학습의 질은 학습 과제에 대한 학습자의 지구력에 영향을 미친다. 학습 기회와 지속력이 다소 낮아도 적성이 높으면 학습 과제를 일정한 시간 내에 수행할 수 있다. 그러나 적성이 낮은 학생이 다른 학생과 동일한 시간 내에 주어진 과제를 학습하려면 학습의 질을 알맞게 조정하여 수업 이해력을 높여야 할 뿐 아니라 학습 기회와 학습에 대한 지구력도 증대시켜야 한다.

이러한 사실은 학습의 정도를 높이기 위해 이상의 5가지 변인을 효과적으로 조정하고 변인들 간의 역동적인 상호 관계도 고려하여 교수 과정과 방법을 조절해야 함을 시사한다. 결국 Carroll은 이와 같은 변인들을 효과적으로 조정해야 한다는 것을 제안하고 있다. 각 변인에 대한 구체적인 설명은 아래의 표를 참고하기 바란다.

Carroll의 학습 모형 변인 설명

변인	설명
적성	수업의 형태, 수업의 질, 학습을 위해서 허용된 시간량 등으로 표현되는 학습자 개개인의 필요가 무시되었을 때 적성과 학습 성과의 측정치 사이에는 높은 정적인 상관 관계가 성립된다. 학습 과제 자체의 이해를 위해서 필요한 능력임
수업의 이해력	학습해야 할 과제의 성질과 학습 절차를 이해하는 학습자의 능력으로 수업과 학습 절차와 교재(교과서)의 이해를 위해서 필요한 능력
수업의 질	① Carroll의 수업의 질: 학습 과제의 제시, 설명 및 구성이 최적선에 접근된 정도 ② 우리 교육의 수업의 질: 학습자 개개인의 수준이 아니라 한 집단 단위로 생각
지구력	학습에 실제로 사용한 시간과 구별하여 '학습자가 학습에 사용하려고 하는 시간'을 말하는 것으로 학생들은 자기들의 학습에 대한 노력이 적절하게 보상될 때 강력한 지속력을 나타냄
학습 기회	한 사람 한 사람의 학습 속도를 결정해 주며 누구나 자기에게 필요한 만큼의 시간을 실제로 학습을 위해서 사용한다면 완전 학습에 도달할 수 있음

(2) 학습 모형의 적용

Carroll의 모형은 외국어 학습에 관한 연구에서 시작되었다. 그는 특정 검사에서 낮은 학업 적성을 지닌 학생이 높은 학업 적성을 지닌 학생보다 정해진 학업 기준을 성취하는 데 더 오랜 시간을 필요로 한다고 보았으며, 수업의 질과 수업 이해력 등의 요인들이 외국어 학습에 영향을 주는 변인이라고 보았다.

Carroll의 모형은 Bloom의 완전 학습의 개념 형성에 영향을 주었다. Bloom은 만일 학습에 필요한 시간에 대한 학습에 투자한 시간의 비율을 증가시키는 데 주의를 기울인다면 모든 학생은 학교의 교과를 완전히 학습할 수 있다고 믿었다. Bloom은 형성적 평가의 역할을 강조했으며 여러 가지 대안적인 학습 전략, 즉 소집단 개별 학습, 피드백 및 교정 학습 등을 제안하고 이런 것들이 학습을 촉진할 것이라고 주장했다.

Carroll은 자신의 모형이 교육 현장에 가장 크게 영향을 준 것은 학습 시간(time to learning)이라고 보았다. 학습 커브가 학습 시간의 양 또는 시행이 증가함에 따라 증가한다는 사실을 발견하면서 이런 의미로서의 학습 시간은 계산할 수 있는 것이 아니라 그 시간 동안에 일어나는 그 무엇임을 강조한다. 학습 시간에 학습자의 머릿속에서 무엇이 일어나는지 의미 있게 측정하기는 어렵다고 보면서도, 그럼에도 학습이 일어나기 위해서는 시간이 필요한 것이 확실하다고 했다.

3) Bloom의 완전 학습 이론

(1) Bloom의 완전 학습 이론 개관

Bloom(1968)의 완전 학습 이론은 학습에 필요한 시간을 결정하는 변인과 학습에 사용한 시간을 결정하는 변인의 조정을 통해 학습의 정도를 100%에 접근시키려는 이론 체계이다. 완전 학습이라고 학습의 정도를 100%까지 달성하는 것은 아니지만, 김호권(1974)은 약 95%의 학생들이 수업 목표의 약 90% 정도를 달성하는 것을 완전 학습이라고 정의했다. 완전 학습은 수업 이해력을 높일 수 있도록 수업의 질을 높여 주고, 적성이 부족한 학생에게 충분한 학습 기회를 제공하며, 지구력이 약한 학생에게 지구력을 높이는 처방을 하면, 학습의 정도를 완전 학습의 정도까지 달성할 수 있다는 것이다.

Carroll의 학교학습 모형을 기초로 하여 개발된 Bloom의 완전 학습 이론은 개별 학습 또는 개별 수업의 원리를 전제로 하고 있으므로 현대 수업이론으로 기여하는 바가 크다. 또한 학급에서 어떤 교과이건 신체적 능력 면에서 결함이 있는 5% 정도의 학생을 제외하고서 최적의 학습 조건만 주어진다면 나머지 95%의 학습자는 거의 대부분 완전한 학습이 가능하다는 것을 전제로 한다. 학습자의 인지적 성취에도 유익할 뿐 아니라 교과 학습에 대한 흥미의 증진에도 도움을 준다고 하며, 무엇보다도 중요한 것은 그들 스스로 자신감을 향상시킨다고 보고 있다.

(2) Bloom의 완전 학습을 위한 전략

Bloom은 완전 학습 전략이 가져오는 결과로 학습 흥미의 증진, 다음 학습을 위한 강한 동기 유발, 자아 개념의 향상을 꼽았다. 그는 적성을 이야기하며 학습의 종류에 따라 각각 상이한 적성을 가지게 되고, 충분한 시간의 허용으로 극소수의 지진아를 제외한 약 95% 이상의 학생에게 완전 학습을 기대할 수 있다고 말했다.

또한 교수 전략의 기본 문제는 완전 학습에 소요되는 시간을 어떻게 단축시키느냐에 직결되며, 학습에 소요되는 시간을 단축시킬 수 있는 방안으로는 적성 수준을 높이는 일과 학습 조건을 개선하는 일 등이 있다고 주장했다.

수업 이해력에 대해서는 언어 능력 증진을 위한 노력과 교수에 사용되는 언어 수준을 학생의 언어 수준에 맞추는 것이 중요하다고 피력했으며, 수업의 질에 대해서는 학생의 적성과 학습 스타일, 현재의 성취 수준 등에 있어서 다양한 개인 차를 반영할 만큼 다양한 수업안이 마련되어야 한다고 말했다.

즉 개별화를 위한 노력이 필요하다는 것이다. 지구력은 지구력 자체의 증진을 꾀하는 노력도 필요하겠지만 그것보다 교수 방법과 학습 자료를 적절히 조작해 주는 것이 완전 학습에도 더 효과적이며 학생의 개인 차에 적합하도록 다양한 학습 자료를 제시해야 한다고 말했다.

학습 기회에 대해서는 학습에 할당되는 시간의 길이도 중요하지만 할당된 시간을 어떻게 활용하느냐가 학습 속도 및 학업 성취도에 더 큰 영향을 미친다는 데 관심을 가졌다. 또한 수업 방법의 개선, 학습 조직 및 시간표의 개혁, 다양한 학습 자료의 제공이 필요하다고 주장했다. 평가 및 수정에서는 완전 학습을 목적으로 한 교수-학습에서 형식적 평가와 그에 따른 계속적인 수정 혹은 시정이 중요하게 다뤄져야 한다고 이야기했다.

$$\text{학습 정도} = f\left(\frac{\text{학습에 사용한 시간}}{\text{학습에 필요한 시간}}\right)$$

(3) 완전 학습 모형의 변인

① 적성

적성은 학습의 종류에 따라 다르며 여러 종류의 학습을 위한 적성검사의 결과는 그 학습의 성취도를 예언해 줄 수 있다. 그러나 이것은 동일한 학습 시간을 전제로 한다. 적성을 그 과제의 완전 학습에 소요되는 시간으로 정의할 때 무학년제의 경험으로 보아 지지될 수 있으며, 만일 이 정의가 지지되면 충분한 시간의 허용으로 대부분의 학생에게 완전 학습을 기대할 수 있다. 대부분의 학생에게 완전 학습을 기대할 때 수업 전략의 기본 시제는 완전 학습에 소요되는 시간을 어떻게 하면 줄이느냐에 있다.

학습에 소요되는 시간을 단축시킬 수 있는 방안은 적성 수준을 높여 학습 조건을 개선시키는 것이다. 적성 수준의 향상은 적절한 훈련에 의해 가능하며 특히 저학년에서는 그 가능성이 크다.

② 교수 이해력

학습자의 교수 이해력 자체를 개발하고 기르는 것과 교수의 질을 개선하는 것이 있다. 교수 이해력을 기르는 방법으로는 적절한 방법과 환경을 통해 언어 능력을 증진해야 한다. 교수의 질을 개선하기 위해서는 개개인의 교수 이해력에 맞게 교수를 하고, 필요시 소집단 활동을 하며, 개인 교수를 실시하고, 다양한 교재와 시청각 보조자료를 활용하는 방법 등이 있다.

③ 교수의 질

Carroll은 학습되어야 할 과제의 여러 요소들의 제시, 설명 및 구성이 그 학습자의 학습을 위해 최적선에 얼마나 근접되었는지의 정도에 따라 수업의 질이 결정된다고 보았다. 교수의 질을 개선하는 최상의 방법을 개념화된 수업이라고 본다면, 교사가 학생의 행동 성격과 적성, 이전 학습 경험, 학습 습관, 학습 장애, 흥미, 성격 및 동기를 기초로 하여 교수 계획을 수립하고 수업을 진행해야 한다.

④ 학습 기회

Carroll의 학습 모형에서 완전 학습으로 가는 핵심은 학습에 투입되는 시간이다. 그러나 Bloom은 투입된 시간량이 반드시 학업 성적과 정적 관계를 이루는 것이 아니라 할당된 시간을 얼마나 유효 적절하게 활용하느냐에 따라 완전 학습이 좌우된다고 한다. Bloom에 의하면 교수와 학습에 있어서 시간을 효율적으로 활용할 수만 있다면 대부분의 학생이 완전 학습에 도달하는 시간을 단축시킬 수 있을 것이라는 것이다.

⑤ 학습 지속력

Bloom은 학습 자료를 학생들의 개인 차에 알맞게 조절함으로써 교수의 질을 높여 학습 지속력의 절대량을 감소시키는 것이 완전 학습에 더욱 효과적이라는 입장을 취하고 있다. 이러한 학습 지속력의 절대량을 줄이기 위해서는 학생의 개인 차에 맞게 학습 자료를 조절하고, 학습 과정에서의 잦은 '피드백'과 개별 지도, 설명과 예시 등을 사용하여 교수의 질을 개선하는 방법들의 좋은 효과를 거둘 것이라고 보고 있다.

Bloom 이론에서의 용어 개념

용어	설명
인지적	• 학교에서의 교육과 학습은 주로 인지적인 성격을 띤 사전 학습의 기초 위에 세워짐 • 학생이 각각의 학습 과제에서 그 과제를 숙달 학습하는 데 요구되는 어떤 선행 학습을 말함
정의적	• 학습 과제나 교과, 그리고 학교와 학교 학습에 대한 흥미 및 태도의 복합체이며, 그 속에는 보다 심층적인 자아 개념과 성격 특성도 내포되어 있음 → 이러한 구성요소 중에서 고도로 가변적인 것이 있는 한편, 나머지는 비교적 불변적이고 그것은 부분적으로 연령과 과거 경험의 함수라고 할 수 있음
학습 과제	• 교과 속의 학습 단원이나 교과서의 장, 또는 교과나 교육 과정 속의 한 주제라고 불리는 것들 • 한 학습 과제는 다양한 교과 내용적 요소뿐만 아니라 여러 가지 행동적 또는 학습 과정적 요소를 포함하는데 비교적 짧은 시간 안에 배울 수 있는 여러 가지 개념이나 절차나 행동을 포함함
수업의 질	• 학습자에게 제시해야 할 단서나 지시, 학습자의 학습 활동에의 참여, 학습과의 관련 속에서 학습자가 얻게 되는 강화와 관련됨 • 학교 수업의 대부분이 집단 수업이며 이런 집단 수업의 시도에는 오류와 곤란이 가득 차 있기 때문에 수업의 질 속에 피드백 및 교정 체제가 반드시 포함되어야 함
정의적 성과	• 주로 학교 성적이 개인의 정의적 특성에 미치는 영향을 말함 • 예를 들어 교과에 대한 정의, 학교와 학교 학습에 대한 정의, 학문적 자아 개념, 정신 위생이 있는데, 이는 개인과 사회에 끼치는 장기적 영향의 중요성이 매우 크다고 볼 수 있음

(4) 완전 학습의 적용을 위한 예: 한국행동과학연구소의 모형

이러한 완전 학습의 적용을 위해 한국행동과학연구소는 다음과 같은 10단계의 모형을 제시했다. 그 중 ①, ② 단계는 수업 전 단계라고 하며, ③, ④, ⑤, ⑥, ⑦, ⑧, ⑨ 단계를 묶어 수업 활동으로 본다.

① 선행 학습 결손의 발견

이 단계에서는 앞으로의 학습에 곤란을 줄 것으로 보이는 학습 요소에 있어서 결손 요소의 유무를 진단하게 된다.

② 선행 학습 결손의 처리

기초학력 검사에 의해 발견된 선행 학습의 결손을 보충하는 단계이다.

③ 수업 목표 명시

이 단계에서는 성취 목표 또는 완전 학습의 기준을 학생에게 제시하고 명확한 학습 목표점을 인식할 수 있도록 돕는 활동을 하게 된다.

④ 수업 활동

교사의 활동은 학습 내용을 학생들에게 제시하고 최대한의 학습이 가능하도록 충분한 학습 기회를 제공한다.

⑤ 수업 보조 활동

교과의 성질에 따라서 수업의 보조적 활동이 동시에 병행되도록 한다.

⑥ 형성적 평가

수업 과정에서 교사에게 수업 개선을 위한 정보를 제공하고 학습자에게는 그 동안의 각자의 학습 진전 상황을 자기 스스로 확인하도록 하는 활동이다.

⑦ 보충 학습

형성적 평가를 통해 학습이 부진한 것으로 판정된 학습자에게 적절한 재학습 기회를 주는 것이다.

⑧ 심화 과정

형성적 평가에 의해서 이미 일정한 기준까지의 학습이 이루어진 것으로 판명된 학습자에게 학습 경험을 심화시킬 수 있도록 하는 활동이다.

⑨ 제2차 학습 기회

이 단계에서 마지막으로 수업 후 과정으로 보충·심화과정을 따로 거친 학생들은 다시 모여 제2차 학습 기회를 가지게 된다.

⑩ 총합적 평가

보통 학기 중간이나 학기 말에 실시하는 종합사고와 비슷하며 학습 성과를 총결산하는 것이라고 할 수 있다.

4) Gagné와 Bloom의 이론 비교

Gagné의 이론은 교수–학습 이론이 중심이 되어 각 학습 목표 영역에 따라 다른 교수 활동이 필요한 것으로 본다. 반면에 Bloom은 완전 학습 이론이 중심이 되며 적절한 학습 조건만 갖추어 준다면 모든 사람이 완전 학습에 도달할 수 있다고 말한다. 또한 Gagné는 개인 차에 대한 언급은 없고 학습 후 일정한 학습 결과를 얻는다고 주장한 반면, Bloom은 개인 차는 있지만 누구나 완전 학습을 할 수 있다고 주장한다.

CHAPTER

9 교수 설계 모형

1) Dick과 Carey의 교수 개발 모형

Dick과 Carey(1996)의 교수 개발 모형은 교수의 설계, 개발, 실행, 평가의 과정을 제시하는 대표적인 모형으로 체제 접근에 입각하여 고안되었다.

이는 하나의 절차적 모형으로, 효과적인 교수 프로그램을 만들어 내기 위해 필요한 일련의 단계와 각 단계 간의 역동적인 관련성에 초점을 맞추었다. 체제적 수업 설계의 대표적인 모형으로 거론되는 Dick과 Carey의 모형은 다음 그림에 나타내었으며, Dick과 Carey의 교수 개발 모형에 대한 자세한 내용은 다음과 같다.

모형의 구성요소

- 교수 목표 설정
- 교수 분석
- 학습자 및 환경 분석
- 성취 목표 진술
- 평가 도구 개발
- 교수 전략 수립
- 교수 자료 개발
- 형성 평가 설계 및 실시
- 교수 프로그램의 수정
- 총괄 평가 설계 및 실행

모형의 구성요소

(1) 교수 목표 설정

교수 목표는 교수 프로그램을 실행했을 때의 결과로 학습자가 보여 줄 수 있는 구체적인 행동을 일컫는다. 이는 요구 분석을 통해 도출된다. 교수 목표는 요구 분석을 통해 도출된 여러 가지 해결책 중 교수 프로그램을 활용하여 문제를 해결하는 것이 가장 효율적이라고 판단되는 문제를 다루게 된다. 다음은 교수 목표를 설정하는 구체적인 과정이다.

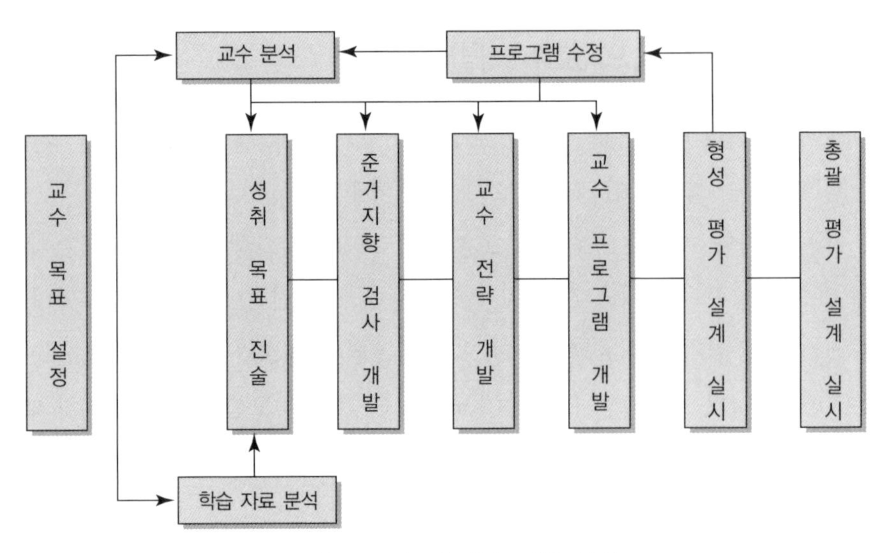

Dick과 Carey의 교수 개발 모형의 절차

① 먼저 목표를 종이에 기록한다.

② 브레인스토밍을 통해 목표를 달성했을 때 학습자가 보여 줄 수 있는 모든 행동을 생각하고 나열한다.

③ 작성한 행동 목록을 검토하여 그중에서 목표를 가장 잘 반영하고 있는 행동을 선정한다.

④ 선정된 행동을 최초의 목표 진술문과 통합한다.

⑤ 수정된 목표를 검토하고 학습자가 이 행동을 하면 최초 설명했던 목표를 성취할 수 있는지에 대해 판단한다.

(2) 교수 분석

교수 분석은 앞서 설정된 교수 목표의 유형과 그 목표들의 하위 기능을 분석하는 과정이다. 이중 목표의 유형 분석은 그 목표가 어떤 종류의 학습 영역인가를 분석하고, 학습자가 그 목표를 성취했을 때 무엇을 할 수 있을 것인가를 명확하게 하는 작업이다. 또한 하위 기능 분석은 목표와 관련된 기능들의 관계를 분석하는 작업이다. 하위 기능 분석의 종류로는 위계적 분석, 절차적 분석, 군집 분석, 통합적 분석 등이 있다.

(3) 학습자 분석

학습자 분석은 교수 목표를 달성하기 위해 학습자가 갖추고 있어야 하는 선수 학습 기능과 학습자의 특성에 대해 분석하는 단계이다. 이중 선수 학습 기능 분석을 통해 교수 분석 단계에서 설정한 교수 목표의 하위 기능 구조에 근거하여 학습자들이 지금 현재 어느 수준에 도달했는지를 확인할 수 있다.

또한 학습자 특성 분석을 통해 학습자들의 적성, 학습 양식, 지능, 동기, 태도 등과 같은 학습자들의 특성을 고려하여 적합한 교수 전략을 설계할 수 있다. 학습자들의 특성 중 가르치고자 하는 내용 영역에 대한 사전 지식의 정도가 교수 프로그램의 성공 여부를 예측할 수 있는 가장 중요한 요인이라고 제시한 학자들의 연구 결과가 학습자 특성 분석의 중요성을 지지하고 있다. 그러나 교수 설계가 기본적으로 학습자 개인보다는 집단을 대상으로 이루어지기 때문에 학습자 집단을 분석하는 것이 현실적으로 교수 설계에 도움이 될 수 있다.

(4) 성취 목표 진술

성취 목표는 수업 종료 후 학습자가 할 수 있으리라고 기대되는 성과를 구체적으로 진술한 것이다. 여기에는 학습자가 나타내게 될 행동, 그 행동이 수행될 조건이나 상황, 그 행동의 성취 기준 등이 기술된다. 그런데 성취 목표의 유형에 따라 이들 3가지 요소들의 비중은 서로 다를 수 있다. 예를 들어, 태도 목표의 경우에는 행동이 수행될 조건이 중요시되며, 운동 기능 목표인 경우에는 행동의 성공 기준이 중요한 비중을 차지한다.

(5) 준거 지향 검사 개발

준거 지향 검사 개발은 성취 목표의 도달 여부를 확인할 수 있는 검사 문항을 개발하는 것으로 목표 지향 검사와 동일한 의미이다. 준거 지향 검사지의 각 검사 문항은 학생들의 목표 달성 여부를 판단하는 기준이 된다.

(6) 교수 전략 개발

교수 전략 개발은 지금까지 거쳐 온 단계를 통해 수집된 자료를 바탕으로 최종 학습 목표를 성취하기 위한 수업 운영 방법을 결정하는 단계이다. 따라서 이 단계에서는 교수 전 활동, 정보 제시 활동, 학습자 참여 활동, 검사 활동, 추후 활동 등에 대한 전략이 개발되어야 한다. 동기 유발, 목표 제시, 출발점 행동 확인 활동 등은 교수 전 활동에 해당하며, 교수 계열화, 교수단위의 크기 결정, 정보와 에 제시 활동 등은 정보 제시 활동에 해당한다. 또한 사전 검사, 학습 중진 검사, 사후 검사 등은 검사 활동, 교정 학습과 심화 학습 등은 사후 활동으로 구분할 수 있다.

(7) 교수 프로그램 개발

교수 프로그램 개발은 앞선 교수 전략 개발 단계에서 채택된 전략들에 따라 교수 프로그램을 개발하는 단계이다. 구체적으로 이 단계에서는 학습자 매뉴얼, 교수 자료, 각종 검사 도구, 교사용 지침서 등이 개발된다.

(8) 형성 평가 설계 및 실시

형성 평가 설계 및 실시는 우수한 교수 프로그램을 만들기 위해 필요한 주요 단계로 개발한 프로그램을 교육 현장에 투입하기 전에 시범적으로 적용해 보고 거기에서 자료를 수집하여 프로그램 개선에 활용하는 단계이다.

(9) 프로그램 수정

형성 평가를 통해 수집된 자료와 적용을 통해 드러난 프로그램상의 문제점을 검토하여 프로그램을 수정하는 단계이다.

(10) 총괄 평가 실시

총괄 평가는 설계가 완성된 교수 프로그램의 총체적인 평가를 일컫는다. 이는 엄밀한 의미에서 교수 설계 과정에 포함되지는 않는다. 또한 내부자 외에 지정된 별도의 평가자들에게 프로그램의 총체적인 가치에 대한 평가를 받아야 한다.

2) Kemp의 교수 개발 모형

Kemp(1985)의 교수 개발 모형에서는 학습자, 목표, 방법, 평가의 4가지 영역을 강조한다. 또한 교수 개발과 관련된 모든 요소들은 상호 의존적이며 필요한 경우에 순차적이 아니라 동시에 수행될 수 있다는 점에서, Kemp의 모형은 본질적으로 개발에 관한 일반 체제론적 관점을 취한다는 것을 알 수 있다.

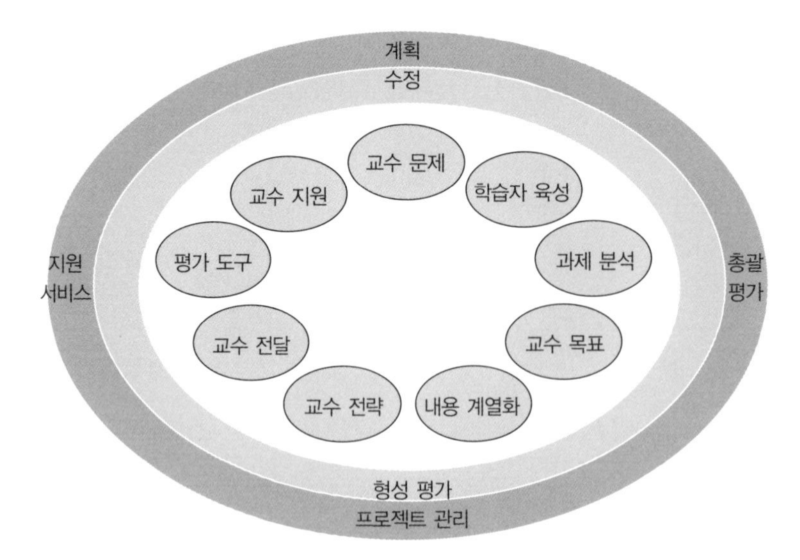

Kemp의 교수 개발 모형의 4가지 영역

3) Gentry의 교수 프로젝트 개발 및 관리 모형

Gentry(1994)는 교수 프로젝트 개발 및 관리(Instructional Project Development and Management: IPDM) 모형을 제안했다. 이 모형은 총 14개의 요소로 구성되어 있고, 이들 각 요소는 교수 개발 수행에 있어 필수적인 핵심 과정들이다. 또한 Gentry의 IPDM 모형은 다른 모형들이 대부분 직선적이고 순차적인 것에 비해 교수 개발 과정을 역동적으로 표현하고 있다는 평가를 받고 있다.

4) 다이아몬드 모형

다이아몬드 모형은 거시적인 체제 개발에 효과적인 모형이다. 설계 모형의 단계가 2단계로 나뉘어 있는데, 먼저 거시적인 입장에서 요소들을 고려한 뒤

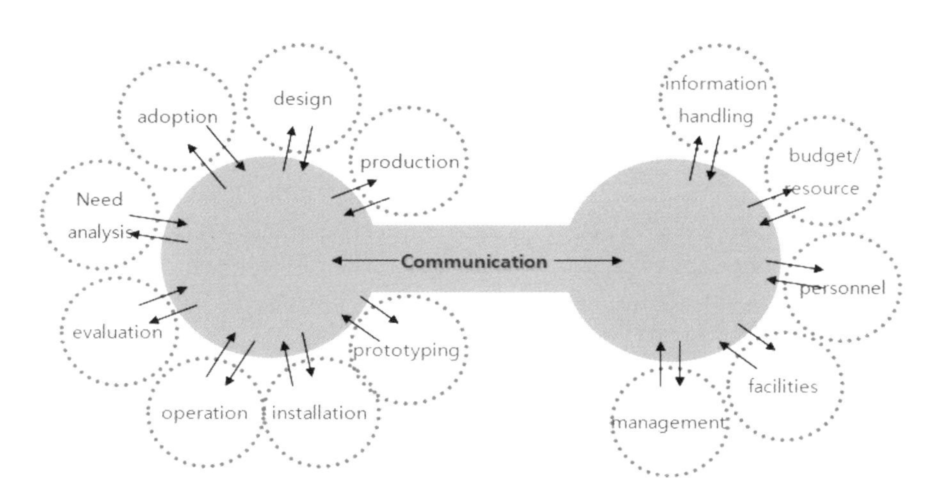

Gentry의 교수 프로젝트 개발 및 관리 모형

세부적인 단계를 진행하는 특징을 가진다.

1단계에서는 Project Selection and Design이 이루어지는데 여기서는 프로젝트의 실행가능성(feasibility)과 바람직함(desirability)이 검토된다. 또한 교육적 이슈, 사회적 요구 등이 고려되는데 설계하고자 하는 교육 프로그램이 이상적인 상태를 지향한다. 전반적인 설계 내용은 교육을 통한 이상적인 해결을 생각한다.

2단계에서는 Production, Implementation, and Evaluation for Each Unit이 이루어진다. Step 1에서는 단위의 목적을 결정한다. Step 2, 3, 4에서는 평가도구와 절차를 설계한다. 이 단계에서 교육적 형식(format)을 선택하는 것과 현재의 자료를 검사하는 것이 동시에 착수된다. Step 5는 새로운 자료가 제작되고 기존의 자료를 수정한다. 이 단계는 field-testing을 포함한다. process의 마지막에 개정이 포함되긴 하지만, 여기서는 field test data에 기초한 개정이다. Step 6에서는 실행을 위한 상세한 계획을 대응시킨다. Step 7에서는 평가와 개정을 포함한 실행을 한다.

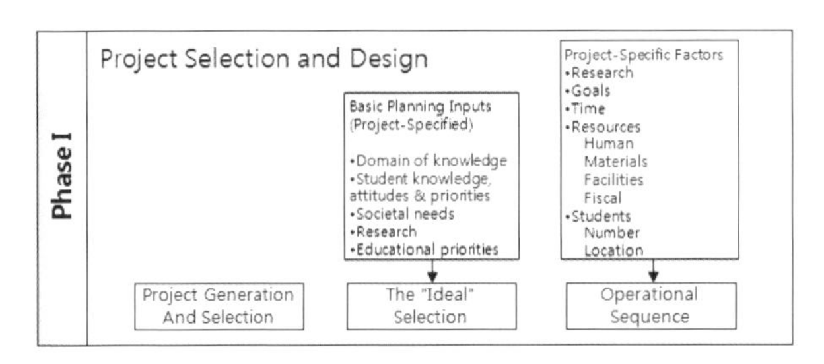

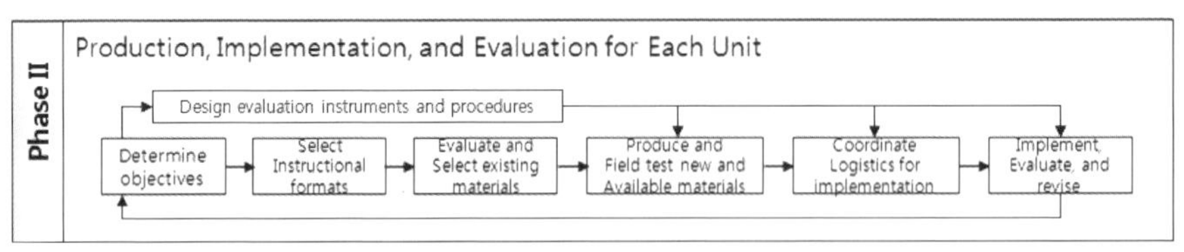

5) Keller의 ARCS 모형

ARCS 이론은 교수-학습 상황에서 학습 동기를 유발하고 유지시키기 위한 동기 설계 전략들을 제시하고 있다(Keller, 1979, 1983). 미시적 교수 설계 이론을 바탕으로 하는 이 모형은 개인의 동기를 유발하고 유지시키는데 있어 가장 중요한 요소로 주의(Attention), 관련성(Relevance), 자신감(Confidence), 만족감(Satisfaction)을 꼽으며, 이들의 첫 글자를 따서 ARCS 모형이라고 명명했다.

주요한 요소로 꼽히고 있는 4가지 중 주의는 학습자의 주의력을 집중시키고, 관련성은 학습자들의 장점과 단점, 흥미와 학습할 내용의 관련성을 확인시키고, 자신감은 학습자들에게 새로운 학습에 대한 자신감을 갖게 하며, 만족감은 학습 과제를 성공적으로 수행한 결과에 따라 만족감을 갖도록 하는 것이다. 이 4가지 요소를 자세히 살펴보면 다음과 같다.

(1) 주의

주의(attention)는 학습이 일어나기 위해서는 최소한 학습자가 주어진 학습

자극에 주의를 기울여야 한다는 데 초점을 맞춘다. 따라서 학습자들이 학습 내용에 주의를 기울이도록 학습 자극을 적절히 변화시키는 것을 최선의 방법으로 보고 있다. 또한 주의력을 유발하고 그것을 유지시키는 일은 학습자의 호기심을 환기시키는 것과 같으며, 그 호기심 유발은 수업 사태 구성과 전개에 있어서 중요한 요소로 꼽힌다. 보다 효과적인 주의 집중을 위해 주의력을 환기시키고 유지시키기 위한 전략과 기법은 다음과 같다.

첫째, 지각적 주의 환기 전략이다. 이는 특이한 영상 자료나 음성 자료와 같은 시청각 매체의 효과를 적용하거나 특이한 상황이나 문제 사태를 제시하여 학습자의 주의를 끄는 방법이다. 그러면서 학습자들이 기대하지 않았던 자극이나 개념적 갈등을 겪으며 호기심과 주의력을 신장시킬 수 있도록 유도하는 방법이다.

둘째, 탐구적 주의 환기 전략이다. 이는 학습자 스스로 문제를 내고 풀어보는 것과 같이 문제 해결 활동을 스스로 구상하게 하여 학습자의 탐구적 주의 환기를 돕는 방법이다. 이는 주의 환기 후에 더욱 심화된 수준의 호기심을 유발하고 유지시키기 위한 방법으로도 활용된다.

셋째, 다양성 전략이다. 이는 교수 형태나 교수 자료의 형태를 다양하게 변화시키는 방법으로 교수의 요소를 변화시켜 학습자의 흥미를 유지시키고자 한다. 그러나 이때 주의해야 할 점은, 교수 목표와 수업의 주안점을 가르치는 내용과 일관성 있게 통합할 수 있는 범위 안에서 다양성을 추구해야 한다는 것이다.

(2) 관련성

관련성(relevance)은 학습 과제와 학습 활동이 학습자의 다양한 흥미에 부합하면서도 학습자들에게 의미 있고 가치 있을 때 획득된다. 즉, 개인적 필요성이 자각될 때 학습 동기가 계속적으로 유지될 수 있다는 점에 착안한 요소이다.

이러한 관련성은 결과와 과정이라는 2가지 측면에서 고려되어야 한다. 우선 결과 측면에서는 교수 내용이 학습자 자신의 장래에 어떤 중요한 목적 달성에 도움이 된다고 인식할 때 높은 학습 동기를 유지할 수 있다고 주장한다. 반면, 과정 측면에서는 학습자의 필요 충족을 추구하는 교수 방법에서 볼 수 있듯이 학습의 과정이 성취 욕구를 충족시킨다면 학습 동기가 높아질 것이라고 주장한다. 이렇게 2가지 측면에서 고려되는 관련성을 높이기 위해서는 다음과 같은 전략이 필요하다.

첫째, 학습자에게 친숙한 예문이나 배경 지식 또는 그림 등을 제시하여 새로운 정보와 학습 과제와의 친밀도를 높이는 방법이다. 이 전략은 학습자들은 자신이 이미 가지고 있는 지식, 정보, 기술, 가치 및 경험에 바탕을 두고 새로운 과제가 제시되었을 때, 그들의 기존의 인지 구조와 새로운 정보의 관계를 더 잘 이해할 수 있으며 나아가 구체적 이미지를 구상할 수도 있다는 점에서 효과적이다.

둘째, 목적 지향성 전략이다. 이는 학습자에게 학습 과제의 중요성이나 실용성에 초점을 맞춘 학습 목표를 제시하고, 제시된 다양한 목표들 중에서 학습자가 자신에게 적합하다고 판단되는 목표를 선택하도록 하는 전략이다. 또한 목적 지향성 전략은 학습자들로 하여금 학습 목표를 자신의 미래의 중요성이나 실용성 측면과 연관지어 인식하게 한다면, 그들의 학습 동기는 보다 원활히 유발되고 유지될 수 있다는 결과 측면에서의 관련성 전략이다.

셋째, 필요나 동기와의 부합성 강조 전략이다. 이는 학습자에게 다양한 수준의 목표를 제시하고 학습자들이 자신의 능력이나 특성에 비추어 적절한 수준을 선택하게 하는 방법으로 궁극적으로 학습자들의 성취 욕구를 자극하는 전략이다.

(3) 자신감

학습자 자신이 주어진 학습 과제를 성공적으로 마칠 수 있다는 신념을 가질 때 더욱 효과적으로 학습 동기를 유발할 수 있다. 따라서 학습자에게 적절한 수준의 도전감을 주고 이를 성취하기 위한 학습자의 노력 여하에 따라 과제 수행에 성공할 수 있다는 자신감(confidence)을 주면 높은 동기 유발과 유지에 도움이 된다. 이러한 자신감을 부여하는 전략은 다음과 같다.

첫째, 학습의 필요조건 제시 전략은 학습자에게 수행의 필요조건과 평가 기준을 제시해 줌으로써 학습자가 성공에 동의하는지 여부를 짐작하도록 도와주는 방법이다.

둘째, 성공의 기회 제시 전략은 학습자에게 학습 과제를 난이도 수준에 따라 계열화해 줌으로써 학습 과제 해결에 대한 자신감을 증진시켜 주는 방법이다.

셋째, 개인의 조절감 증대 전략은 학습 진전에 대한 학습자 자신의 판단에 기초하여 학습 과제의 선택과 수행을 학습자 스스로 결정할 수 있도록 하여, 학습자가 학습하기를 원하는 것을 쉽게 찾아서 학습할 수 있게 하는 것이다.

(4) 만족감

학습자의 노력의 결과가 그 기대와 일치하고 학습자가 그 결과에 대해 만족한다면 학습 동기는 계속 유지될 것이며, 학습 수행에도 영향을 미칠 것이다. 만족감(satisfaction)은 학습 과제를 성공적으로 마쳤을 때 긍정적인 피드백을 제공함으로써 이루어질 수 있는 것으로 학습 행위에서의 만족감은 학습자의 자신감, 주의 집중, 장기 목표와 학습 활동과의 관련성 파악 등의 자기 관리 기능 및 인지 전략을 개발해 준다. 만족감을 촉진할 수 있는 전략은 다음과 같다.

첫째, 자연적 결과 강조 전략이다. 이는 수업의 마무리 단계에서 그 시간에 습득한 지식을 적용할 수 있는 모의 상황을 제시하는 방법 등을 활용하여 학습자의 내적 동기를 유지시키는 전략이다. 앞서 살펴본 관련성 전략과 내적 동기를 유지시킨다는 점에서 유사점을 가진다.

둘째, 긍정적 결과 강조 전략이다. 이는 학습자의 성공적인 학습 결과에 대해 긍정적 피드백이나 보상을 부여하여 학습자가 만족감을 느끼고 향후에도 바람직한 행동을 유지할 수 있도록 하는 전략이다. 그러나 피드백을 줄 때는 수행 직후에 제공하는 것이 가장 효과적이며 일관성 있는 피드백을 제공해야 한다.

셋째, 공정성 강조 전략이다. 이는 학습자의 성취에 대한 기준과 결과가 일관성 있게 유지되는 것을 전제로 학습자의 학업 수행에 대한 판단에 공정을 기함과 동시에 성공에 대한 보상이나 강화가 기대대로 주어져 학습자의 만족감을 높이는 전략이다. 만약 학습자가 수업에 대해 공정하지 않다는 생각을 하게 된다면, 그 학습에 대한 만족도는 떨어지기 때문이다. 따라서 수업 내용과 구조 및 평가 내용이 학습 목표와 일관성 있게 제시되는 것에 주의를 기울여야 한다.

6) 교수 개발 모형의 제한점

앞서 살펴본 바와 같이 교수 개발 모형은 효율적이고 효과적인 교수-학습 체제 개발에 기여한 바가 크다. 그러나 이러한 교수 개발 모형에도 몇 가지 제한점이 있다.

우선 이론 및 모형과 실제 현장과의 괴리라는 제한점을 들 수 있다. 제시된 이론과 모형이 근거도 충분하고 매우 이상적이기는 하나 현실적으로는 각 이론이나 모형이 제시하는 과정이나 단계들을 적용하여 교수 개발을 하는 것이

거의 불가능한 경우가 있기 때문이다.

둘째 제한점으로는 교수 개발 맥락의 다양성을 들 수 있다. 교수 개발이 이루어지는 맥락은 매우 다양하고 시간의 흐름에 따라 끊임없이 역동적으로 변하는 측면이 있어 이렇게 복잡하고 다양한 맥락을 모두 고려한 교수 개발이 불가능하기 때문이다.

셋째 제한점은 가치 갈등의 문제이다. 이는 교수 개발 과정에서 가치 갈등의 문제가 표출될 수 있으며, 이 경우 객관적으로 자료를 수집하고 분석한 결과와 함께 대화와 설득의 과정이 수반되어야 해결될 수 있다는 점에서 제한점이라 할 수 있다.

마지막 제한점은 효과성 혹은 가치에 대한 평가이다. 이는 지금까지 제안된 수많은 교수 개발 이론과 모형이 실제 교수 개발 현장에서는 비용이 많이 소요되는 것 외에 별다른 효용 가치를 제공하지 못한다는 비판(유영만, 1997; Rowland, 1992)을 근거로 한 제한점이라 할 수 있다.

7) 주요 교수 설계 이론

교수 설계와 관련된 주요 이론을 교수 전략이라고도 한다. 주요 교수 설계 이론을 교수자 중심의 교수 설계 이론과 학습자 중심의 교수 설계 이론으로 나누어 살펴보면 다음과 같다.

(1) 교수자 중심의 교수 설계 이론

일반적으로 학습 및 교수 방법에 관한 이론들은 행동주의 및 인지주의 관점에 그 기저를 두고 있다. 교수자 중심의 교수 설계는 수업의 주도권을 잡은 교사가 다수 학생 집단을 대상으로 하는 교실 수업과 개별화된 컴퓨터 기반 수업에 활용할 수 있는 교수 전략을 다룬다. 대표적인 교수자 중심 교수 설계 이론에는 Gagné의 수업 사태, Merrill의 내용 요소 제시 이론, Reigeluth의 교수 설계 전략 등이 있다.

① Gagné의 수업 사태

Gagné의 수업 사태는 교사가 주도하여 수업을 진행하는 상황을 안내하는 대표적인 교수자 중심 교수 설계 이론이다. 이 이론은 효과적인 수업 활동이 포함해야 하는 요소를 종합적으로 체계화했다는 점에서 높은 체계성을 인정받고 있으며, 성공적인 학습을 위한 조건으로 내재적 조건과 외재적 조건을 제시한다.

Gagné의 교수 설계 이론은 성공적 학습을 위한 내재적 조건 중 선수 학습 달성 여부를 들고 있다. 그의 이론에 의하면 선수 학습의 달성 여부는 근본적인 내재적 조건이 되기 때문에 선수 학습의 달성 여부를 확인하기 위한 위계적 분석과 같은 각종 학습 과제 분석 기법의 개발에 영향을 미쳤다. 후에 이 이론은 '언어적 정보'와 '지적 기능'과 같은 학습 과제의 유형을 세분화하고 실제적인 학습 과제의 유형을 확인하여 그에 따른 교수 전략을 개발하는 연구로 발전했다.

학습 과정과 수업 사례

학습 과정(정보처리 과정)	수업의 사례
1. 학습자가 자극을 수용할 수 있도록 민감화	1단계: 주의 획득
2. 학습 결과에 대한 기대감 형성	2단계: 학습 목표 제시
3. 장기기억 항목들을 활동 기억 상태로 회복	3단계: 선수 지식의 회상
4. 학습하게 되는 자극들의 선택적 지각	4단계: 자극의 제시
5. 장기 저장 및 회상을 쉽게 할 수 있도록 제시된 자료를 의미있게 부호화	5단계: 학습 안내 제공
6. 학습 결과를 나타내기 위한 행동적 반응	6단계: 수행 유도
7. 학습 결과에 대한 확신감을 주기 위한 강화	7단계: 피드백 제공
8. 재생시에 사용될 단서 제공	8단계: 수행 평가
9. 새로운 상황에 행동을 일반화하기	9단계: 파지와 전이 증진

② Merrill의 내용 요소 제시 이론

Merrill의 내용 요소 제시 이론은 Gagné가 제안한 학습 유형 구분을 더 세부적으로, 즉 개발 수행의 유형과 내용의 유형으로 나누고 이를 근거로 구성된 행렬표에 기초한 교수 전략을 개발했다. 이 이론은 너무 상세하고 복잡하여 학교 교사들에 의해 일반적으로 사용되지 못했지만 컴퓨터 기반 학습 프로그램을 개발할 때 교수 설계 활동 안내에 활용되었다.

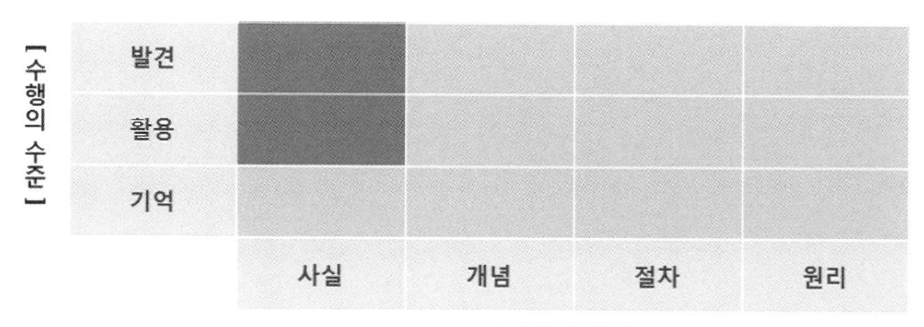

수행×내용 매트릭스

모든 학습 목표, 학습 활동, 평가는 수행의 수준과 내용의 형태에 따라 10가지 범주로 분류할 수 있다. 내용 요소 제시 이론은 각각의 범주에 가장 적절한 교수 방법을 처방한다. 예를 들면 다음과 같다.

- 기억×개념의 경우는 정적 강화를 정의하시오.
- 발견×개념은 성별, 나이에 따라 학생들을 3그룹으로 나누어 보시오.
- 기억×절차는 흑백사진을 인화하는 절차를 단계별로 기술하시오.
- 활용×절차는 현미경을 조작하여 양파를 관찰하시오.
- 활용×원리는 다음은 두 척의 선박 사진이다. 한 척은 파도에 민감하게

흔들리고 다른 한 척은 파도의 영향을 별로 받지 않는다. 이러한 차이점의 이유를 3가지 이상 드시오.

- 발견×원리는 담배 연기가 식물의 성장에 미치는 효과를 측정하기 위한 실험을 설계하고 결과를 보고하시오.

제시형에는 일차 제시형, 이차 제시형, 과정 전시, 절차 전시의 종류가 있다. 내용 요소 제시 이론에서 처방은 제시형을 통해 학습자에게 주어진다.

일차 제시형

일차 제시형은 학습이 일어나게 하는 기본적이고 최소한의 자료를 제시하는 방식이다. 일차적 자료 제시의 형태와 같이 기호화함으로써 수업의 전개 형태를 간략하게 시각화할 수 있다.

	설명(E)	질문(I)
일반성(G)	EG 법칙	IG 회상
사례(eg)	Eeg 예	Ieg 연습

이차제시형

일차 제시형이 나타내는 바를 보다 의미 있고 학습하기 수월한 형태로 만들기 위해 부가 자료를 제시하는 방식이다. 설명식 일차 제시형과 질문식 일차 제시형에 따라 다른 이차 제시형이 필요하다.

정교화의 형태 \ 일차제시형	법칙 EG	예 Eeg	연습 Ieg	회상 IG
맥락(c)	EG'c	Eeg'c	Ieg'c	IG'c
선수학습(P)	EG'p	Eeg'p		
암기법(mn)	EG'mn	Eeg'mn		
학습촉진도움(h)	EG'h	Eeg'h	Ieg'h	IG'h
표현법(r)	EG'r	Eeg'r	Ieg'r	IG'r
피드백(FB) (ca) correct answer (h)도움: help (u)사용: use			FB/ca FB/h FB/u	FB/ca FB/h FB/u

③ Reigeluth의 교수 설계 전략

Reigeluth(1992)의 교수 설계 전략은 Merrill의 분류를 단순화하여 현실적으로 발상하는 4가지 학습 과제를 선정한 이론이다. 그 4가지 학습 과제는 정보의 기억, 관계의 이해, 기능의 적용, 고차적 사고 기능이다. 이중 기능의 적용은 개념의 분류, 원리의 활용, 절차의 활용을 포함하고, 고차적 사고 기능은 학습 전략, 초인지 과정, 문제 해결 기능을 포함한다.

이 이론을 제안한 Reigeluth는 교수자 중심의 전통적인 패러다임의 한계를 지적하며 학습자가 중심이 되는 새로운 교수 설계 패러다임으로 교수 설계 이론을 재정립하고자 했다. Reigeluth는 지적 영역의 학습 목표인 개념, 원리, 법칙 등의 학습을 촉진하기 위한 전략을 다음과 같이 제시했다.

정교화 계열

정교화 계열(elaborative sequence)은 학습할 내용을 일반적인 것에서 구체적인 것으로 계열화한다. 정교화 이론에서 단순-복잡 교수 계열은 카메라의 줌렌즈에 비유된다. 먼저 피사체를 와이드 앵글에서 접근하듯 구성요소 간의 관계를 개괄적으로 보고, 그 다음에 각 구성요소에 줌인하여 그 요소의 상세한 내용을 학습한다. 정교화에는 개념적 정교화, 절차적 정교화, 이론적 정교화의 세 유형이 있다.

첫째, 개념적 정교화는 교과가 개념적인 특성을 띠는 경우에 활용되는데, 먼저 개념들을 상위개념, 동위개념, 하위개념 등으로 분류하고 이에 따라 일련의 개념 조직도를 고안한다. 개념 조직도 중에서 가장 중요하고 포괄적인 내용을 먼저 선정하고, 그 다음 구체적인 개념의 순서로 계열화한다.

둘째, 절차적 정교화는 절차적 기술의 획득과 관련된 교과에 적용된다. 먼저 가장 단순한 최단 코스를 모색하고, 그 다음 구체적인 절차를 포함시킨다. 예를 들면, 영어의 품사 학습에서 먼저 8품사를 학습하고, 각 품사별로 구체적인 내용을 학습할 수 있도록 학습 내용을 계열화하는 방식이다.

셋째, 이론적 정교화인데, 사회과 교과목에서 흔히 볼 수 있듯이 교육 내용이 '왜'라고 하는 이론적인 내용에 기초하고 있는 경우에 사용되는 정교화 전략이다. 여러 원리들 중에서 가장 기초적이고 구체적인 원리를 먼저 학습하고, 세부적이며 복잡한 원리의 학습이 이루어질 수 있도록 계열화한다.

선수 학습 요소의 계열화

선수 학습 요소를 본 내용과 연관시켜 필요한 곳에 배치한다. 그리고 동위개념들을 함께 그룹화한다. 절차를 제시하기 전에 절차의 과정을 이해하는 데 도움이 되는 원리를 먼저 제시한다.

요약자

요약자(summarizer)는 학습자가 학습한 것을 망각하지 않도록 하기 위해 체계적으로 복습하는 데 사용되는 전략 요소이다. 교사는 학습한 개개 내용이 나 현상에 대한 요점 진술을 제공하고, 쉽게 기억될 수 있는 예를 제공할 필요가 있다. 한 단원을 요약한 학습단원 요약자, 교과 전체를 요약한 교과 전체 요약자가 있다.

종합자

종합자(synthesizer)는 이미 학습한 내용을 일정한 시간을 두고 주기적으로 서로 연관 짓거나 통합시키기 위해 사용된다. 즉, 종합자는 아이디어들을 서로 연결시키고 통합시키기 위해 사용되는 전략 요소이다. 종합자는 학습자에게 필수적이며 가치 있는 지식을 제공하고, 개별 내용의 심도 있는 이해를 촉진하며, 교수 전반에 의미성을 부여하고, 흥미를 향상시키며, 학습한 내용의 기억을 증진시킨다.

비유

비유(analogy)는 잘 이해되지 않는 내용을 학습자가 이미 알고 있는 익숙한 지식과 관련시킴(비유)으로써, 새로운 내용을 이해하도록 하는 것이다. 예컨대, 두뇌가 어떻게 정보를 기억하고 처리하고 재생산하는가를 가르치는 경우, 학습자가 이미 알고 있는 컴퓨터의 정보처리과정에 비유함으로써 쉽게 학습할 수 있다.

인지 전략의 활성자

포괄적이고 일반적인 지식을 사용하도록 학습자의 인지 전략을 활성화해 주는 것이다. 기억술이나 비유도 활성자가 될 수 있고, 학습자가 그림, 표, 유사상황, 새로운 말 등을 만들어 활용하는 것도 인지 전략의 활성자가 될 수 있다.

학습자 통제(관리)

학습자에게 수업의 내용이나 전략 등을 선택할 수 있는 대안을 제공함으로써 학습자가 스스로가 어떻게 학습할 것인가를 통제할 수 있도록 하는 전략이다. 학습자는 학습 내용, 학습 속도, 학습 전략의 요소와 활용 순서, 인지 전략의 선택이나 계열화 등의 사항을 스스로 선택하고 관리한다.

(2) 학습자 중심의 교수 설계 이론

교수자 중심의 교수 설계 이론의 한계를 지적하며 대안적 교수 설계 패러다임으로 제안된 것이 학습자 중심의 교수 설계 이론이다. 이 대안적 교수 설계 패러다임은 정보화 사회의 도래에 따라 대두된 맞춤형(customization) 교육 패러다임의 영향을 받았으며, 다양한 학습자들의 요구를 반영하려 한다는 점에서 그 의의를 인정받고 있다. 대표적인 학습자 중심의 교수 설계 이론으로는 Reigeluth의 새로운 교수 설계를 위한 패러다임, Perkins와 Unger의 이해를 위한 교수 설계, Jonassen의 구성주의 학습 환경 등이 있다.

① Reigeluth의 새로운 교수 설계를 위한 패러다임

Reigeluth의 새로운 교수 설계를 위한 패러다임에서는 집단에 중심을 둔, 정해진 시간에 일방적인 제시나 설명을 하기보다 학습자가 선택한 시간대에 개별화된 학습 환경을 제공하고 그들의 주도적 참여를 도모하는 교수 설계 이론이다. 학습자의 학습이 중심이 되는 교육 패러다임에서의 수업은 교사가 일방적으로 내용을 전달하기보다 학습자가 지식을 구성하는 것을 지원하는 자원 체제(resource systems)의 요소가 된다.

따라서 새로운 교수 설계의 이론과 모형들은 기존 인지 영역에서 중점을 두던 학습 과제 이외에도 감정, 태도, 사회성, 윤리성, 신앙에 대한 학습을 다루며, 일반적 인지 능력뿐만 아니라 고차적 이해와 복잡한 인지 과제 해결,

메타인지 능력 같은 다양한 학습 과제 유형을 다룬다.

Reigeluth의 교수 설계 이론을 위한 패러다임은 정보화 사회의 도래에 따른 교육적 요구에 부응하여 학습자가 중심이 되는 학습 환경을 제공하는 기본 형태를 유지하는 동시에 특정 상황에 유용한 이론들을 제시하고 있다는 평가를 받고 있다.

② Perkins와 Unger의 이해를 위한 교수 설계

일반적으로 이해와 관련된 학습 과제는 암기나 단순한 기억과는 달리, 상위에 있는 학습 과제 유형이라고 할 수 있다. Perkins와 Unger(1999)는 수년간 지속한 이해를 위한 교수 및 학습에 대한 연구 결과로 이해를 위한 교수(Teaching for Understanding: TfU) 설계 이론을 제안했다. 생성적 주제와 이해의 목적, 이해의 수행, 지속적 평가의 4가지 요소로 구성되는 이 이론은 하버드 대학교의 장기 프로젝트의 일환으로 초등학교 역사 교과와 고등학교 물리, 영어, 수학 교과 수업 등에 적용되었다.

Perkins와 Unger의 이해를 위한 교수 이론은 학습자 중심의 교수 설계 이론 중에서도 전통적인 교사 주도 수업을 포함하는 동시에 보다 조직적이며 체계적인 구성주의 관점을 반영한다는 점에서 다른 구성주의적 교수 설계 이론과 차별화된다. Perkins와 Unger의 이해를 위한 교수 설계의 특징은 다음과 같다.

첫째, 학습자가 특정 과제를 중심으로 학습할 수 있다.
둘째, 전체의 학습 과정을 학습자가 주도한다.
셋째, 학습자가 학습 방법을 선택할 수 있다.
넷째, 개별적으로 또는 소모임별로 학습할 수 있다.
다섯째, 학습 과제와 방법이 학습자의 동기를 유발하고 그것을 유지시킬 수 있다.

여섯째, 교사는 학습을 촉진하는 역할을 한다.

일곱째, 정보 공학 기술이 학습 과정의 일부분으로 통합된다.

③ Jonassen의 구성주의 학습 환경

구성주의 인식론이 학습 환경의 설계에 제시하는 시사점을 연구하는 대표적인 학자의 한 사람인 Jonassen은 구성주의 학습 환경(Constructivist Learning Environments: CLEs)을 제안했다. 학습자의 문제 해결력과 개념적 발전 과제에 적용 가능한 Jonassen의 구성주의 학습 환경 설계 모형과 이론에 대한 자세한 내용은 다음과 같다.

구성주의 학습 환경 설계 모형

Jonassen은 구성주의 학습 환경을 설계하기 위한 3가지 원리로 모형 제시하

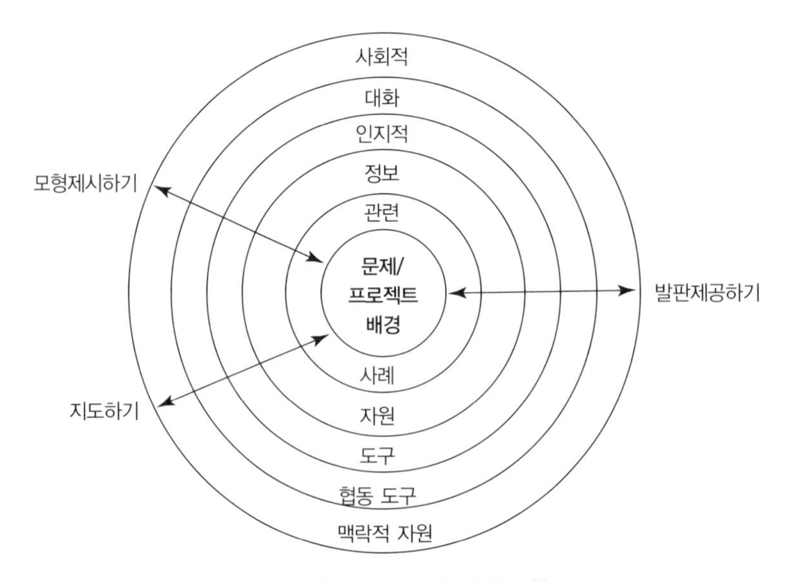

구성주의 학습 환경의 설계 모형

기, 안내하기, 발판 제공하기를 꼽았다. 구성주의 학습 환경에서 학습자들은 지식과 정보를 공유할 수 있으며, 협력 활동을 통해 자신의 지식과 정보를 정교화하고 공동의 지식을 구성하기도 한다.

구성주의 학습 환경의 요건

구성주의 학습 환경에서는 학습자가 해결해야 하는 질문, 사례, 문제, 프로젝트가 학습 환경의 가장 중심부에 위치해야 한다. 또한 이 학습 환경에는 관련 사례가 포함되며 학습자가 문제를 규정하고 가설을 설정하는 데 필요한 정보가 있어야 한다. 인지 도구 역시 구성주의 학습 환경에 있어야 하며 학습자들 간에 이루어지는 지식 구성과 같은 학습 과정을 촉진하는 컴퓨터 매개 통신인 대화와 협동을 위한 도구가 있어야 한다.

구성주의 학습 환경의 교수 활동

Jonassen이 제시한 구성주의 학습 환경은 기본적으로 탐색과 명료화, 반추 등의 학습자 주도적인 학습 활동과 이를 지원하는 모형 제시하기, 지도하기, 발판 제공하기 등의 교수 활동으로 구성된다.

구성주의 학습 환경의 구성

학습활동	교수활동
탐색(Exploration)	모형 제시하기(Modeling)
명료화(Articulation)	지도하기(Coaching)
반추(Reflection)	발판 제공하기(Scaffolding)

PART 4

교수 설계

CHAPTER

10 체제적 교수 설계

1) 교수 설계

(1) 교수 설계의 의미

교수 설계는 다양한 의미를 가지고 있는데, 일반적으로 다음과 같은 의미를 가진다.

첫째, 학습자들이 수업 목표를 효율적으로 달성할 수 있도록 수행되어야 할 제반 활동과 요소를 계획하는 활동을 말한다.

둘째, 학습자들의 현재의 상황을 파악하고 학습자들을 교수자가 의도하는 바람직한 단계로 이끌려고 하는 의도적인 계획을 말한다.

셋째, 효과적인 수업을 위한 사전 계획을 말한다.

변영계(1988)는 교수 설계는 다음 3가지 질문에 대한 답을 찾는 일이라 했다.

첫째, 학습자는 무엇을 학습해야 하는가?

둘째, 학습자들이 앞의 질문에 나왔던 수업 목표를 달성하기 위해 제공되어야 할 학습 활동, 수업 자료는 무엇이며 그 수업의 진행은 어떻게 해야 하는가?

셋째, 학습자들이 수업 목표를 성취했는지는 어떻게 밝히는가?

즉, 그가 제시한 3가지 질문에 대한 답을 얻기 위한 활동과 그 활동의 결과로 산출된 것이 교수 설계라고 할 수 있다.

(2) 교수 설계의 전제

교수 설계는 충분히 계획하여 이루어진 수업은 그렇지 않은 수업보다 수업의 효과를 높이는 데 더 효과적일 것이라는 기본 가정에 근거하여 그 중요성이 강조된다. 특히 사회 발달에 따른 교육 패러다임의 변화로 점차 직접적인 정보 전달이 아닌 간접적인 정보 전달이 확산되고 있는 상황에서 충분히 계획된 수업으로 학습 효과를 높일 수 있는 교수 설계의 중요성은 더욱 부각되고 있다.

교수 설계는 첫째, 오늘날 학교 수업을 통해 가르치려고 하는 수업 목표와 내용이 너무 많기 때문에, 둘째, 수업에서는 학습자의 개인 차를 최대한 고려한 수업이 제공되어야 하기 때문에, 셋째, 다양하게 발전되며 개발되고 있는 자료나 수업 매체의 장점을 최대한 활용하기 위해, 넷째, 수업에서의 오류나 실패는 쉽게 교정하거나 되돌리기가 어렵기 때문에, 다섯째, 수업의 경제성이란 측면에서 수업은 충분한 계획이 있어야 하기 때문에 반드시 필요하다.

교수 설계는 다음 몇 가지 전제를 기본으로 한다. 우선 교수 설계는 개인차를 최대로 고려한다는 전제하에 이루어진다. 둘째, 교수 설계는 단기적인 것과 장기적인 것이 있다. 이 중 단기적 설계는 수업자가 수업이 이루어지기 전에 한 시간 또는 몇 시간의 수업 설계를 준비하는 것이다. 반면 장기적 교수설계는 몇 개의 과 또는 단원의 수업을 설계하는 것을 의미한다. 셋째, 수업을 설계하는 이론과 실제 수업은 상호 밀접한 관계에 있다. 이는 분리될 수 있으며 때로는 이 둘이 분리되었을 때 더 효과적일 수도 있다는 전제를 가진다. 넷째, 모든 설계는 언제나 인간이 어떻게 학습하는가에 대한 기초 지식을 전제로 이루어진다. 마지막으로 교수 설계를 하는 과정에서는 언제나 경제의 원칙을 고려해야 한다는 전제를 가진다.

2) 체제적 교수 설계

(1) 체제 개념의 발전

체제(system)는 몇 가지 특징을 가진다. 체제에는 입력과 출력이 있고, 이를 구성하는 요소들은 상호 연관성을 가지고 있다. 체제를 이루는 요소들은 달성하고자 하는 공통의 목표가 있으며, 이 목표 달성 정도를 파악하여 작업을 수정하는 송환 과정을 갖추고 있다.

Saettler(1990)는 체제화 개념이 산업화 이후에 다양한 부품들을 조립하여 새로운 것을 만들어 내면서 발전했으며, 이후 1940년대 세계대전과 1950년대의 냉전체제 시기에 주로 군대를 중심으로 연결되었다고 보았다. 이와 관련하여 미국 공군은 1953년에 MIT 대학교의 협조를 얻어 미국 영공방어시스템, 즉 관련 하드웨어와 인적 자원이 모두 포함된 자동 전자 시스템을 구축한 바 있다.

이러한 체제 개념이 교육 분야에 도입된 것은 1960년대부터였다. 그리고 체제 이념은 준거 지향 평가, 목표 분류학, 과제 분석, 형성 평가 등의 개념과 더불어 새로운 형태로 발전하게 되었고, 이를 바탕으로 수업에서의 체제적 접근, 교수 체제 개발 등이 형성된 것이다.

Shrock(1995)에 의하면 교수 체제(instructional system)라는 용어는 Glaser와 Gagné에 의해 사용되었다. 또한 권성호(1998)는 체제 개념과 교육공학에 대해, 체제적 접근은 교육공학의 실질적인 기반을 구축하는 데 기여했다고 보았다. 이를 구체적으로 살펴보면 다음과 같다.

첫째, 체제적 접근은 교육공학의 연구 단위를 개별적인 자료가 아닌 완전한 교수 체제로 보는 데 기여했다. 둘째, 체제적 접근은 수입이 교수를 보조하는 개별 요소들이 아니라 교수 체제를 구성하는 요소로서 의미를 갖도록 하는 데 기여했다. 셋째, 체제적 접근은 체제에서 목표가 가장 중요한 기능을 수행한다는 점에서 교육 목표의 중요성을 강조하는 데 기여했다. 그리고 이러한 체제 개념은 1970년대에 만들어진 다수의 교수 설계 모형의 근간이 되었다.

(2) 체제적 교수 설계

교수 체제 설계(Instructional Systems Design: ISD)는 교수 활동의 분석, 설계, 개발, 실행 그리고 평가의 5단계가 포함된 조직적인 과정이다.

교수 체제 설계의 특징은 다음과 같다. 첫째, 하나의 단계가 완수되어야만 다음 단계로 넘어갈 수 있다. 둘째, 각 단계 사이의 일관성이 요구되는 선형적인 과정인 동시에 끊임없이 반복되는 순환적인 과정이다. 셋째, 순환적인 과정에서 이루어지는 수정의 과정 역시 끊임없이 되풀이된다. 수업을 통해 효과적인 학습이 이루어지기 위해서, 즉 학습 성과를 극대화하기 위해서는 조직적이고 체제적인 접근법을 활용한 교수 설계가 매우 중요하다.

수업에 도입되는 체제적 접근은 주어진 학습 목표를 가장 효과적으로 달성하기 위해 교수 체제의 모든 구성요소를 기능적으로 조직하는 절차 및 과정이라 할 수 있다. 교육의 핵심이라 할 수 있는 교수 과정에는 '무엇을' 가르칠 것인가, 그리고 '어떻게' 가르칠 것인가 하는 2가지 요인이 포함된다. 여기서 '어떻게' 가르칠 것인가를 미리 계획하는 교수 설계에 체제적 접근을 적용하여 학습 성과를 극대화할 수 있는 방안을 모색할 수 있는 것이다.

Dick과 Carey(1996)는 체제적 접근이 수업의 효과와 학생의 학습 성취의 질이라는 2가지 측면에서 모두 명백한 효과가 있다고 했다. 또한 Gagné와 그의 동료들(1992)은 교수 설계를 효과적이고 효율적이며 적절한 수업이 이루어지도록 원리들을 체제적으로 적용하는 것이라고 보았다.

(3) 체제적 접근의 필요성과 이점

교수 설계에서의 체제적 접근의 도입은 교수-학습 활동의 관련 변인들이 효과적으로 상호작용하는 것을 가능케 한다. 또한 효과적인 교수 전략을 탐색하고, 각 변인을 수정 및 보완하여 교수-학습 능력을 신장하는 데 기여한다. 교수 설계에서의 체제적 접근이 교수-학습 효과의 증진에 기여하는 몇 가지 측면은 다음과 같다(박성익, 1977).

첫째, 교수 목표를 구체화하여 자칫 교수-학습 상황에서 간과하기 쉬운 관련 변인들을 효과적으로 통제 및 조정하여 교수-학습 효과를 극대화할 수 있다.

둘째, 교수 목표 및 학습 내용을 분석하여 효과적인 교수-학습 전략을 고안해 낼 수 있고, 궁극적으로 수업 진행에 효율성을 기할 수 있게 된다.

셋째, 체제적 접근에 따른 교수 설계는 경험적으로 검증될 수 있는 과정이고, 반복될 수 있는 과정인 동시에 평가를 통한 피드백 제공으로 교수-학습 관련 변인들이 효과적으로 작용할 수 있도록 수정, 보완할 수 있는 기회를 제공한다.

넷째, 교수-학습 상황은 관련 변인들이 다양하게 상호작용하는 환경이다. 따라서 교수-학습 능력의 증진에 도움이 되지 않는 변인들을 개선하여 교수-학습의 매력을 향상시킬 수 있게 된다.

이 같은 사항을 토대로 교수 설계에 있어서 체제적 접근은 필수 요소라고 할 수 있다. 나아가 체제적 접근을 통한 교수 설계는 다음과 같은 이점을 제공한다(Briggs, Gustafson, & Tillma, 1991).

첫째는 효과성이다. 보다 많은 학습자들이 학습 목표를 성취하는 것을 의미한다.

둘째는 효율성이다. 학습에 소요되는 시간을 단축하고, 경제적으로도 적은 비용에 투입하는 노력의 양도 줄이며 기대하는 목표를 성취하게 되는 것이 효율성이다.

셋째는 매력성이다. 학습자의 흥미를 유발하고 이를 유지시키는 것을 의미한다.

넷째는 관련성이다. 학습자들이 획득하기를 원하거나 반드시 획득해야 하는 필수 지식이나 기능 등을 획득하도록 하는 것이다.

다섯째는 일관성이다. 일관성은 교수 목적과 교수 방법, 교수 평가 등이 기대하는 목표 수준을 성취하는 데 최적의 교수-학습 과정을 이루기 위해 상호 유기적인 관련성을 맺고 수업이 전개되도록 하는 것을 일컫는다.

Dick과 Carey(1996)는 효과적이며 성공적인 교수 설계를 위해 체제적 접근을 적용하며, 이는 수업이 끝났을 때 학습자가 알아야 할 것 또는 학습자가 할 수 있게 해야 할 것에 우선적으로 초점을 맞추게 한다고 보았다. 더불어 체제적 접근을 도입하면 평가 결과를 토대로 기대하는 성과에 도달할 때까지 반복 수정하는 것이 가능하기 때문에 각 구성요소 특히 교수 전략과 기대되는 학습 결과와의 관계를 주의깊게 연결시킨다고 했다.

교수 설계에 체제적 접근을 적용하는 것은 개별 학습자에게 매우 유익하다. 이는 학습자가 학습할 것이 무엇인지, 수업이 시작되기 전에 이미 알고 있어야 할 것이 무엇인지, 즉 선수 학습 능력이 무엇인지를 분명히 밝히도록 하기 때문이다. 뿐만 아니라 체제적 접근의 적용은 학습자들이 배워야 할 기술에 초점을 맞추고, 학습을 위한 최상의 조건하에 수업이 진행되도록 하며, 목표에 준거한 타당한 평가를 시행하고 이를 바탕으로 지속적으로 수정 및 보완할 수 있도록 한다는 측면에서 개별 학습자의 필요와 능력에 초점을 맞춘 최상의 수업을 설계하는 데 기여하는 바가 크다고 할 수 있다.

3) 교수 개발 모형의 개관

교수 개발 모형은 효율적이고 효과적인 교수–학습 체제를 개발하기 위해 관련을 맺고 있는 주요 요소와 그 요소 간의 관계를 중심으로 개발의 과정과 절차를 도식화하여 나타낸 것이다. 이러한 교수 개발 모형은 일반 체제 이론에서 제시한 개념들을 교육과 훈련의 설계 및 개발에 적용하여 실제로 교수–학습 프로그램을 개발할 때 프로젝트를 어떻게 계획하고 관리하며, 교과 전문가나 기타 관련 집단과는 어떻게 역할 분담을 할 것인지, 그리고 교수 내용과 교수–학습 활동을 어떻게 조직하는가에 대한 의사 결정을 할 때 도움이 될 수 있다.

이와 관련하여 D.H. Andrews와 L.A. Goodson은 교수 설계 모형 개발은 다음의 4가지 목적을 가진다고 보았다.

첫째, 체제적 접근에 의해 문제 해결과 피드백의 성질을 규명하여 학습과 수업을 개선하고자 한다. 여기서 체제적 접근이란 선정된 목표를 성취함에 있어서 각 요소의 활동과 기능 수행이 전체 체제에 주는 효과를 감안하여 문제 해결 기법을 활용하는 하나의 과정으로 정의된다.

둘째, 체제적 접근이 갖는 점검과 관리, 통제 기능을 통해 수업 설계 및 개발의 관리를 개선하는 데 그 목적이 있다.

셋째, 수업 사상의 필수 요소들과 계열에 의해 평가 과정을 개선하고자 한다.

넷째, 체제적 수업 설계 모형이 근거한 이론에 바탕을 둔 설계 작업을 통해 학습 이론이나 교수 이론을 검증하거나 정립하는 것을 목적으로 한다.

한편, Gustafson(1991)은 교수 개발과 관련된 다양한 체제적 접근 모형을 다음의 3가지로 구분했다.

첫째, 교실 수업 개발 모형이다. 이 모형은 교실 수업에서 일반 교사들이 부딪히게 되는 빈약한 자원, 설계 및 개발 시간의 제한 등을 감안하여 고안되었다. 이 모형은 교사, 학생, 교육과정, 시설 등이 이미 존재한다는 전제하에 새로운 교수 자료를 개발하기보다는 기존 자료를 선정하여 적용하는 것을 강조한다. 예를 들면 Heinich(1989)나 Kemp(1985)의 모형이 여기에 속한다.

둘째, 자료 제작 모형이다. 이 모형은 고객이나 상업적인 마케팅을 위해 특정 교수 자료를 제작하는 것에 초점을 맞춘다. 예를 들면 Van Patten(1989)의 모형이 여기에 속한다.

셋째, 체제 개발 모형이다. 이 모형은 여러 교수 자료가 동시에 통합된 교수 체제를 개발하는 것에 초점을 둔다. 예를 들면 국립 특수매체협회(National Special Media Institute)의 IDI 모형(1971), Dick과 Carey(1996)의 모형, Seels와 Glasgow(1990)의 모형, Diamond(1989)의 모형이 여기에 속한다.

4) ADDIE 모형

ADDIE 모형은 분석(Analysis), 설계(Design), 개발(Development), 실행(Implementation), 평가(Evaluation)로 구성된다. ADDIE 모형의 5가지 구성

요소들은 모든 ID/ISD 모형에서 발견할 수 있는 핵심적인 활동이다. 각 요소에 대한 자세한 내용은 다음과 같다.

(1) 분석 과정

이 과정에서는 요구 분석, 학습자 분석, 환경 분석, 직무 및 과제 분석 등 교수 설계와 관련된 각종 분석이 이루어진다.

(2) 설계 과정

설계는 분석 과정에서 나온 산출물을 창조적으로 종합하는 작업이다. 이 과정에서는 수행 목표의 명세화, 평가 도구 설계, 프로그램의 구조화 및 계열화, 교수 전략과 매체의 선정 작업이 이루어진다. 또한 교육 훈련의 전체적인 모습, 즉 설계 명세서를 만들어 내게 된다.

(3) 개발 과정

이는 설계 명세서나 수업 청사진에 기반한 수업에 사용될 교수 자료를 실제로 개발하고 제작하는 과정이다. 따라서 교수 자료의 초안(draft)이나 시제품(prototype)을 개발하고, 이에 대한 형성 평가(또는 파일럿 테스트(pilot test))를 실시하여 프로그램을 수정한 뒤, 마지막으로 최종 산출물을 제작하는 일이 개발 과정에 포함된다.

(4) 실행 과정

실행 과정은 설계 및 개발된 교육 훈련 프로그램을 실제 현장에서 교육과정(curriculum)으로 활용하며 계속적으로 유지하고 변화, 관리하는 활동을 포함한다.

(5) 평가 과정

평가는 교수 설계/교수 체제 개발의 마지막 요소로 프로그램이 실행된 후에 이루어진다. 평가의 다른 축인 형성 평가 또는 파일럿 테스트는 프로그램의 개발 과정에서 이미 실시되었기 때문에, 평가 과정에서는 최종적으로 교육훈련 프로그램의 가치를 판단하는 총괄 평가가 이루어진다.

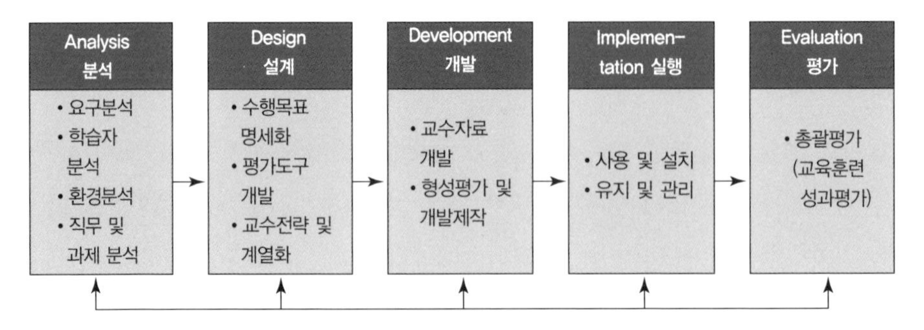

ADDIE 모형의 구성요소

CHAPTER

11 요구 분석

1) 요구 분석의 개념

(1) 요구의 개념

John Dewey(1933)는 교육과정을 결정할 때 학습자의 요구를 포함시켜야 한다고 주장한 최초의 학자이다. 그의 주장이 제창된 이래, 교육계에서는 요구 분석의 중요성을 꾸준히 강조해 왔다(Rossett, 1987).

일반적으로 '요구'라는 용어는 여러 가지 의미로 쓰인다. 그러나 요구가 가지고 있는 일반적인 의미는 요구 분석과 관련된 문헌에서 지칭하는 '요구'와는 차이가 있다. 구체적으로 일반적인 의미의 단순한 '원함(want)'이나 '바람(desire)'과는 차이가 있으며, 일종의 '결핍'을 내포하는 개념으로 제시되고 있다는 것이다(김정일, 1997).

여러 학자들이 내린 '요구'에 대한 정의 중 몇 가지를 살펴보면 다음과 같다.

먼저, Rossett(1987)의 정의를 살펴보자. 그는 요구란 '최적의 수행과 실제 수행 사이의 불일치', 즉 '격차(discrepancy)'라고 보았다. 그리고 요구는 ① 작업 수행상의 문제 해결 요구, ② 새로운 테크놀러지, 상품, 정책이나 시스템의 도입, ③ 습관적 또는 자동적 교육 관행 등의 상황에서 발생한다고 제시한 바 있다.

Scissions(1982)는 요구의 기본 구성요소로 관련성, 숙달도, 동기를 꼽았다. 여기서 관련성은 개인 상황에서 해당 기능이 얼마나 유용한지를 의미하며, 숙달도는 어떤 기능을 수행하는 개인의 능력을 의미한다. 동기는 기능적 측면에서 자신의 능력을 향상시키고자 하는 개인의 동기를 말한다.

Robbinson(1981)은 요구의 3가지 측면으로 내적 충동, 역동성, 다차원성을 제시했다. 내적 충동은 행동에 영향을 주는 것이고, 역동성은 긴장, 동기, 목표 달성, 새로운 에너지의 획득 등을 예로 들 수 있다. 마지막으로 다차원성은 생리적 욕구와 같은 내적인 것 외에도 문화적 요구, 경제적 요구와 같은 외적인 것을 포함하는 것을 의미한다.

Bradshaw(1972)는 규범적 요구, 느낀 요구, 표현된 요구, 비교 요구로 유형화했다. 규범적 요구란 개인이나 집단이 일정하게 정해진 기준에 미치지 못했을 때 발생하는 것이고, 느낀 요구는 원함과 유사한 의미로 사람들에게 단순히 무엇을 원하는지를 물었을 때 그들의 대답으로 확인할 수 있는 요구이다. 표현된 요구는 사람들의 수요 행위를 통해 그들이 무엇을 필요로 하는가를 확인하는 것이다. 예를 들어, 옷을 사기 위해 돈을 지불하는 행위를 보고 옷에 대해 표현된 요구를 확인할 수 있다. 끝으로 비교 요구란 유사한 특성을 가진 두 집단의 서비스를 비교하여 확인할 수 있는 요구이다. 원격 강좌가 A 대학교에는 개설되어 있는 데 비해 B 대학교에는 개설되지 않았다면, 두 학교를 비교했을 때 현재 원격 강좌를 실시하지 않고 있는 B 대학교가 원격 강좌를 필요로 한다고 할 수 있고, 이것이 바로 비교 요구이다.

McKillip(1987)은 요구라는 개념에 포함되어 있는 4가지 측면을 제시한 바 있다.

첫째, 요구란 '가치'가 개입된 문제라는 것이다. 따라서 각기 다른 가치를 가진 사람들은 각기 다른 요구를 인식할 것이고, 동일한 사람이라도 상황이 달라지면 서로 다른 요구를 가질 수 있다.

둘째, 요구는 특정 환경에 있는 특정 집단의 것으로 다분히 '맥락적'이라는 것이다.

셋째, 적절하지 못한 결과나 기대를 채우지 못한 결과로 '문제'가 존재할 수 있다.

넷째, 그리고 이 문제를 해결할 수 있는 '해결 방안'이 존재한다는 판단이 내려져야 한다. 따라서 가치 판단이 개입된 여러 문제들 중 해결 가능한 문제가 요구라 할 수 있다.

이상에서 살펴본 바와 같이, 요구 분석의 대상이 되는 요구는 불일치나 격차 혹은 부적절성으로 야기되는 문제로부터 출발한다고 할 수 있다. 그리고 그 문제 또는 격차가 해결될 수 있다는 판단이 설 때 비로소 요구로 성립될 수 있는 것이다.

(2) 요구 분석의 개념

지금까지 요구 분석은 문제 분석, 훈련 전 분석, 요구 사정, 선두 후미 분석 등의 다양한 용어로 사용되어 왔고, 그 개념 역시 학자들에 따라 조금씩 표현을 달리하여 정의되어 왔다.

대표적인 요구 분석가 중 한 명인 Rossett(1987)는 요구 분석의 개념을 "작업 수행에 문제가 발생했거나, 새로운 체제나 테크놀러지가 도입되었을 때, 여러 출처로부터 이에 관한 의견이나 아이디어를 얻기 위해 기울이는 체계적인 노력"이라고 정의했다.

또한 Button과 Merrill(1991)은 요구 분석을 "목표를 정하고 요구를 측정하며 실천을 하기 위해 우선순위를 정하는 것"이라고 보았으며, McKillp(1987)은 요구 분석이 "인적 서비스와 교육 분야에 있어서 의사 결정을 하기 위한 일종의 도구"라고 말한다.

Kaufman(1995)은 요구 분석이란 "결과 즉 요구의 차이를 확인하고 그 우선순위를 배열하여, 서로 간의 차이를 줄이거나 제거하려는 과정"이라고 정의한다.

Witkin과 Altshuld(1995)는 요구 분석은 "프로그램과 조직의 개선, 자원 배분에 대한 우선순위와 의사 결정을 위해 취해지는 일련의 체계적인 절차"라고 언급한 바 있다.

이와 유사한 개념 정의로 Stufflebeam 등(1985)의 정의가 있다. 그들은 "요구 분석과 평가는 모두 문제의 중요성을 확인하고, 서열을 매기며, 확인한 문제와 관련된 프로그램과 서비스의 가치와 효과성을 확인하는 것을 포함한다. 그러나 요구 분석은 미래 지향적인 질문에 초점을 두는 반면, 평가는 과거와 미래에 초점을 둔다"고 주장했다.

또한 Wolfe 등은 요구 분석이란 실제 수행과 요구되는 수행 간 격차를 줄이기 위한 제안과 의사 결정을 위한 수행과 그 환경에 대해 연구하는 것으로, 수행 분석 혹은 초기 분석과 같은 의미로도 쓰인다고 그 개념을 정의했다.

이상의 여러 학자들의 다양한 정의를 종합하면, 결국 요구 분석이란 문제를 확인하고 그것을 해결하기 위해 자원 및 관련 서비스의 우선순위를 결정하는 것이다. 즉, 요구 분석은 프로그램이나 조직의 생산성과 효율성을 높이기 위해 수행상의 문제점을 확인하고, 이를 해결하기 위해 자원 배분의 우선순위를 합리적으로 결정하기 위해 필요한 체계적인 과정과 절차라고 정의할 수 있다.

2) 요구 분석의 목적

요구 분석은 무엇인가 문제는 있지만 그 문제의 본질이 명확하게 드러나지 않을 때, 이러한 불확실한 문제의 본질을 규명하고 그것을 드러내어 궁극적으로는 문제를 해결하는 가장 적절한 방안을 제안하기 위한 활동이다. 궁극적으로 요구 분석은 불확실한 문제의 본질을 규명하고 그 문제에 대한 최선의 해결 방안을 찾아내기 위해 실시한다. 따라서 요구 분석의 목적은 "다양한 출처나 이해 관계자들로부터 문제 해결과 관련된 구체적 정보를 얻어내는 데 있다"(Rossett, 1987).

Mager와 Piper(1984)는 실제 수행과 기대되는 수행 간에 나타나는 차이인 '수행의 문제(performance problem)'에 중점을 두어 요구 분석의 의의를 다음과 같이 표현한 바 있다.

"사람들이 행한 행동과 그들에게 기대된 행동 간의 차이로 인해 문제가 발생했을 때 …… 문제의 본질을 가장 잘 분석한 사람이 그 문제에 대한 가장 성공적인 해결책을 처방할 수 있게 된다"

한편 Rossett(1987, 1991)는 목적 중심의 요구 분석(purpose-based training needs assessment)을 제안하며 다음의 5가지와 관련된 정보를 얻는 것을 요구 분석의 목적으로 보았다.

(1) 최적의 수행 혹은 지식

직무에서 요구하는 최적의 업무 수행 또는 지식이 무엇인가에 대한 정보를 얻는 것이 요구 분석의 목적이다. 즉, 담당자가 직무를 잘 수행하기 위해 반드시 갖추어야 할 바람직한 지식이나 기술, 태도를 강조하는 것이다. 예를 들어 '컴퓨터를 설치하는 적절한 절차'나 '특정 기계에 대한 적절한 설명' 등이 그 예에 해당한다.

(2) 실제나 현재의 수행 혹은 지식

직무를 실제로 수행하고 있는 상태나 직무 담당자가 현재 알고 있는 것과 할 수 있는 것 등에 대한 정보로서, 실제로 또는 현재의 업무 수행 내용이나 업무에 활용되는 지식이 무엇인가에 초점을 둔다. '현재 컴퓨터 설치자들이 하고 있는 일'이나 '영업사원들이 특정 기계에 관해 설명할 때 하는 말'을 예로 들 수 있다.

(3) 피훈련자 혹은 관련 인물의 느낌

문제나 업무, 이와 관련된 능력과 관련하여 피훈련자나 관리자, 다른 관련자들의 느낌과 의견을 탐색하는 것이다. 특히 주제나 그 주제에 대한 훈련, 주제에 관한 우선순위, 주제와 관련된 자신감을 중점적으로 확인한다. 예를 들어, 기계의 판매 실적이 부진한 영업사원의 경우, 실적 부진의 원인은 영업동기의 결여나 자사 제품에 대한 자신감의 결핍 등일 수도 있기 때문이다.

(4) 다양한 관점에서 본 문제의 원인

왜 문제가 존재하고, 무엇이 이 문제를 야기하는가에 대한 정보를 탐색하여 다양한 관점에서 문제의 원인을 살펴보는 것이다. 이와 관련하여 4가지 정도의 원인이 있을 수 있다. 기술이나 지식의 부족, 환경적 요인, 부적절하거나 턱없이 낮은 유인 체제, 피고용인의 낮은 동기이다. 예를 들어, 직무 담당자들은 문제의 원인이 컴퓨터의 잦은 고장이나 부적절한 신청 양식에 있다고 판단하고 있지만, 관리자들은 담당자들의 컴퓨터 활용 기술 부족에 있다고 생각할 수 있다. 이같이 다양한 관점에서 문제의 원인을 살펴보는 것이 요구분석에서는 매우 중요하다고 할 수 있다.

(5) 다양한 관점에서 본 문제의 해결 방안

문제를 줄이거나 없애기 위해 사용할 수 있는 방안에 관한 정보를 탐색하는 것이다. 직무 담당자를 비롯한 관련자들에게 문제의 해결 방안에 관한 의견을 묻지만 대부분의 경우 해결 방안에 관한 결정은 관리자들의 선호에 좌우된다. 따라서 교육 전문가들은 문제의 원인을 분명하게 규명하여 문제 해결과 관련된 관리자들의 선호에 도움을 줄 수 있어야 한다.

문제의 원인에 따라 제안할 수 있는 해결 방안들은 다음과 같다.

문제의 원인과 해결 방안 예시

원인	해결 방안
1. 기술/지식의 부족	훈련, 직무 지침서, 선발
2. 환경적인 결함	고성능 도구, 개선된 양식 작업장/공간의 재설계, 직무 재설계
3. 부적절한 유인 체제	정책의 개선, 양질의 감독, 향상된 유인 체제
4. 비동기화된 담당자	훈련, 정보 제공, 코칭, 양질의 감독

이 같은 Rossett의 견해와 유사한 것이 Goldstein(1993)이 제안한 요구 분석의 목적이다. Goldstein은 요구 분석의 목적이 직무 수행에 요구되는 결정적인 중요 과제와 그 수행에 필요한 지식, 기술, 능력에 관한 정보를 얻는 데 있다고 보았다.

이렇듯 요구 분석의 목적이 문제 해결을 위한 다양하고 구체적인 정보 수집에 있다고 보는 관점에서 중점을 두어야 할 것은 요구 분석의 출발점인 문제의 불확실성이다. 즉 요구 분석은 불확실한, 규명되지 않은 문제의 원인에 대해 다양한 관점에서 접근하고 그 본질을 규명하고 이에 상충되는 요구들을 조정하며, 이를 해결하기 위해 여러 처방들을 제시하는 것이다. 그리하여 어떤 교육 프로그램을 설계, 개발 및 실시하는 교수 개발의 전 과정에 걸쳐 매우 중요한 정보를 제공해 주는 데 그 목적이 있다고 할 수 있다.

이러한 요구 분석의 결과는 Moore(1980)가 지적한 바와 같이, 교육 프로그램의 개발 및 정책에 있어 의사 결정의 중요한 근거 자료로 사용되고 있다. 나아가 Griffin(1983)과 Knox(1986)는 교수 개발은 곧 요구를 확인하는 과정이라고 주장했으며, Queeney(1995)는 요구 분석의 근본적인 가치는 어떤 프로그램이 제공되어야 하고 어떤 내용이 포함되어야 하는가를 결정하는 데 있다고 보았다.

결국, 요구 분석의 목적은 직무 수행 과정에서 발생하는 다양한 문제를 해결하기 위해 관련된 구체적인 정보를 수집하는 데 있으며, 이러한 요구 분석 결과를 기반으로 지식이나 태도, 기술 등에 있어서 교육이 필요한 프로그램 영역을 확인하는 데 있다고 정리할 수 있다(박성익, 왕경수, 임철일, 박인우, 이재경, 김미량, 임정훈, 정현미 공저, 2001. 교육공학 탐구의 새 지평, 교육과학사. pp.197~202).

3) 학습 과제 분석의 필요성

학습 과제 분석을 위해서는 우선 학습자들이 목표를 달성하기 위해 먼저 학습해야만 하는 과제를 기술하고, 학습에 요구되는 다양한 행동들을 세목화해야 한다. 그리고 이 세목화된 행동이 일어날 수 있는 조건을 확인한 후에 과업 성취나 행동 수행의 평가 준거를 개발하는 것이 학습 과제 분석이다. 그런데 적절한 학습 과제 분석이 이루어지지 않으면 교사는 학습자들에게 무엇을 가르쳐야 할지 파악하기 어렵고, 나아가 최적의 교수 전략도 수립할 수 없게 된다(박성익, 1997).

이러한 학습 과제 분석은 교수 설계에 몇 가지 기여를 할 수 있다. 우선 학습 과제 분석을 하면 교육을 통해 성취하고자 하는 지식이나 기능 등의 모든 성취 목표를 확인할 수 있다는 점이다. 또한 이를 통해 교육 요소나 목표 중에서 불필요한 것은 제거할 수 있으며, 논리적으로 계열화되어 있고 조직화되어 있는 수업에 의해 학습과 파지의 효율성을 증가시킬 수 있다. 더불어 학습 과제 분석은 교육 프로그램을 개발하는 전문가들이나 연구원들 간의 의사소통을 개선할 수 있고, 교육 비용을 절감하고 부적절한 수행을 개선한다는 기여를 한다.

4) 학습 과제 분석 기법

(1) Bloom의 교육 목표 분류

Bloom과 그의 동료들은 평가 도구를 만들기 위해 인지적 · 정의적 · 심동적 영역에서의 하위 행동과 능력을 단계적으로 분류했다. 그 분류에 의하면 인지적 영역은 지식, 이해, 적용, 분석, 종합, 평가로 나뉘고, 정의적 영역은 수용, 반응, 가치화, 조직화, 인격화로, 심동적 영역은 반사 동작, 기본 동작, 지각 능력, 신체 능력, 숙련 동작, 동작적 의사소통으로 나뉜다.

특히 이들이 제시한 인지적 영역에서의 교육 목표 분류는 지금까지 교수-학습 이론과 실제에 큰 영향을 끼쳤으며, 지금도 학습 과제 분석을 비롯하여 교육 목표 설정이나 교육과정 편성, 교육 평가 등의 영역에서 널리 활용되고 있다.

교육 장면에서 가장 보편적으로 받아들이고 있는 Bloom의 인지적 영역에서의 교육 목표 분류는 다음과 같다.

① 지식

인지나 재생에 의해 기억해 내는 아이디어나 자료 또는 사상을 의미한다. 여기에는 특수한 사상에 관한 지식, 용어에 관한 지식, 특수한 사실에 관한 지식, 특수한 현상을 다루는 방법과 수단에 관한 지식 등이 포함된다.

② 이해력

어떤 자료의 내용에 포함되어 있는 뜻을 해독하는 능력으로, 번역, 해석과 추론 능력이 포함된다.

③ 적용력

특정한 구체적 사태에 추상적 개념을 사용할 수 있는 능력을 의미한다.

④ 분석력

자료를 상대적인 위계가 뚜렷하고 표시된 아이디어가 분명해 보이도록 구성 요소나 부분으로 나누는 능력을 의미한다. 분석력에는 요소를 분석하는 능력, 관계를 분석하는 능력, 조직 원리를 분석하는 능력 등이 포함된다.

⑤ 종합력

전체를 구성하는 요소나 부분을 하나로 모으는 능력을 의미한다. 여기에는 독창적인 의사 전달 방법의 생성, 계획 및 계획 실행의 단계 생성, 추상적 관계를 도출하는 능력 등이 포함된다.

⑥ 평가력

어떤 목적에 비추어 자료와 방법의 가치를 판단하는 능력을 의미한다. 평가력은 내적 준거에 의한 판단 능력과 외적 준거에 의한 판단 능력을 모두 포함한다.

(2) Gagné의 학습 위계 분석

Gagné의 학습 위계 분석은 과제 분석과 같이 인식될 정도로 보편적으로 활용되고 있다. 그는 학습의 유형을 학습된 결과에 따라 언어 정보, 지적 기능,

인지 전략, 태도, 운동 기능의 5가지 영역으로 분류했다. 그리고 학습 기능의 위계를 개발하기 위한 방법을 고안하여 학습 과제를 조직하고자 했다. 우선 Gagné가 제시한 학습의 유형은 다음과 같다.

① 언어 정보

언어 정보(verbal information)는 주로 기억에 의존하는 단편적인 사실이나 사건, 명제에 관한 지식이다. 이는 주로 기억으로 학습되고 다른 학습을 위한 기본이 된다. '대한민국의 수도는 서울이다' 또는 '조선 개창은 이성계에 의해 이루어졌다' 등은 기억으로 학습되고 다른 학습에 기본이 되는 언어 정보의 예라고 할 수 있다.

② 지적 기능

지적 기능(intellectual skills)은 인간이 환경과 상징적 부호를 사용해서 상호작용하여 습득하는 대부분의 학습 기능을 의미한다. 지적 기능은 하위 기능부터 변별, 개념, 원리, 문제 해결 학습으로 분류되는데, 이들은 서로 위계적으로 형성된다.

변별

변별(discrimination)은 사물 사이에 존재하는 특징적인 물리적 속성을 구별하는 능력이다. 변별은 사물 간 의 차이점에 중점을 둔 식별로 개념 학습을 위한 바탕이 된다.

개념

개념(concept)은 사물들의 공통적인 속성을 근거로 사물을 분류하는 능력이다. 이 경우 사물의 공통점에 주목하며 물리적 속성에 따른 구체적 개념과 관찰될 수 없는 추상적 개념으로 구분된다. 개념은 원리 학습을 위한 바탕이 된다.

원리

원리(principle)는 다양한 구체적 상황에 규칙적으로 나타나는 법칙으로, 2개 이상의 개념들을 사용하여 자연과 사회 현상에 내재되어 있는 법칙과 규칙을 설명하는 것이다. 예를 들어, 일식의 원리, 수요 공급의 법칙 등이 이에 해당한다. 이러한 원리 학습은 문제 해결을 위한 선수 조건이 된다.

문제 해결

문제 해결(problem-solving)은 한 가지 이상의 원리를 다양한 문제 상황에 적용하여 해결 방안을 찾는 것이다.

③ 인지 전략

인지 전략(cognitive strategies)은 학습자가 기억하고 사고하며 학습하는 방법이나 기법에 관한 기능을 뜻한다. 공부할 때 효과적인 노트 정리를 하는 방법이나 암기할 때 여러 단어의 첫 글자만 따서 암기하는 방법, 추상적인 용어를 구체적인 사례와 연상시켜 암기하는 방법 등을 예로 들 수 있다.

④ 태도

태도(attitude)는 어떤 대상에 대해 학습자가 지니는 마음 상태로 여러 가지 중에서 특정한 것을 선택하는 경향성을 의미한다. 예를 들어, 도서관에서 조용히 공부하는 행동, 걸려온 전화에 친절히 응대하는 행동, 노약자에게 자리를 양보하는 행동 등을 통해 그 학습자의 태도를 추론할 수 있다.

⑤ 운동 기능

운동 기능(motor skills)은 인지 활동을 수반하는 근육 운동과 관련된 학습 영역이다. 지도 그리기나 타원 그리기, 수영하기 등의 기능이 운동 기능에 해당하며 이는 Bloom의 심동적 영역과 동일한 학습 능력이다.

Gagné의 학습 위계 분석은 교수 목표를 달성하기 위한 선수 기능의 정교화를 위해 학습 내용을 가능한 한 세분화할 수 있을 때까지 분석하는 기법이다. 어떤 목표든지 학습 위계 분석에서는 최종 목표에 함의된 기능을 숙달하기 위해 필요한 선수 개념, 원리와 전략을 상위 기능과 하위 기능으로 나누어 분석하게 된다. 이때 하위 기능은 상위 기능을 학습하기 위해 반드시 숙달해야 하는 선학습으로 교수를 위한 최적의 위계는 학습 위계로부터 추론된다.

학습 위계 분석을 위해 하위 기능을 분석하는 절차는 다음과 같다.

- 정보 처리 단계의 분석을 검토하여 학생이 그 목표를 달성하기 위해 무리 없이 학습이 진행될 수 있는지 확인한다.
- 수업 목표에서 분석된 단계별로 그 단계를 학습하는 데 필수인 기능에 대한 질문을 지속적으로 한다.
- 각 단계에서 필수적으로 필요한 기능이나 지식을 최하위 수준의 지식까지 세세하게 분석한다.
- 지적 기능에 속하는 지식은 상위에서부터, 즉 문제 해결, 원리, 개념, 변별 학습의 순서로 분석된다.
- 분석한 기능이나 지식은 위계적으로 배열한다.
- 분석된 내용을 교과 전문가와 함께 검토 및 수정한다.
- 목표를 학습할 학습자가 현재 가지고 있는 지식이나 기능의 수준이 어느 정도인지 잠정적으로 결정한다.

CHAPTER

12 교수 목표 설정

1) 교수 목표의 기능

교수 목표는 수업을 통해 학습자들이 성취해야 하는 것을 뜻한다. 따라서 모든 수업은 학습자들이 이 목표를 성취할 수 있도록 계획되고 실행되어야 한다. 수업 전체를 여행에 비유한다면 수업 목표는 여행의 목적지가 될 수 있다. 여행을 할 때, 목적지가 분명해야 여행 코스가 나오고 거기에 이르는 교통수단, 일정, 소요되는 경비와 준비해야 할 것 등에 대한 합리적인 결정이 나올 수 있다. 또한 여행 중에도 애초에 설명한 목적지를 근거로 현재 우리가 어디에 있는지, 앞으로의 일정은 어떻게 되는지와 관련된 다양한 안내를 제공받을 수 있다는 점에서 여행의 목적지는 중요한 의미를 가진다.

이처럼, 교수 목표 역시 수업이 어느 방향으로 전개되어야 할 것인가에 대한 방향을 제시할 수 있다. 교수 목표는 교사들에게는 목표 달성을 위해 학습 내용 및 학습 활동을 선정하고 개발하며, 이를 평가할 방법과 도구 선정 및 개발 등을 위한 안내를 제공한다. 또 한편으로는 학습자들에게 자신들이 앞으로 무엇을 학습할 것인지, 그것을 어떤 방법으로 할 것인지에 대한 안내와 정보를 제공한다. 뿐만 아니라 교수 목표는 학부모와 동료 교사, 장학사 등에게 학습자들이 현재 무엇을 학습하고 있으며 향후 그들에게 어떤 성과가 나타날 것으로 기대되는지 등에 대한 정보를 제공하는 역할도 한다.

2) Mager의 행동적 교수 목표

(1) 교수 목표 진술 원리

교수 목표를 진술할 때 지켜야 할 몇 가지 원리가 있다. 그것은 구체성, 포괄성, 일관성, 가변성, 실현 가능성 등의 원리이다.

우선 구체성은 교수 목표가 명확한 행동적 용어로 진술되어 학습의 방향을 제시할 수 있어야 한다는 것이다. 내용 요소와 행동 요소가 동시에 포함되도록 진술하고 행동이 가시적인 행동으로 나타날 수 있도록 명시적 동사를 사용하는 것이 좋다.

포괄성은 도착점 행동의 폭넓은 변화를 포함하도록 교수 목표를 진술하는 것을 뜻한다. 또한 일관성은 진술된 목표들이 상호 간에 모순되지 않고 철학적으로 일관성 있게 진술하는 것을 의미한다.

가변성은 해당 목표가 타당한가에 대한 비판을 통해, 언제라도 필요하다면 변경할 수 있도록 교수 목표를 진술해야 한다는 것이다.

마지막으로 실현 가능성이란 제시한 교육 활동을 통해 교수 목표의 성취가 가능한 것이어야 한다는 의미이다. 교수 목표가 본 수업이 나아갈 방향을 인도하고, 학습 내용과 학습 활동을 선정하고 개발하기 위한 안내와 더불어 평가 방법과 평가 도구를 선정하고 개발하기 위한 지침이 되는 등의 기능을 원활하게 수행하기 위해 수업 목표는 누가 보아도 분명하고 명확하게 구체적인 행동적 용어로 진술되어야 한다는 점을 기억해야 한다.

(2) 수업 목표의 3가지 요소

Mager는 구체적 수업 목표가 지녀야 할 3가지 요소를 도착점 행동(performance), 상황이나 조건(conditions), 수락 기준(criteria)으로 보았다.

① 도착점 행동: 학생들이 학습했다는 것을 나타내 보이기 위해 무엇을 할 것인가?
② 상황이나 조건: 어떤 상황에서 학생들이 그러한 행동을 나타내 보이게 될 것인가?
③ 수락 기준: 그러한 행동의 학습이 성공했다고 받아들일 수 있는 기준은 무엇인가?

앞서 Mager가 제시한 3가지 요소를 더 자세히 살펴보면 다음과 같다.

① 도착점 행동은 학생들이 나타내 보일 수 있는 관찰 가능한 행동과 수업을 통해 습득하게 될 능력이다.
② 도착점 행동이 발생될 상황이나 조건 중 교수 목표와 관련하여 더욱 중요하게 배려되어야 할 상황이나 조건이 있다. 구체적으로 어디에서 그러한 행동이 수행되기를 기대하는지, 누구와 함께 그 행동을 수행하기를 기대하는지, 어떤 도구나 장치를 활용하여 그 행동을 수행하기를 기대하는지, 어떤 정보들을 활용하여 그러한 행동을 수행하기를 기대하는지 등이 그것이다.
③ 수락 기준이 의미하는 것은 세분화될 수 있다. 도착점 행동이 얼마나 자주, 오랫동안, 빠르게 발생하는지, 시행착오나 에러 없이 행동이 정확하게 발생하는지 등의 시간 관련 기준과 그 행동이 포함해야 할 중요한 속성들을 포함하고 있는지, 그 행동이 활용 가능한 수준 높은 자원(source)을 활용하고 있는지 등이 그것이다.

(3) 학습 목표 진술의 4가지 요소

학습 목표는 수업이 끝난 후에 학습자가 성취해야 하는 결과를 말한다. 이 결과는 관찰 가능한 행동을 진술함으로써 평가를 용이하게 할 수 있다. '~ 이해한다'보다는 '~에 대해 말할 수 있다'로 목표를 설정하여 행동 동사로 기술하는 것이 바람직하다. 학습 목표를 설정할 때에는 A, B, C, D의 4가지 요소를 고려한다.

- A는 Audience(대상자)로 누가 학습할 것인지에 관한 대상을 분명히 결정한다.
- B는 Behavior(행동)로 학습자가 성취해야 하는 목표를 관찰 가능한 행동으로 진술하는 것을 원칙으로 한다.
- C는 Condition(제공되는 환경)으로 목표에 도달하는 데 사용되는 자원, 시간 등의 제약을 제시한다.
- D는 Degree(평가 정도)로 학습자가 목표에 도달했는지 여부를 나타내는 기준을 제시한다.

예를 들면 '초등학교 2학년 학생(A)이 두 자리 숫자 곱셈(B)을 전자계산기를 쓰지 않고(C), 10문제 중 8개 이상(D)을 맞춘다.'와 같은 학습 목표를 설정하는 것이다. 이렇게 행동적인 용어로 구체적이고 명료한 학습 목표를 만들어야 하는데 이것은 수업의 결과를 평가하기 용이한 방법이다. 또한 학습자 중심의 행동적 목표 진술을 통해 학습 효과의 극대화를 고려하고 있다.

3) 행동적 목표 진술에 대한 논의

교육 목표가 본연의 기능을 충실하게 수행하기 위해서는 그 목표에 대한 대안적 해석이 가능해서는 안 되며 따라서 목표는 구체적이며 행동적 용어로 진술되어야 한다는 주장이 있다. 그러나 이에 대해 다음과 같은 비판적 견해가 제기되고 있다.

첫째, 문제 해결이나 창의적 사고와 같은 고등 정신 기능은 구체적이며 행동적 용어로 진술하기 어렵다는 것이다. 따라서 행동적 용어로 기술하거나 측정하기 쉬운 기억과 같은 목표에 치중하다 보면, 결과적으로 수업에서 중요하게 다루어야 할 목표를 등안시하고 상대적으로 덜 중요한 목표에 치우칠 가능성이 있다는 지적이다.

둘째, 수업을 진행하다 보면 사전에 예상하지 못했지만 특정 문제와 관련지어 다루기에 적합한 일이 일어나는 경우가 있다. 그런데 목표를 너무 구체적으로 작성하면 이렇게 수업에서 종종 발생하는 예상치 못한 특정의 학습 경험을 다룰 수 있는 적정 시기를 활용하지 못한다는 것이다. 만약 수업 상황에서 사전에 계획되지 않은 특정 문제를 다룰 수 있으려면, 결과적으로 사전에 계획된 구체적 목표 달성과는 다른 수업을 진행해야 한다. 이런 경우, 구체화된 목표만을 강조하다 보면 특정 문제를 가르칠 수 있는 적절한 시기를 놓칠 수 있다는 지적이다.

셋째, 구체화된 목표는 결과적으로 수업을 평가하기 위해 활용된다. 이 경우 인간의 행동은 객관적이고 기계적으로 측정 가능하다는 견해를 나타낸다. 이와 관련하여, 구체적인 목표 진술은 결국 인간을 비인간적으로 다룰 수 있다는 지적이 제기되고 있다.

넷째, 구체적 목표를 강조하는 것은 단순한 행동을 나열하는 방식이 되기 쉬워 결과적으로 수업의 질보다는 양에 치중하게 된다는 지적이다. 결국 이 같은 방식의 목표 진술을 따르다 보면 단순하고 사소한 행동의 나열이 중심이 되어, 결국 목표 진술에 있어서 전체적인 통합성을 기대할 수 없다는 것이다.

CHAPTER

13 교수 평가

1) 평가의 유형

평가의 사전적 의미는 사물 또는 그 속성에 대한 가치 판단이라고 한다. 교육공학에서 평가는 매우 중요한 분야이다. 예를 들어 교육 프로그램이나 교수-학습 자료를 개발하는 과정과 이를 거친 결과물에 있어서 각 단계별로 올바른 판단이 이루어져야만 좋은 산출물을 만들어 낼 수 있기 때문이다. 평가는 다양한 기준에 근거하여 그 유형을 구분할 수 있다. 평가 유형의 기준으로는 평가 내용, 평가 영역, 목표 수준, 평가 기능, 평가 준거, 평가 대상 등이 있다(변창진 외 1996; 성태제, 2002; JCSEE, 1981).

여기에서는 교육공학적 맥락에서 자주 언급되는 평가 기능(진단 평가, 형성 평가, 총괄 평가)과 평가 준거(규준 참조 평가, 준거 참조 평가), 평가 대상(프로그램 평가, 프로젝트 평가, 산출물 평가)을 기준으로 각각의 유형에 대해 살펴본다.

(1) 평가 기능을 기준으로 구분한 평가 유형

교육공학에서는 평가의 시기와 목적에 따라 진단 평가, 형성 평가, 총괄 평가로 분류할 수 있다. 일반적인 교수-학습 상황에서 평가는 교육이 시작되기 전에 이루어지는 진단 평가, 교육이 진행되는 과정에서 이루어지는 형성 평가, 그리고 교육이 끝난 후에 이루어지는 총괄 평가로 나뉜다.

Scriven(1967)은 형성 평가와 총괄 평가를 최초로 구분하고, 진단 평가는 형성 평가의 일부로 볼 수 있다고 주장했다. 따라서 여기에서도 교육 프로그램을 개발하는 과정에서 그 중요성을 재차 확인할 수 있는 형성 평가와 총괄 평가에 초점을 두어 살펴보고자 한다. 프로그램과 산출물 개발의 초기 단계에 이루어지는 형성 평가와 교수 실행 후에 이루어지는 총괄 평가는 교육공학 분야에서 매우 중요하다. 프로그램 평가의 궁극적인 목적은 의사 결정자에게 정보를 제공하는 것이기 때문에, 프로그램 개발 과정을 형성적으로 평가하고 프로그램 개발의 결과를 총괄적으로 평가해야 한다. 즉, 프로그램에 대한 과정적 형성 평가와 결과적 총괄 평가가 모두 고려되어야 하는 것이다.

① 진단 평가

진단 평가(diagnostic evaluation)는 교수–학습이 일어나기 전에 이루어진다. 각 학습자의 사전 학습 정도, 적성, 흥미, 동기와 같은 특성을 체계적으로 관찰하고, 측정, 진단하여 결과적으로 교수–학습 활동의 효과를 높이는 데 유용한 제반 정보에 관한 의사 결정을 내리는 활동이다. 이는 교육 내용을 학습자의 현재 수준이나 요구 사항에 맞춰 편성하여 개별화 수업을 위한 수단으로 활용하기도 한다. 진단 평가는 크게 학습장애 진단 평가와 선행 지식 확인 평가(또는 출발점 행동 평가)로 분류할 수 있다.

② 형성 평가

형성 평가(formative evaluation)는 교육 프로그램을 개발하는 도중에, 그리고 교수–학습이 진행되고 있는 과정에서 계속적으로 이루어지는 평가 활동이다. 이를 통해 교육 프로그램의 문제점을 찾을 수 있다. 총체적 품질 경영(Total Quality Management: TQM) 관점에서 프로그램을 개발하는 중에 다음 단계로 넘어가기 전까지의 활동 결과를 점검하고, 문제가 발생하면 지속적으로 수정하는 활동을 하게 된다. 이와 더불어 프로그램(교수 자료 포함)의 초안(draft) 또는 시제품으로 프로그램에 대한 점검 활동을 하는 근거가 된다. 여기서 후자 형태의 형성 평가를 Pilot Test, Prototype Test 또는 Development Test라고도 한다.

Scriven(1967)은 형성 평가는 프로그램이나 산출물의 개발 과정이나 그것의 향상을 위해 실행된다고 했다. 일반적으로 형성 평가는 프로그램의 내부 요원이 수행하며, 그 자료는 내부 자료로 남게 된다. 그러나 평가 수행에 있어 내부 요원과 외부 요원이 함께 할 수도 있다. Bob Stake는 형성 평가와 총괄 평가의 차이에 대해 "요리사가 수프를 맛보면 그것은 형성 평가이고 손님이 맛보면 그것은 총괄 평가이다"라고 표현했다.

형성 평가는 교수-학습의 효과성, 효율성, 그리고 학습자들의 몰입을 유도하는 교수 개발 전과정에 걸쳐 다양한 정보 및 데이터를 수집하여 평가하는 방법이다(Dick, Carey, 2001). 즉 형성 평가는 프로그램의 개발과 동시에 이루어지는 것으로 개발의 결과로 제작된 교수 자료나 프로그램이 설정된 목적/목표를 달성하도록 돕는 과정이다(Flagg, 1990).

프로그램 개발과 관련된 형성 평가의 주된 목적은 각 단계에 필요한 데이터나 자료를 수집, 분석하고 그 과정을 수정 및 보완하여 최종 결과물의 질을 높이는 데 있다. 형성 평가에는 기본적으로 3단계의 활동이 포함된다. 3단계의 활동은 일대일 평가, 소집단 평가, 현장 평가이다. 일대일 평가는 임상 평가라고도 하며, 이 평가 활동을 통해 개별 학습자의 자료 및 프로그램 수정을 위한 자료를 수집한다. 소집단 평가는 프로그램을 사용할 대상 학습자들을 대표하는 8~20명의 소규모 학습자 집단을 대상으로 자료 수집 활동을 한다. 현장 평가에서는 실제로 수업이 진행되는 상황과 거의 유사한 환경에서 개발된 교수 자료 및 프로그램의 유용성을 전반적으로 평가하는 활동을 하게 된다. 형성 평가에서 일어나는 3단계의 활동들은 다음 표와 같이 나타날 수 있다.

형성 평가의 3단계 주요 활동

평가의 단계	주요한 특징 및 활동
일대일 평가	• 교수 개발의 결과물에서의 잘못된 부분이나 실수 파악 및 수정 • 학습자로부터의 내용에 대한 초기 반응 수집 • 설계자와 개별 학습자 간의 직접적 상호작용을 통한 자료 수집 • 학습자에게 프로그램 설계과정을 설명한 후 그들의 자연스러운 반응 확인 • 학습자가 이해하기 어려운 내용이나 사소한 실수에 대한 지적 사항 경청 • 학습자의 반응을 이끌어 내기 위한 설계자의 능력 중요(공감대 형성) • 일대일 관계에서의 대화나 상호작용의 강조 • 해당 프로그램 완료에 걸리는 시간 확인 및 조정 가능
소집단 평가	• 약 8~20명의 학습자를 대상으로 함 • 일대일 평가의 결과를 반영하여 수정된 프로그램의 효과성 결정 • 학습자에게 여전히 남아 있을지 모르는 학습관련 문제의 파악 • 학습자와 교수자 간에 상호작용이 없는 수업을 할 수 있는지 결정 • 본 평가에 참여하는 학습자가 전체 대상 집단을 대표하도록 선택해야 함 • 때로 평가 참여 집단이 전 집단을 대표하지 않는 경우가 있으므로, 이러한 사실을 고려하여 평가 결과를 해석해야 함 • 태도 질문지 등을 사용하여 프로그램 실행에 대한 인식이나 장 · 단점 등을 보다 심층적으로 분석할 수 있음
현장 평가	• 프로그램을 최종 활용할 상황과 유사한 환경에서의 평가 • 소집단 평가 결과 수정된 변화가 효과적인지 결정 • 프로그램이 의도한 환경에서 활용 가능한지 시험 적용 • 적어도 약 30명 정도의 대상 학습자가 참여하도록 실시

앞서 살펴본 형성 평가의 3단계를 통해 교수 개발 프로그램에 대한 효과성, 명확성, 가치, 적용성, 태도 등에 대한 학습자들의 다양한 의견을 접할 수 있다. 따라서 보다 유용한 데이터를 수집하기 위해 각 단계의 평가 활동에서 확인할 만한 내용이나 체크리스트, 질문지 등을 신중하게 검토하여 준비하는 것이 중요하다. 형성 평가 과정 자체가 실제로 프로그램을 사용하게 될 학습

자들을 대상으로 진행되기 때문에 학습자들은 자료 및 프로그램에 대한 설문이나 인터뷰 등을 통해 자신이 판단하는 결과물의 장점이나 약점, 기술적 내용과 전달 방법 등을 적극적으로 피력하여 보다 나은 프로그램 및 자료를 만드는 데 기여할 수 있다.

③ 총괄 평가

총괄 평가(summative evaluation)는 교수–학습 활동을 마친 상태에서 전체 프로그램의 효과를 판단하기 위한 평가 활동이다. 다시 말해, 학습자의 수행 목표 달성 정도를 판단하기 위해 자료를 수집하는 활동이라 할 수 있다.

Scriven(1967)은 총괄 평가를 프로그램이 완성된 후에 실행되는 활동이라 보았다. 그는 총괄 평가가 외부 고객이나 의사 결정자에게 도움이 되기 위해 실행되면 평가자가 내부 요원이거나 외부 요원, 때에 따라서는 이들이 모두 함께 할 수 있다고 말했다. 또한 평가의 신뢰성을 높이기 위해, 형성 평가와 달리 외부 평가자를 포함시키는 경우가 많다고 했다.

총괄 평가는 프로그램 실행 수, 교수 학습 자료 및 프로그램의 전반적인 효과성을 판단하기 위해 활용된다. 따라서 총괄 평가는 최종 결과물의 타당성 및 유효성을 판단하기 위한 기초 자료를 제공하는 최종 단계의 평가 활동이라 할 수 있다. 총괄 평가의 주된 목적은 가치 판단, 효과 결정, 의사 결정에 기여라고 볼 수 있다. 예를 들어, 현재 개발된 교수 자료 및 프로그램을 계속 사용할 것인가에 대한 사항, 대상 학습자나 해당 조직의 요구를 충족시키는 새로운 자료 및 프로그램을 선정하기 위한 의사 결정(Dick, Carey & Carey, 2001) 등을 말한다.

형성 평가가 프로그램을 개발하는 전 과정에서 수행된다는 측면에서 개발 과정 자체를 형성 평가 과정으로 볼 수 있다면, 총괄 평가는 형성 평가를 통해 수정, 보완되어 온 과정을 최종적 및 총체적으로 점검하는 과정이라 할 수 있다. 형성 평가가 교수 개발자의 역할에 포함되는 속성이 강하기 때문에 총괄 평가는 최종 산출물에 대한 보다 객관적인 평가를 하고자 한다. 이런 이유에서 총괄 평가는 개발 과정에 참여하지 않은 외부 전문가에 의해 수행되는 것이 바람직하다.

이처럼 프로그램의 장기적 질 관리에 중요한 역할을 하는 총괄 평가는 전문가 판단 단계와 현장 평가 단계로 나뉜다.

전문가 판단 단계

전문가 판단 단계는 해당 분야의 전문가가 최종적으로 개발된 교수 자료 및 프로그램이 교수 개발의 목적을 충족하고 있는지를 다각도로 판단하는 과정을 의미한다. 전문가 판단 단계는 다음의 활동을 포함한다.

① 개발된 프로그램을 활용하려고 하는 조직의 교수적 필요와 개발된 자료 또는 프로그램 간의 일치성 평가
② 프로그램의 완성도나 정확성 평가
③ 해당 프로그램에 포함되어 있는 교수 전략의 평가
④ 프로그램의 유용성 평가
⑤ 현재 프로그램을 활용하고 있는 학습자의 만족도 평가

정리하면 전문가 판단 단계는 개발된 프로그램을 활용하고자 하는 조직의 요구에 부응하도록 프로그램을 체계적으로 설계, 개발하고 이를 대상으로 수차례의 형성 평가 과정을 거친 후에 이루어진다.

현장 적용 단계

현장 적용 단계는 형성 평가를 통해 수정된 교수 결과물을 실제 현장에서 활

용해 본 결과를 보고 그 효과성을 판단하는 것을 의미한다. 또한 실제로 개발된 프로그램을 대상으로 정했던 조직에서 선택된 대상 학습자와 함께 시험적으로 활용하게 된다. 따라서 이 단계에는 다음의 활동이 포함된다.

① 평가를 위한 계획
② 실행을 위한 준비
③ 수업 실시와 자료 수집
④ 수집된 자료의 요약 정리 및 분석
⑤ 결과 보고

다시 말해, 전문가 판단 단계에서는 형성 평가 후 수정된 상태에서 시작되며 이 과정에서 일치성, 내용, 설계, 실용성 분석 등의 활동들이 수행된다. 또한 현장 적용 단계에서는 철저한 사전 계획, 준비와 기초 자료 수집, 자료 분석 및 요약, 결과 보고의 과정을 통해 교수 개발의 결과 자료 및 프로그램이 학습자와 조직에 미치는 영향, 학습자와 관리자의 만족도, 전개 전략의 실용성, 비용의 적절성 등을 총체적으로 평가하는 활동을 수행하게 된다(Dick, Carey & Carey, 2001).

한편, 총괄 평가의 단계는 교수 개발과 관련된 요인을 중심으로 실시하는 내부 평가와 별도의 전문인에 의해 실시하는 외부 평가로 나눌 수 있다(김영수, 1998; Clark, 1997). 각각에 대한 자세한 내용은 다음과 같다.

내부 평가

내부 평가는 교수 개발 과정에 참여한 모든 구성원이 평가의 책임과 권한을 갖는 평가이다. 그 과정은 교수 개발의 각 단계에서 고려해야 할 요소들을 총체적으로 점검하고 개발된 자료 및 프로그램을 통한 학습을 측정하는 형태로 진행된다. 내부 평가는 교수 개발에 기울인 노력이 의도한 목적을 달성했는지 그 여부를 결정하는 것을 주된 목적으로 하기 때문에 충분한 시간을 두고, 충분한 데이터를 수집해야 한다. 또한 이 평가는 학습자의 수행을 기초로 수업 개선을 목적으로 하기 때문에 만약 내부 평가의 결과 많은 학습자가 같은 수업 단원에 어려움을 느낀다면 그 수업 장면에 무엇인가 잘못된 점이 있다고 결론짓는 것이 합리적이다.

외부 평가

내부 평가가 완료되어도 중요한 의문점에 대한 해답이 제시되지 않을 수 있다. 그 주된 의문은 바로 학습자가 훈련받은 또는 학습한 과제를 수행할 수 있는지에 대한 것이다. 전체적인 교수 개발의 과정은 결국 학습자가 학습한 과제를 수행하는 데 그 목적을 두고 설계되었다. 그런데 학습을 마친 대상 학습자들이 그들이 배운 것이 필요 없다고 판단하거나 더 이상의 수업을 필요로 하지 않는다면, 이는 반드시 교수 설계자에게 피드백되어야 한다.

외부 평가를 위한 기초 자료 수집에 사용되는 다양한 도구는 질문지, 조사, 인터뷰, 관찰, 시험 등이다. 이중에서 자료 수집에 사용되는 모형과 방법론은 단계별 절차에 따라 구체화되어야 하고, 이때 활용되는 모형과 방법론은 정확한 데이터를 바탕으로 타당성을 확인할 수 있도록 주의깊게 설계되어야 한다.

④ 형성 평가와 총괄 평가의 특성 비교

형성 평가는 과정에 대한 지속적인 개선 및 보완에 관심을 두어 이루어지고, 총괄 평가는 결과에 대한 최종적인 판단에 관심을 두고 이루어진다. 형성 평가와 총괄 평가는 다음 표에 정리한 바와 같이 평가의 실시 목적이나 단계, 교수 개발 역사, 대상 자료, 평가자, 평가 결과 등에서 차이가 있다. 그러나

이 2가지 평가 방식은 상황에 따라 상호 보완적으로 적절히 활용될 수 있으며, 그렇게 활용되었을 때 더욱 충실한 평가가 이루어졌다고 할 수 있다.

형성 평가와 총괄 평가의 비교

	형성 평가 (formative evaluation)	총괄 평가 (summative evaluation)
목적	• 프로그램의 질을 개선하기 위하여 문제되는 부분을 찾아냄	• 프로그램의 채택 또는 유지의 결정을 위하여 그 가치와 유용성을 판단함
단계	• 일대일 평가(임상평가) • 소집단 평가 • 현장 검증	• 전문가 판단(일치도 및 질 분석) • 현장 검증(성과 및 관리의 분석)
교수 개발	• 조직 내에서 체제적으로 설계되고 조직의 필요에 맞게 개발됨	• 조직 내 또는 조직 외에서 개발 • 반드시 체제적 접근을 하는 것은 아님
대상 자료	• 한 세트의 자료	• 한 세트 또는 여러 세트의 자료
평가자	• 설계 및 개발팀의 구성원 (내부 평가자)	• 개발팀 이외의 전문가(외부 평가자)
결과	• 자료 수정을 위한 처방	• 평가 보고서(프로그램의 설계, 절차, 결과, 권고 사항 및 타당성을 포함)

형성 평가와 총괄 평가 모두 양질의 개선된 교수 자료 및 프로그램을 개발하고 활용하는 것을 목적으로 하는 만큼 이를 통해 발견된 부족한 점을 수정하고 보완해 나가는 과정은 매우 중요하다. 형성 평가와 총괄 평가에서 사용되는 방법은 각각 다르다. 형성 평가는 내용에 대한 검토나 개인 교수, 소집단이나 대집단 시험 적용 등의 방법을 활용한다. 자료 수집에 있어서도 관찰, 종합 검토(debriefing), 간단한 테스트 등의 비형식적인 것을 사용하는 것이 일반적이다. 반면 총괄 평가는 비교 집단 연구나 준실험적 연구 방법과 같은 형식적인 자료 수집의 절차와 방법을 활용한다.

형성 평가와 총괄 평가의 질적 및 양적 측정 사이의 형평에 큰 관심을 기울인다. 양적 측정은 통상적으로 숫자를 사용하고 객관적인 측정을 강조하며, 질적 측정은 주관적이고 경험적인 측면을 강조하며 결과를 언어적 서술법으로 기록한다는 특징이 있다.

(2) 평가 준거를 기준으로 구분한 평가 유형

교수공학 또는 교육 프로그램 개발의 측면에서 평가를 분류하는 또 하나의 방식은 교육 평가의 준거를 기준으로 하는 분류이다. 교육 평가의 준거를 교육 목표로 하느냐 학습자들이 획득한 점수의 평균으로 하느냐를 기준으로 상대 평가라고 하는 규준 참조 평가와 절대 평가로 알려진 준거 참조 평가로 나눌 수 있다. 상대 평가나 절대 평가는 평가의 내용 선정과 절차상에 큰 차이를 가지고 있으며 그 용도 또한 다르다.

① 규준 참조 평가(상대 평가)

규준(norm)은 본보기, 표준, 기준, 규칙, 범례를 의미한다. 그러나 규준 참조 평가(Norm-Referenced Evalution: NRE)에서의 규준은 상호 비교를 위한 기준으로 원점수의 상대적 위치를 설명하기 위해 쓰이는 잣대의 의미를 가진다. 예를 들어, 어떤 시험을 본 전체 학급 학생들이 받을 점수에 대해 수, 우, 미, 양, 가와 같이 사전에 정해 놓은 평점 배당 비율을 가리킨다. 즉 학생들이 획득한 평균 점수대의 평균점을 기준으로 학생의 성취도가 평균 이상의 어느 위치 또는 평균 이하의 어느 위치인지를 평가할 때의 평균점을 규준이라 하고, 수, 우, 미, 양, 가를 각각 5%, 15%, 60%, 15%, 5%로 사전에 정해 놓고 그 비율에 따라 성취도를 평가하는 것이다.

규준 참조 평가는 이런 의미에서 규준 지향 평가, 상대 평가라 한다. 따라서 이를 통해 개인이 얻은 점수나 측정치를 비교 집단의 규준에 비추어 상대적 서열을 판단하게 된다. 상대 평가는 학습자들 사이의 차이를 밝혀내고, 그들의 상대적 위치를 일정 비율에 따라 판정하는 것을 주된 목적으로 한다. 상대 평가는 성적의 표준화가 주요 관건이므로 학습자의 성적은 정규 분포를 이룬다고 가정하고 그에 대한 평가를 수행한다.

② 준거 참조 평가(절대 평가)

준거 참조 평가(Criterion-Referenced Evaluation: CRE)에서의 준거(criterion, standard, cut-off)는 학습 목표, 수행 목표 또는 그 목표를 설정할 때 도달해야 하는 최적 기준(minimum competency level)이라 할 수 있다. 학습 목표를 평가의 준거로 삼아 학습 목표를 달성했는지, 달성했다면 어느 정도로 달성했는지를 확인하고 점검하는 준거 참조 평가는 다른 말로 준거 지향 평가, 목표 참조 평가, 영역 참조 평가, 절대 평가라고도 한다. 이는 적절성을 결정하는 준거가 학습자가 목표를 달성한 정도에 있기 때문이다.

준거 참조 평가는 준거에 비추어 학습자들이 무엇을 얼마만큼 알고 있느냐에 관심을 기울인다. 따라서 미리 정해 놓은 어떤 준거에 의거하여 평가하고자 하는 성향이 강하며 앞서 살펴본 바와 같이 성취도 확인을 주 목적으로 한다.

이 평가는 충분한 학습 시간과 학습 조건만 제공되면 거의 모든 학습자가 목표에 도달할 수 있다고 보며, 학업 성취도의 분산은 매우 적고 그 분산, 개인 차를 최대한 줄여 나가는 것이 교육의 역할이라고 본다. 교육공학의 발달로 다양한 교수–학습 이론, 교수 설계 이론이 전개되고 있는 상황에서 준거 참조 평가가 교수 방법과 학습 목표, 수행 목표에 대한 논의에서 중요한 부분을 차지하고 있다.

Tyler, Mager, Glaser, Cronbach, Popham, Baker, Shrock, Coscarelli 등 교육공학, 교육과정, 교육심리학에 종사하는 모든 학자들은 준거 참조 평가의 중

요성을 강조한 바 있다. 교육 프로그램 개발, 교수 체제 개발의 맥락에서 주된 준거란 바로 수행 목표(performance objective)이다. 따라서 이 경우, 평가 문항은 수행 목표를 기초로 개발되며 학습자가 수행 목표를 달성했는지 여부가 프로그램의 성공 여부를 결정하게 된다.

준거 참조 평가는 목표와 관련된 학습자의 지식, 태도 또는 기능의 완성도에 대해 많은 정보를 제공할 수 있다. 또한 모든 종류의 자격은 준거 참조 평가를 통해 수여된다.

(3) 평가 대상을 기준으로 구분한 평가 유형

Worthen, Sanders, Fitzpartrick(1997)은 평가가 한 사물의 가치를 결정한다고 보았다. 교육에서 평가는 프로그램, 산출물, 프로젝트, 과정, 목표 또는 교육과정의 질, 유효성이나 가치를 공식적으로 결정하는 활동이다.

따라서 평가는 조사와 판정 방법을 사용하고, 질을 판정하기 위한 기준을 만들고 이러한 기준이 상대적인지 절대적인지를 결정하는 일, 관련된 정보를 수집하는 일, 질의 수준을 결정하기 위해 기준을 적용하는 일 등을 포함한다.

평가는 평가될 대상을 기준으로 분류될 수 있다. 이렇게 분류된 평가로는 통상적으로 프로그램, 프로젝트, 산출물(자료) 평가를 들 수 있다. 평가 영역에서 프로그램, 프로젝트, 산출물의 평가는 서로 간에 중요한 차이점이 있다. 이들은 교수 설계자들에게 중요한 유형의 평가이다(Seels & Richey, 1994). 교육평가기준합동위원회(Joint Committee on Standard for Educational Evaluation: JCSEE, 2981)는 평가의 각 유형에 대한 정의를 다음과 같이 제공했다.

① 프로그램 평가

프로그램 평가는 지속적으로 서비스를 제공하는 교육 활동을 사정하고 교육

과정에 관여하는 평가로 학교 지역의 읽기 프로그램, 정부의 특수 교육 프로그램 또는 대학의 평생 교육 프로그램에 대한 평가 등을 예로 들 수 있다.

② 프로젝트 평가

프로젝트 평가는 정해진 시간 내에 특정 과제를 수행하기 위해 재정적으로 지원된 활동을 사정하는 평가이다. 3일간의 행동 목표에 관한 워크숍, 또는 3년간의 진로 교육 시범 과제 등이 그 예가 될 수 있다. 프로그램 평가와 프로젝트 평가의 특징적인 차이점은 프로그램 평가는 시간적 제한 없이 계속되는 평가이고, 프로젝트 평가는 단시간 내에 이루어지는 평가라는 점이다. 만약 프로젝트 평가가 프로그램 평가가 되기 위해서는 우선 제도화가 이루어져야 한다.

③ 산출물 평가

교수 산출물 등에 대한 평가는 책, 교육 지침서, 필름, 테이프, 그리고 다른 구체적인 교수 산출물을 비롯하여 내용 관련 물리적 자료의 장점 또는 가치를 사정하는 평가이다.

산출물 평가에서의 특징적인 사실은 인사 평가(personnel evaluation)를 다른 범주와 분리시켰다는 점이다. 실제로 인사 평가를 산출물 평가와 분리시킬 만한 차이를 찾아내기는 힘들다. 평가자가 아무리 자신들이 내리는 평가가 사람에 대한 평가가 아니라, 단지 모형 프로그램이 잘 수행되고 있는지 여부를 알고 싶다며 산출물 평가와 인사 평가가 분리되어 있음을 주장해도 프로그램 또는 산출물의 개발 또는 성공 여부에 개인적으로 관여하기 마련이다. 따라서 이 실체를 만들고 유지하는 책임을 가진 사람은 당연히 평가 결과에 관심을 기울이게 된다. 실제로는 어떠한 정의적인 구분을 하고 싶은 것과는 무관하게, 프로그램 또는 산출물의 성공 여부로 그것을 제작한 사람의 유효성을 판단하는 경우가 적지 않다.

2) 평가의 모형

형성 평가나 총괄 평가는 어떤 교육 상황에나 유연하게 적용될 수 있다는 특징을 갖췄다. 그러나 보다 구체적인 상황에 적용 가능한 평가 방법이 제안되어야 할 필요가 있다. 평가는 그것이 근거하고 있는 철학이나 기본 가정, 평가를 보는 시각에 따라 그 과정이나 결과가 상이하게 나타날 수 있기 때문이다. 따라서 다양한 프로그램 평가에 대해 개괄적으로 알아볼 필요가 있다. 우선 프로그램 평가의 일반 모형 중 기업 교육 평가에서 많이 활용되어 온 Kirkpatrick의 4수준 평가 모형과 Phillips의 ROI 과정 모형을 중심으로 살펴보고자 한다.

(1) Kirkpatrick의 4수준 평가 모형

조직의 학습자를 대상으로 교육 훈련을 실시한 결과로 어떤 효과를 얻었는지를 판단하는 일은 학습자와 조직 모두의 입장에서 매우 중요한 사안이다. 기업 교육 평가에 있어서 많이 활용되어 온 Kirkpatrick의 4수준 평가 모형은 많은 학자들과 실천가들에게 단점을 지적받고 있음에도(Abemathy, 1997; Dick, 2002; Molenda, Pershing, & Reigeluth, 1996) 기업 교육 프로그램을 평가하는 대표적인 모형으로 인식되고 있다.

Kirkpatrick(1998)은 그의 모형에서 교육 훈련의 성과를 반응–학습–행동–결과의 4가지 수준에서 평가할 것을 제시했다.

- 제1 수준(반응): 교육 참가자의 프로그램에 대한 느낌이나 만족도
- 제2 수준(학습): 교육 훈련의 결과로 교육 참가자의 지식, 기능, 태도를 향상시킨 정도
- 제3 수준(행동): on-the-job 행동이 변화되고 학습된 기능이 현업에 전이

되는 정도

- 제4 수준(결과): 교육 참가로 인해 발생한 최종의 조직 또는 경영 성과

① 제1 수준 평가: 반응(Reaction)

제1 수준에서 이루어지는 반응 평가는 현재 대학이나 기업 교육의 현장에서 강의 평가 또는 과정 정리를 위해 조사되는 '반응도 평가'이다. 이는 교육의 효과 또는 성과를 판단하기보다는 교육의 과정과 운영상의 문제점을 수정, 보완하여 교육의 질을 향상시키는 데 그 목적이 있어 총괄적인 측면의 평가라기보다는 형성적 측면의 평가라 할 수 있다.

제1 수준 평가에서는 프로그램, 시설, 교수 방법, 전달 매체, 교육 내용 등에 대한 만족도나 의견, 건의 사항 등과 같은 교육 훈련 프로그램 전반에 걸친 학습자의 반응에 대한 정보를 수집하여 종합적으로 분석하고 평가하는 활동이 이루어진다. 간단히 말해, 학습자의 반응을 확인하는 과정이라 할 수 있다. 따라서 이 수준에서는 해당 프로그램에 만족을 느끼는 소수로부터 정보를 얻는 것이 아니라 모든 참여자로부터 반응을 수집해야 한다.

제1 수준의 평가는 가장 빈번하게 사용된다. 그러나 그것이 프로그램 개선에 효과적인 방법이 아닐 수 있으며, 생길 수 있는 문제의 증거를 제시하기는 하지만 구체적으로 무엇이 문제이고 그것을 어떻게 고칠 수 있는지에 대한 정보를 제공하지 못한다. 주로 설문 조사나 질문지, 인터뷰, 관찰 등의 방법을 활용하여 이루어지는 반응 평가는 참여자의 반응이 양적으로 표시될 수 있도록 구성하는 것이 좋다. 이와 관련하여 질문지법이 많이 활용되고 있으며, 이는 궁극적으로 프로그램의 수정 및 보완을 목적으로 한다.

제1 수준에서 참여 학습자의 만족도를 측정할 때 단순히 반응에 대한 자료를 얻는 것도 중요하지만, 그중에서도 긍정적 반응이 어느 정도인지를 파악하는 것이 중요하다. 긍정적 반응이 다수일 때, 현재 프로그램에 참여한 학습

자들이 이를 계속 활용할 수 있음은 물론 새로운 대상 학습자들을 이끌 수 있다. 따라서 긍정적 반응이 많을수록 프로그램이 계속 진행될 확률이 높아지는 것이다. 비록 긍정적 반응이 학습을 보장하는 것은 아니지만, 부정적 반응은 학습이 일어날 가능성을 감소시킨다는 점에서 확실하다(Kirkpatrick, 1998).

② 제2 수준 평가: 학습(Learning)

제2 수준의 평가인 학습 평가는 학습자가 지식, 기능, 태도와 관련된 학습 목표를 달성한 정도를 확인하는 평가이다. 따라서 이를 '학업 성취도 평가'라고도 한다. 학습 평가는 프로그램이 끝난 후에 전체적 교육 효과를 목표 달성을 중심으로 평가하기 때문에 보다 총괄적인 평가의 의미를 가진다. 이 수준의 평가는 일반적으로 학교 교육과 기업 교육에서 이루어지는 학습자 평가에 많이 활용된다.

참여 학습자가 프로그램에서 제시된 지식, 기능, 태도의 학습 목표 달성 여부를 확인할 수 있는 기회를 제공하고 이를 바탕으로 프로그램의 효과성과 유효성을 판단한다. 즉 학습자의 학업 성취도를 평가하여 사전에 설정했던 학습 목표가 달성되었는지 여부를 확인하는 것이다. 예를 들어, 학습 평가를 실시하면 프로그램을 통해 기대했던 참여 학습자의 태도 변화, 기능 개선의 정도, 지식 획득의 달성 정도를 확인할 수 있다.

이 수준의 평가는 전통적 평가가 측정해 왔던 형태로 이루어진다. 평가 방법은 각 영역에 따라 다르다. 인지적 영역은 지필 검사와 사례 연구로, 정의적 영역은 지필 검사, 사례 연구, 역할 연기, 시뮬레이션, 동료 평가로, 신체적 영역은 실기 검사, 역할 연기, 시뮬레이션 기법을 통해 평가 자료를 수집한다. 만약 평가 후에 의도한 학습이 일어나지 않은 것으로 확인되면, 이를 달성하기 위한 추가 지도와 안내를 제공하기도 한다.

평가의 시기를 사전, 사후, 사전과 사후 등으로 구분하여 자료를 수집할 수 있다. 따라서 이 같은 시기적 구분을 통해 수집이 가능한 기초 자료 및 정보를 충분히 확보하는 데 주의를 기울여야 한다. 학습 평가를 위한 문항 개발은 학습 목표를 통해 이루어져야 하므로 학습 목표를 최대한 구체적이고 명확하게 진술해야 한다. 더불어 학습 목표의 유형과 난이도에 따라 다양한 형태의 평가 유형을 고려할 수 있다.

③ 제3 수준 평가: 행동(Behavior)

제3 수준인 행동 평가는 교육을 통해 습득한 지식, 기능, 태도가 현업에 얼마나 활용되는지를 평가하는 것이다. 따라서 이 평가를 '현업 적용도 평가'라고 한다. 이 수준의 평가는 현업에 학습의 전이가 이루어졌는가를 평가의 목적으로 하기 때문에 직무 환경의 영향을 많이 받는다는 점을 반영하여 학습자 외에 직장 동료나 상사로부터 수집된 자료가 활용된다는 특징이 있다.

총괄적 평가의 의미를 갖는 제3 수준 평가에서는 궁극적으로 학습을 통해 습득한 지식, 기능을 얼마나 실제 현장에 적용할 수 있는지, 학습한 내용을 실제 활용 가능한 현장에서 행동으로 나타낼 수 있는지, 그리고 행동의 변화가 일어났는지의 정도에 대한 평가가 이루어진다. 즉, 교육과정을 통해 습득한 지식, 기능, 태도를 실제 자신이 필요한 상황에 얼마나 전이하고 적용할 수 있는지에 대한 현업 용도를 평가하는 것이다.

이 수준의 평가 방법으로 설문 조사나 관찰, 인터뷰, 질문지, 자기 보고서 등이 활용되며 현장 평가의 성격이 강한 만큼 대상 학습자의 행동 변화는 물론 행동 변화가 나타나는 환경의 영향까지를 함께 평가해야 한다. 일부 평가자는 앞선 1, 2수준의 평가를 하지 않고 행동의 변화를 보고자 곧바로 3수준 평가를 하고자 하는 경우가 있으나 이는 매우 성급한 판단이다. 만약 행동의 변화가 발견되지 않았을 경우 프로그램이 비효과적이라고 결론짓게 되는

데, 1수준에서 우호적인 반응을 보이고, 2수준에서 학습 목표가 달성되었다는 평가 결과가 나왔다면, 성급하게 3수준만 보고 내린 결론은 부정확한 것이 될 수도 있기 때문이다. 따라서 비록 가시적인 행동의 변화가 일어나지 않는다 해도 1, 2수준의 평가는 중요하다고 할 수 있다.

이와 관련하여, 프로그램 활용 결과로 나타나는 참여 학습자의 행동 변화를 위해서는 충족되어야 할 다음과 같은 4가지 조건이 필요하다는 점을 기억해야 한다.

첫째, 학습자는 변화하고자 하는 욕망(desire)을 가지고 있어야 한다.

둘째, 학습자가 무엇을 해야 할지, 어떻게 해야 할지를 알아야 한다.

셋째, 학습자가 올바른 분위기(climate)에서 학습 또는 주어진 과제를 해결할 수 있어야 한다.

넷째, 변화에 대한 보상(reward)을 받아야 한다(Kirkpatrick, 1998).

④ 제4 수준 평가: 결과(Result)

제4 수준의 평가는 결과 평가로 교육 훈련의 조직 전체, 즉 경영 성과에 기여한 정도를 평가하는 것이며 교육 '투자 회수 효과(Return On Investment: ROI)'라고도 한다. 이 역시 매우 총괄적인 성격을 갖는 평가로, 교육의 성과를 비용 효과 분석과 비용 수익 분석으로 측정하기 때문에 교육 훈련의 정당성과 유용성을 입증하는 데 유용하다. 그러나 방법상 한계가 있다는 제한점이 있다.

결과 평가에서는 프로그램을 활용한 교육 훈련을 통해 습득한 학습 내용이 실제 상황에 적용되고 활용되는 과정에서 조직에 어떠한 결과를 가져왔는지를 확인하게 된다. 제3 수준의 행동 평가가 학습자 개인 차원에서 이루어지는 평가라면, 제4 수준의 결과 평가는 조직에 대한 프로그램의 기여도를 평가한다고 할 수 있다. 따라서 결과 평가에서는 교육에 투자한 경비에 비해 교육의 결과로서 얻게 된 수익이 어느 정도인지를 나타내는 투자 회수 효과(ROI)를 활용한다.

그러나 정작 ROI 계산이 교육 외적 요인의 영향을 받는, 즉 비용이 드는 작업이기 때문에 3수준 평가 결과를 토대로 조직에 미친 결과에 대한 평가를 유추하는 성격을 지니기도 한다. 4수준의 평가는 조직 차원 평가의 성격을 띠는 만큼 학교 환경에서 이루어지는 교육 활동 결과에 대한 평가보다는 기업 환경에서 이루어지는 교육 훈련 활동 결과에 대한 비용 효과성을 평가하는 방법으로 활용가치가 높다고 할 수 있다. 특히 어떤 활동을 통한 결과나 성과가 중요한 기업 풍토에서는 4수준 평가에 대한 관심이 날로 고조되고 있는 상황이다. 뿐만 아니라 4수준 중심의 평가가 단독으로 수행되는 경우도 있다. 그리고 조직은 4수준 평가의 결과에 따라 특정 프로그램의 지속적 사용 여부를 결정하게 된다.

다음 표는 Kirkpatrick의 4수준을 평가 목적, 평가 시기, 평가 기능, 평가 대상, 평가 방법의 측면에서 비교해 본 것이다. Kirkpatrick의 평가 모형은 기업 교육을 위해 개발된 프로그램 평가에 쉽게 활용될 수 있을 정도로 각 단계가 논리적이고 적용이 가능하다는 점에서 그 장점을 인정받고 있다. 그러나 이 모형에서 제시하고 있는 평가의 단계를 너무 단순하게 실제 적용 시 평가자의 시각에 따라 예상치 못한 평가 결과가 나오거나 교육 투자에 대한 효과를 비용으로 환산하는 구체적 방법을 제시하지 못했다는 한계를 지적받고 있다. 따라서 4수준 평가 모형은 후에 Kaufman의 5수준 평가와 Phillips(1997)의 5수준 평가로 보완되었다.

Kirkpatrick의 4수준 평가 모형

구분 / 수준	제1 수준(반응)	제2 수준(학습)	제3 수준(행동)	제4 수준(결과)
평가 목적	• 반응도 평가 • 프로그램 개선	• 목표 달성도 • 효과성 판단	• 현업 적용도 • 학습 전이도 및 근무 조건 판단	• 경영성과 기여도 • 교육 투자 가치 확보
평가 시기	교육(중)후	교육 전 · 중 · 직후	교육 종료 3~6개월 후	교육 종료 6~12개월 후
평가 기능	형성적(총괄적)	총괄적(형성적)	총괄적(형성적)	총괄적(형성적)
평가 대상	• 학습자 • 강사 • 연수 진행자 • 교육 프로그램	• 학습자의 지식, 기능, 태도 습득 정도	• 근무 조건 • 적용된 지식, 기능, 태도	• 경영 성과 중에서 교육이 기여한 부분
평가 방법	• 설문지 • 면접 • 관찰	• 설문지 • 필기 시험 • 사례 연구 • 역할 연기	• 설문지 • 관찰 • 인터뷰	• ROI • 설문지 • 인터뷰

(2) Phillips의 ROI 과정 모형

Phillips의 ROI(Return On Investment)는 투자 회수 효과라고도 한다. 이는 Kirkpatrick의 모형의 단점으로 지적된 부분을 보완한 모형으로, Kirkpatrick의 4수준을 절차적으로 수용하는 동시에, 마지막 단계에 프로그램에의 투자 회수 효과에 대한 평가를 추가하여 5수준 평가 모형으로 불린다(Phillips, 1997; Phillips & Stone, 2002).

ROI 과정 모형은 프로그램에 대한 투자 회수 효과의 평가를 주 목적으로 한다. 투자 회수 효과에 대한 평가를 위해서는 다음 그림과 같이 자료 수집, 프로그램 효과 분리, 금전적 가치 환산, 프로그램 비용 산출, ROI 계산, 비금전적 수익 파악 등의 절차를 따른다.

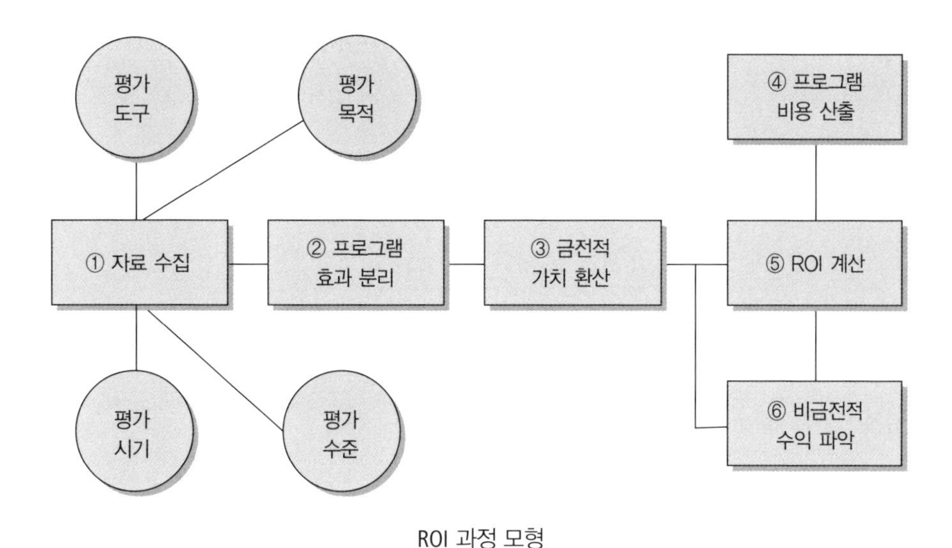

ROI 과정 모형

① 자료 수집

자료 수집 단계에서는 산출물, 품질, 비용, 시간 등과 관련된 경성 자료(hard data)와 작업 습관, 작업 풍토, 태도 등과 관련된 연성 자료(soft data)를 수집한다. 이와 관련하여 사후 조사, 사후 설문지, 현장 관찰, 프로그램 후 인터뷰, 포커스 집단(focus group), 프로그램 숙제, 실천 계획(action plan), 퍼포먼스 계약, 사후 모임, 퍼포먼스 점검 등의 다양한 자료 수집 방법이 활용된다.

② 프로그램 효과 분리

프로그램의 효과 분리는 교육 훈련의 효과를 분리하는 과정이다. 다른 말로, 평가 설계 또는 연구 설계로 불린다. 이 단계에서는 프로그램과 직접적으로 관련된 산출 퍼포먼스(output performance)의 양을 결정하는 구체적인 전략을 탐구한다. 프로그램 효과 분리를 위해서는 통제 집단(control group) 사용, 경향선 활용, 예측 모형 활용, 참가자의 추정, 참가자 직속 상관의 추정, 고위 경영층의 추정, 전문가의 추정, 참가자 부하들의 확인, 고객의 의견, 그리고 여타의 모든 영향 요인을 제거하는 방법 등의 전략이 활용된다.

③ 금전적 가치 환산

4수준의 평가에서 수집된 자료는 금전적 가치로 환산되어 프로그램의 비용과 비교되는데 그것이 금전적 가치 환산이다. 이 단계에서는 산출물 자료의 순익 공헌(또는 비용 절감)으로 전환, 품질 비용 계산과 품질 개선의 비용 절감으로 전환, 종업원의 시간 절감을 임금과 복리 후생으로 계산, 과거 비용의 활용, 내부와 외부 전문가의 활용, 외부 데이터베이스, 참가자의 추정, 참가자 직속 상관의 추정, 고위 경영층의 추정, HRD 직원의 추정 등의 방법이 활용된다.

④ 프로그램 비용 산출

프로그램 비용 산출 단계에서는 프로그램의 비용과 관련된 모든 항목을 계산한다. 비용 항목에는 설계 및 개발 비용, 재료 비용, 강사 및 촉진자 비용, 시설 비용, 참가자의 출장비, 참가자의 급여와 복리후생비 해당 부분, 기타 행정 비용과 경상비 등이 포함된다.

⑤ ROI 계산

ROI 계산 단계에서는 관련 공식을 이용하여 비용 수익 분석과 투자 회수 효과를 계산한다.

⑥ 비금전적 수익 파악

프로그램과 관련된 이익에는 눈에 보이지 않는 비금전적 수익이 있다. 예를 들어, 증가된 직무 만족도, 증가된 조직 공헌도, 향상된 팀워크, 향상된 고객 서비스, 줄어든 불평과 갈등 등이 그것이다.

모든 경성 자료는 금전적 가치로 환산되고, 연성 자료에 대해서도 환산을 시도한다. 그러나 그것을 환산하는 과정이 너무 주관적이거나 부정확해서 그 결과의 가치가 신뢰성을 잃게 된다면, 이 자료는 적절한 설명과 함께 비금전적 수익으로 분류된다. 프로그램에 따라서는 이렇게 분류된 비금전적 수익이 경성 자료(hard data) 정도의 이익을 가져올 정도로 매우 중요하다.

앞에 제시한 ROI 과정 모형 그림은 프로그램의 ROI를 산정하는 복잡한 과정을 단순하게 모형화한 것이다. 이는 논리적이고 체계적인 접근법을 활용하고 있으며(Phillips, 1997), 필요한 절차를 단계별로 제시하여 문제를 순차적으로 처리할 수 있도록 지원한다. 어느 환경에서나 비용 효과와 투자에 상응하는 대가를 기대하는 것은 중요한 문제이나, 특히 기업 교육 환경에서는 프로그램의 목적이 투자에 대한 회수의 정도를 판단하는 것과 직결된다고 할 수 있다. 결국 ROI 모형은 Kirkpatrick의 4수준 평가 모형을 근거로 프로그램의 효과성과 효율성을 추구하는 기업환경에 적극 활용할 수 있도록 고안되어 그 실용성을 높이고, 교육 활동의 경제적 성과를 중점적으로 발전시킨다는 점에서 의의를 인정받고 있다.

Phillips와 그의 동료는 보다 실질적인 교육 훈련의 효과 측정을 위해 기존 모형을 10단계로 확장하고 있다. 더불어 결과 기반의 접근법을 활용하며 퍼포먼스 분석과 ROI 과정을 연결함으로써 교육 훈련의 목표와 조직 목표와의 연계를 꾀하고 있다(Phillips & Stone, 2002).

CHAPTER

14 교수 매체

1) 교수 매체의 정의

일반적으로 매체(media)는 그 매체가 사용되는 목적이나 형태에 따라 대중 매체(mass media), 다중 매체(multimedia), 교수 매체(instructional media) 등으로 나눌 수 있다. 이중 대중 매체는 많은 사람에게 정보와 지식을 전달하는 매체라 할 수 있다. 예를 들어, 신문이나 라디오와 TV 방송, 영화, 출판 등이다. 다중 매체는 문자(text)와 그림, 사운드나 동영상 등이 동시에 활용되는 혼합 매체(mixed media)의 성격을 띠며, 컴퓨터와 정보 통신 기술의 발달에 힘입어 그 활용도가 높아지고 있는 추세이다. 마지막으로 교수 매체는 보다 효과적인 수업을 위해 활용되는 시청각 기자재 및 수업 자료의 통칭이라 할 수 있다.

'media'는 원래 라틴어로 영어에서의 'between(중간물)' 정도에 해당하는 의미를 가진다. 즉, 매체는 두 개체의 중간에 위치하여 양자를 연결하는 중간 매개체의 역할을 하는 것이다. 양자의 중간물로서의 매체의 역할은 커뮤니케이션(communication) 모형을 통해 상세하게 설명될 수 있다. 이 모형에서 매체는 정보의 전달자(sender)와 수신자(receiver)의 중간에 위치하고 있다. 그리고 그 위치에서 정보의 전달 또는 의사소통이 원활히 이루어지도록 하는 통신 경로(channel)의 역할을 수행하게 된다. 이때 전달되는 정보의 양과 질은 통신 경로의 대역폭(bandwidth)의 크기에 따라 달라지는데, 경로의 대역폭이 클수록 더 다양하고 많은 양의 정보를 양방향으로 신속하고 정확하게 송수신할 수 있다. 이처럼 매체의 특성에 따라 전달할 수 있는 정보의 종류와 양이 달라진다는 것을 알 수 있다.

McLuhan은 모든 매체와 기술은 인간 능력의 확장과 관계있다고 생각했다. 예를 들어 망원경은 눈의 확장이며 자동차는 발의 확장으로 보았다. 이러한 관점에서 교수 매체는 교사의 인간적 능력의 확장으로, 교사가 인간으로서 가지고 있는 제한된 능력을 매체를 통해 확장시킴으로써 학생과의 의사소통을 지원하는 역할을 한다고 할 수 있다.

다른 관점인 정보 전달 수단으로서의 교수 매체는 기술의 발달과 함께 변화와 발전을 지속적으로 이루어 나가고 있으며, 교사의 수업 능력과 교육 방법의 지평을 확장하는 것을 지원하고 있다.

또한 매체는 인간 감각기관의 확장으로도 볼 수 있다. 매체는 전달하려는 메시지와는 별도로 인식하는 방식에 영향을 미치는데, 이는 같은 내용의 메시지라 하더라도 면대면 대화, 신문 기사, 라디오나 TV 방송 등 메시지의 전달 형식이 달라지면 전달되는 의미도 달라지는 예에 잘 나타난다. 이렇게 메시지가 각기 다른 매체로 제시되면 이를 통해 전달되는 메시지의 의미도 달라지고 나아가 수용자가 인식하는 방식도 달라진다.

"매체는 곧 메시지다(The medium is the message)"라는 말이 있는데, 궁극적으로 이는 메시지가 매체의 성격과 분리될 수 없다는 뜻으로 해석할 수 있다. 따라서 교사가 수업을 위해 선정하고 사용하는 교수 매체의 종류에 따라 학생에게 전달되는 메시지의 의미가 달라질 수 있으므로, 교사는 전달하고자 하는 메시지를 명확하게 잘 전달할 수 있는 매체를 선택하여 사용하는 데 주의를 기울여야 한다.

교수 매체는 교사가 효과적이고 효율적인 수업 지도를 위해 사용하는 시청각 기자재이다. 칠판, 모형, 실물, 융판, 차트, 게시판, 사진, 녹음테이프, 영화, 필름스크립, TV, 라디오, OHP, 슬라이드, 컴퓨터, 전자 교탁, 전자 칠판, 태블릿 PC, PDA, UMPC, PMP와 같은 대중 전달 매체도 특정한 수업 목표를 달성하기 위한 내용을 전달하는 데 사용되면 교수 매체가 된다. 기술의 발전과 더불어 매체의 정의 또한 단순히 TV, OHP나 컴퓨터와 같은 하드웨어의 개념에서 벗어나 수업 효과를 높이기 위해 사용되는 제반 활동 과정과 관련하여 인식되고 있다. 교수 매체는 교수자가 설정한 수업 목표가 효과적 · 효율적 · 매력적이며 안전한 방법으로 달성될 수 있도록 하기 위해 사용되는 다양한 형태의 매개 수단 또는 제반 체제라고 정의할 수 있다.

교수 매체의 변화와 발전은 교육공학 분야의 발달 과정과 맥을 같이한다. 미국의 경우, 1900년대 초 학교와 박물관 등을 중심으로 시작된 시각 중심의 교육은 1932년에 시각교육부(Department of Visual Instruction: DVI)의 창설에 이르렀으며, 1947년에는 시청각을 활용하는 교육을 위해 시청각교육부(Department of Audio-Visual Instruction: DAVI)로 명칭이 변경되었으며, 1970년에는 컴퓨터와 같은 디지털 매체를 활용하는 교육공학회(Association for Educational Communications & Technology: AECT)로 발전했다.

교육공학 분야의 전문 학술지의 명칭도 기술의 발전에 따른 시대적 요구와 변화에 따라 'Audio Visual Communication Review'(1953~1977)에서 'Educational Communication & Technology'와 'Journal of Instructional Development'(1978~1988)로 바뀌었다가 다시 'Educational Technology Research and Development'(ETR & D: 1989~)로 발전적이고 포괄적인 명칭으로 바뀌었다.

이와 같이 매체와 관련된 분야는 시각(visual) 매체에서 시청각(audio visual) 매체로 발전했고, 통신(communication)과 기술(technology)의 발달로 인해 컴퓨터와 같은 디지털 매체(digital media)나 복합적인 형태의 새로운 매체(new media)를 활용하는 쪽으로 발전했다. 기존의 다양한 형태의 아날로그형 매체는 디지털형의 매체로 대체 · 변환 또는 통합(fusion)해 가면서 컴퓨터를 중심으로 하는 혼합 형태의 새로운 교수 매체의 활용이 이루어지고 있다.

교수 매체 분야는 교육 현장에서 효과적이고 효율적인 매체 선정(media selection)의 문제, 매체 간 수업 효과 비교를 통한 매체의 특성 및 속성에 관한 논쟁 그리고 매체를 중심으로 한 교육 환경의 변화로 인한 교사의 역할 변화 등에 관한 많은 연구와 논의를 통해 발전하고 있다.

2) 교수 매체와 커뮤니케이션 모형

우리는 일상생활에서 다양한 커뮤니케이션을 통해 정보를 주고받는다. 교사의 수업 과정은 일반 의사소통(communication) 과정과 매우 유사하다. 여기서 교사는 정보 및 메시지를 보내는 송신자 역할을 하고, 학생은 교사가 보낸 정보 및 메시지를 받는 수신자 역할을 하는 것이다. 이러한 상황에서 교수 매체는 교사와 학생의 중간에 위치하여 교사가 전달하고자 하는 메시지를 학생에게 전달하는 수단 또는 통로(channel)의 역할을 수행하게 된다.

전통적인 의미의 수업은 교사의 지식이 의사소통 과정을 통해 학생에게 일방적으로 전달되는 과정으로 간주된다. 그러한 과정에서 교수 매체는 지식의 전달이 잘 일어나도록 돕는 중간 도구라 할 수 있다.

이와 달리, 현대적인 의미에서의 교수 매체는 교사와 학생 사이의 의사소통이 양방향으로 이루어지도록 융통성 있고, 다양한 정보를 동시에 전달할 수 있는 대역폭을 갖춰야 한다. 이렇게 커뮤니케이션 모형은 교사와 학생 간에 발생하는 지식의 전달 과정을 설명하기 위해 자주 인용되었다. 대표적인 커뮤니케이션 모형으로는 벌로(Berlo)의 SMCR 모형, 쉐넌(Schannon)과 쉬람(Schramm)의 모형이 있다.

(1) 벌로의 SMCR 모형

벌로(Berlo)는 커뮤니케이션 과정에서 필요한 요소를 송신자(S), 메시지(M), 경로(C)와 수신자(R)의 4개로 구분했다. 그는 각 요소를 구성하는 하부 요소를 5개씩 나열하고, 각 요소가 역동적으로 상호작용하며 메시지를 전달하는 과정을 제시했는데, 이것이 벌로의 SMCR 모형이다. 송신자가 전달하려고 의도하는 메시지(m)는 내용과 요소, 처리 구조 및 코드 등의 형태로 시각, 청각, 촉각, 후각, 미각 등의 경로를 통해 수신자에게 전달되는 것이다. 이때 수신자에게 전달된 메시지(m′)가 본래 송신자가 보내고자 했던 메시지와 동일할 수도 있다(m=m′). 그러나 대부분의 경우 송신자와 수신자는 각자 가지고 있는 의사소통 기술과 태도, 지식 수준, 속해 있는 사회 체계와 문화 양식과 같은 다양한 요인의 영향을 받아 초기에 송신자가 의도한 메시지와 수신자가 받아들인 메시지는 완전하게 일치하지 않는다(m≒m′).

벌로의 모형은 시각, 청각 등과 같은 의사소통 경로(C)보다는 송신자(S)와 수신자(R)의 의사소통 기술, 태도, 지식 수준, 사회 체계, 문화 양식과 메시지(M)의 내용, 요소, 처리, 구조 및 코드 등에 따라 메시지의 전달 정도가 달라질 수 있다는 점에 중점을 두고 있다. 이는 곧 메시지는 송신자와 수신자의 고유한 특성에 따른 주관적 요소의 영향을 많이 받으며, 송신자의 메시지를 담아 수신자에게 전달하는 매체는 비교적 중립적이고 객관적인 도구로 해석될 수 있다.

또한 이 모형은 기존 교수 활동에 대한 연구가 매체를 중심으로 한 시청각 위주의 관점에서 벗어나 의사소통에 영향을 주는 교사와 학생의 특성을 포괄하는 전체적인 관점에서 분석하는 계기를 마련했다는 평가를 받고 있다.

벌로의 SMCR 모형

Sender(송신자)	Message(전달 내용)	Channel(통신 경로)	Receiver(수신자)
통신 기술 태도 지식 수준 사회 체계 문화 양식	내용 요소 처리 구조 코드	시각 청각 촉각 후각 미각	통신 기술 태도 지식 수준 사회 체계 문화 양식

(2) 쉐넌과 쉬람의 모형

쉐넌(Schannon)과 쉬람(Schramm)의 모형은 컴퓨터 통신에서 MODEM(변복조 장치)을 사용하여 정보를 송·수신하는 과정과 흡사하다. 우선 정보를 보내는 쪽의 컴퓨터(sender, 송신자)는 디지털 신호를 아날로그 신호로 변환(encoding, 부호화)하고, 전화선과 같은 통신 경로를 이용하여 변환된 신호를 전달한다. 그러면 받는 쪽의 컴퓨터(receiver, 수신자)는 받아들인 아날로그 신호를 다시 디지털 신호로 복원(decoding, 해독)하여 보내는 쪽의 정보를 원활하게 이해하게 되는 것이다. 그러나 이 과정에서 송신자가 보내는 정보를 수신자가 완전하게 전달하는 것을 방해하는 요인이 있다. 그것이 바로 감쇠, 왜곡, 간섭, 누화, 잡음(noise) 등과 같은 열화(劣化) 요인이다. 이러한 문제 때문에 송신자가 보내는 정보가 수신자가 받은 정보와 일치하는지 수시로 확인하고 재전송하는 과정(feedback)을 거치게 되는 것이다.

쉐넌과 쉬람의 커뮤니케이션 모형은 송신자(sender; source)가 보낸 메시지가 통신 경로를 통해 수신자(receiver; destination)에게 전달되고, 그 과정을 부호화와 해독(encoding · decoding), 경험의 장(field of experience), 잡음(noise), 피드백(feedback)과 같은 개념을 사용하여 설명한 모델이다.

또한 벌로 모형에서 주장한 송신자와 수신자의 태도나 지식 수준, 사회 체계 및 문화 양식의 유사성 정도에 따라 메시지의 전달 정도가 좌우된다는 점은, 이 모형이 송신자와 수신자가 통신 경로(감각기관)까지를 포함한 공통된 경험의 장(場)이 많을수록 의사소통이 잘 된다는 점을 강조한 점과 매우 유사하다고 할 수 있다.

즉, 어느 모형에서나 메시지 송신자와 수신자의 공감대 형성이 커뮤니케이션을 성공으로 이끄는 관건으로 주목받고 있는 것이다. 따라서 교사와 학생이 공통으로 경험하는 장 또는 공감대의 형성이 많을수록 더불어 교사와 학생의 의사소통을 방해하는 여러 형태의 잡음이 적을수록 수업은 더욱 효과적일 수 있다.

교사와 학생 간의 공통된 경험 부족이나 의사소통 과정에서 생기는 잡음 때문에 생길 수 있는 메시지 전달의 불완전성을 극복하기 위해서는 반복적인 피드백 과정이 필요하다. 일반적인 교실 수업에서 수업 과정에서의 의사소통을 방해하는 요인은 주변 소음, 조명, 온도 등의 물리적 요소를 들 수 있으나, 이 모형에서는 그 밖의 송신자와 수신자의 경험의 장이 일치하지 않는 데서 생길 수 있는 편견이나 오해와 같은 정신적 · 심리적 · 생리적 제반 요인을 포함한다.

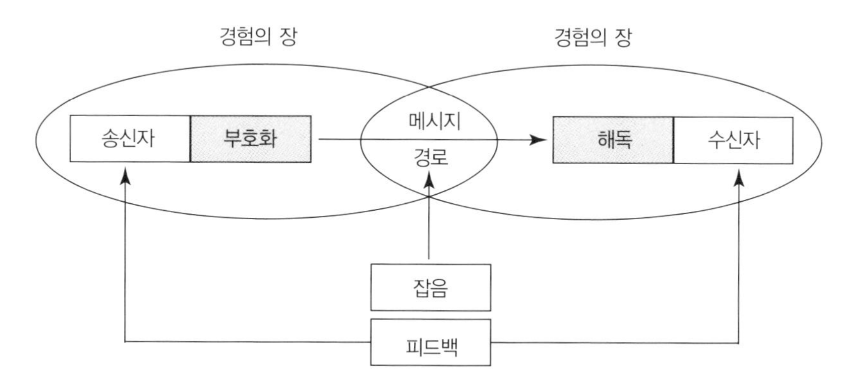

쉐넌과 쉬람의 커뮤니케이션 과정 모형

3) 교수 매체 관련 이론

(1) 호반의 시각 자료 분류

호반(Hoban, 1937)은 시청각 자료는 그것이 보여 주는 사실성에 따라 그 가치가 정해진다고 주장했다. 또한 그는 추상적인 내용을 사실적이고 구체적으로 제시하여 학생들의 이해를 돕기 위해 교육과정을 시각화(visualizing curriculum)해야 한다고 제안했다. 호반은 시각 자료를 가장 구체적인 매체로 보고, 언어를 가장 추상적인 매체로 보았다.

그러나 그의 모형을 어느 매체가 구체적인지, 추상적인지를 판단하는 절대적인 기준으로 삼기보다는, 어느 정도의 구체성과 추상성을 동시에 갖춘 상대적인 관점에서 보는 것이 바람직하다. 예를 들어 모형을 호반의 모형에서 찾아보았을 때, 그 매체는 구체적인 매체로서의 측면이 상대적으로 추상적인 측면보다 더 강하다고 판단할 수 있는 것이다.

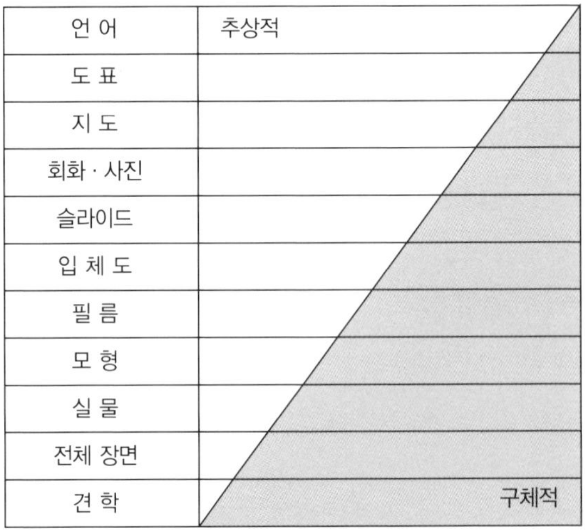

언 어	추상적
도 표	
지 도	
회화 · 사진	
슬라이드	
입 체 도	
필 름	
모 형	
실 물	
전체 장면	
견 학	구체적

호반의 시각 자료 분류

(2) 데일의 경험의 원추에 의한 매체의 분류

데일(Dale, 1969)의 '경험의 원추(Cone of Experience)' 모형은 호반이 제시한 모형의 발전된 형태이다. 그는 학습 경험을 학습자가 목적 의식을 가지고 실제로 경험해 보는 단계, 시청각 매체를 통해 간접적으로 경험해 보는 단계, 언어와 시각 기호를 관찰하고 사용하는 것을 통한 학습이라는 3가지 단계로 구분했다. 그리고 각 단계에 해당하는 매체를 구체적인 것부터 추상적인 것의 순서로 원추 형태의 틀 안에 위계적으로 배열했으며, 이를 바탕으로 많은 구체적 경험은 추상적 경험을 학습하는 데 도움이 된다고 주장했다.

데일의 모형은 후에 브루너(Bruner, 1966)가 수업 활동을 행동적 · 영상적 · 상징적이라는 3단계로 나누어 제시한 이론과 결합하여 새로운 모형으로 발전했다. 그리고 직접적 경험은 행동적 단계와, 매체를 통한 간접적 경험은 영상적 단계와, 언어와 시각 기호를 통한 학습은 추상적이고 상징적 단계와 연결하여 설명되었다.

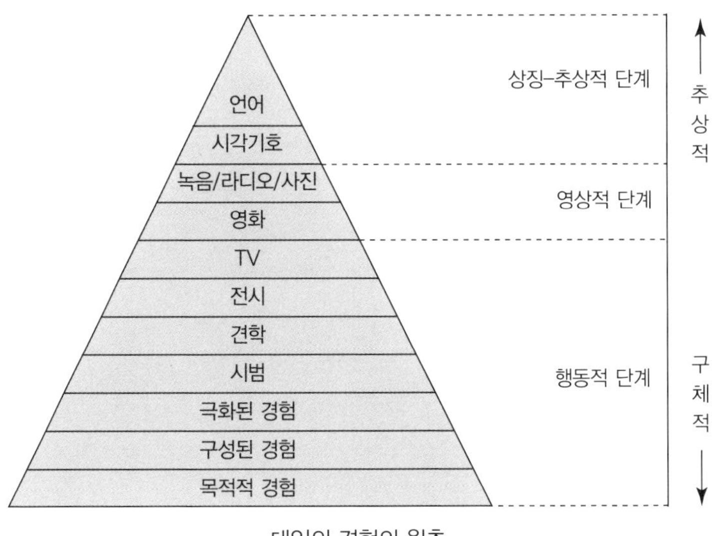

데일의 경험의 원추

이 같은 원리를 교수 매체의 적용에 도입하면 수업의 효과를 높일 수 있다. 즉, 교수 매체 활용에 있어서 구체성이 높은 매체를 먼저 사용하고, 점차 더 추상적인 매체를 활용한다면 수업의 효과를 높여 나갈 수 있기 때문이다. 특히 인지적으로 발달이 충분히 이루어지지 않은 어린이들에게는 구체적인 매체의 활용이 더 바람직하고, 학습자의 성숙도에 따라 점차 더 추상적인 매체를 활용하는 것이 바람직하다는 시사점을 얻을 수 있다.

4) 매체 활용의 ASSURE 모형

매체의 종류와 그 특징에 대해 아는 것은 매우 중요하다. 그러나 이러한 매체를 실제 교육 상황에서 어떻게 효과적으로 활용할지에 대해 이해하고 그것을 실천해야만 실제적으로 매체 활용의 효과를 높일 수 있다. 이렇게 효과적인 매체 활용을 위해 고안된 대표적인 모형이 바로 ASSURE 모형과 SECTION 모형이다. 이중에서 ASSURE 모형에 대한 자세한 내용은 다음과 같다.

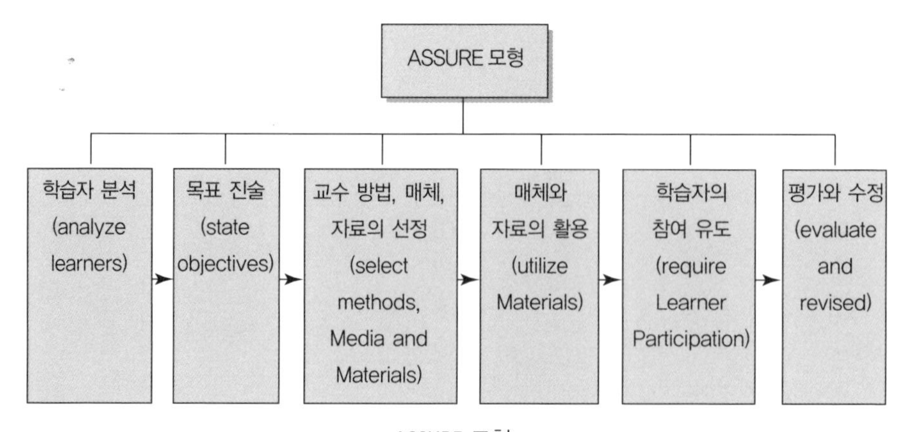

ASSURE 모형

ASSURE 모형은 Heinich와 그의 동료들이 1996년 고안해 낸 모형으로 효과적인 교수 매체 활용을 위해 고안되었다. 이 모형은 학습자 분석과 목표 진술, 교수 방법, 매체, 자료의 선정, 매체와 자료의 활용, 학습자의 참여 유도, 평가와 수정이라는 6단계로 구성되었다.

첫째, 학습자 분석(analyze learners) 단계에서는 연령, 학력, 직위, 사회, 문화, 경제적 요인과 같은 학습자의 일반적 특성, 새로운 학습 이전에 보유하고 있던 선수 지식, 기능, 태도 등의 학습자 출발점 능력, 학습 환경을 인지하고 적용하며 반응하는 것과 관련된 학습자 학습 양식을 고려한다.

둘째, 목표 진술(state objectives)은 학습자가 학습을 수행한 후 어떤 지점에 도착해야 하는지에 대한 목표를 나타내는 단계이다. 이는 인지적 영역, 정의적 영역, 운동적 기능 영역, 대인간 영역의 형태로 분류된다. Mager(1962)는 대상(audience), 행동(behavior), 조건(condition), 정도(degree)를 학습 목표를 진술하기 위한 4가지 구성요소로 보았는데 이를 'ABCD 원칙'이라고도 한다.

셋째, 교수 방법, 매체, 자료의 선정(select methods, media and materials) 단계에서는 교수 방법 선정, 교수 매체 선정, 교수 자료 선정과 같은 3단계를 밟게 된다.

넷째, 매체와 자료의 활용(utilize materials) 단계는 다시 다음에 제시되는 5단계로 구성된다. 5단계는 제시한 자료를 지정된 장소에서 사전에 시사하는 단계, 제시 순서를 정하여 리허설하는 단계, 수업의 주변 환경을 점검하는 단계, 학습자를 준비시키는 단계, 교수 자료를 제시하는 단계를 밟게 된다.

다섯째, 학습자의 참여 유도(require learner participation) 단계는 학습자의 능동적 참여가 효과적인 학습을 가능하게 하는 주요 요소임을 알고, 교수자가 끊임없이 학습자의 참여를 유도하도록 강조하는 단계이다.

여섯째, 평가와 수정(evaluate and revise) 단계에서는 학습 목표의 달성 여부와 교수 매체와 방법에 대한 평가가 이루어진다. 더불어 교수-학습 과정에 대한 평가를 지향하는 단계이다.

PART 5

교수-학습 방법 유형

CHAPTER

15 실기 교육 방법

1) 제시

제시는 정보 제공자가 다양한 방식으로 학습자들에게 정보를 전달하는 방법으로 구두 설명과 극화 등을 예로 들 수 있다. 그렇기 때문에 이는 정보 제공자가 주체가 되어 학습 과정을 통제하는 일방향적 교수 방법이라 할 수 있다.

여기서 정보 제공자는 일반적 교사 외에도 교과서, 오디오테이프, 비디오테이프, 영화 등이 될 수 있고, 이를 활용하여 교과서 읽기, 비디오 시청, 오디오 경청, 강의 참석 등의 방법으로 정보를 제시할 수 있다.

2) 시범

학습자들이 학습하게 될 기능이나 절차를 실제로 재연하여 학습하게 하는 방법이 시범이다. 매체를 통해 시범 보일 모습을 녹화하고 이를 재생하여 보여주는 방법으로 활용될 수 있다. 제시와 달리 이는 양방향 상호작용이나 교사의 피드백이 가능하며 부가적으로 연습이 필요한 경우, 교사의 직접 참여나 개인 지도가 이루어질 수 있다.

학습 목표가 자동차의 엔진 오일 갈아 넣기인 것과 같이 물리적 수행을 모방하는 경우나 역할 모델을 보고 그의 태도나 가치를 수용하는 것일 경우에 시범이 유용하게 활용될 수 있다. 또한 실험 과정을 보여 주는 경우에도 시범을 적용한다.

기업에서 경험을 갖춘 교육 담당자가 신입 사원에게 직무와 관련된 직업 현장 교육(on-the-job-training)을 실시하는 경우에도 일대일 시범이 활용될 수 있다. 이러한 일대일 시범 방법은 학습자의 궁금증을 신속하게 해결하고 에러나 잘못된 개념을 빨리 수정할 수 있다.

3) 토의법

토의법은 교사와 학습자 또는 학습자들끼리 서로의 의견과 아이디어를 교환하는 과정을 중심으로 하는 교수 방법으로 교수-학습 과정의 어떠한 단계에서나 활용이 가능하다.

토의법에는 소집단 또는 대집단 형태가 있으며 특히 교사가 처음 대면하는 학습자 집단을 대상으로 교수 목표를 설정할 때, 학생의 사전 지식이나 기능, 태도를 평가하기에 유용한 방법이다. 더불어 교사가 학습자와 학습 집단 간의 협력과 협력 학습을 촉진하기 위한 친밀한 관계를 형성하고자 할 때도 도움이 된다.

학습자 측면에서 토의는 그들의 호기심을 유발하거나 중요하게 여기는 문제에 초점을 맞추게 하여 발표를 도울 수 있다. 이러한 과정에서 비디오 시청과 같은 교수 매체는 토의를 위한 적절한 쟁점을 유발하기 위해 학습자들에게 공통의 경험을 제공하여 토의 활동을 더욱 원활하게 지원할 수 있다.

또한 자신의 의견을 발표하고 난 후, 포럼 형태의 질의응답을 하거나 학습자가 교수자의 수업 의도를 제대로 파악하고 있는지를 확인하는 데 토의가 필요하다. 특히 학습 내용을 이해하고 이를 학습자가 내면화하는 과정을 촉진하기 위해 토의는 유용하게 활용될 수 있다.

토의와 학습자 프로젝트는 교수의 효과성을 평가하는 기법이라 할 수 있다. 따라서 모든 연령대의 학습자들을 대상으로 활용될 수 있으나, 특히 서로의 경험을 공유할 수 있는 성인 학습자의 경우에 더 효과적이다.

(1) 토의와 토론의 차이점

토의는 여러 사람이 어떤 문제에 대해 참가자 전체의 의견을 모아 어떤 좋은 방안을 이끌어 내는 것을 목표로 한다. 좋은 의견을 모아서 정리하고 결정하는 것을 바탕에 두는 활동이다.

토론은 어떤 의견이나 제안에 대해, 반대자와 찬성자가 각각 의견을 말하고 상대방의 의견을 반박하며 자신의 주장이 옳음을 밝혀 나가는 것이다. 토론의 양쪽은 생각과 입장에서 서로 차이가 있어야 하며, 자신의 주장을 상대방이 받아들이도록 설득하는 과정에서 사실적인 의견에 바탕을 두어야 한다.

(2) 토의법 종류

① 원탁토의

원탁토의(round table discussion)란 토의의 가장 가본적인 형태로, 어떤 형식에 구애되지 않는다. 집단은 5~10명 정도의 소규모로 구성한다. 충분한 경험을 지닌 사회자와 기록자, 전문지식을 가진 청중 또는 관찰자와 함께 대화하는 비형식적 집단의 성격을 띤다. 참가자 전원이 상호 대등한 관계에서 정해진 주제에 대해 자유롭게 서로의 의견을 교환하는 좌담 형식으로 이루어진다.

② 패널토의

패널토의(panel discussion)는 특정 주제에 대해 상반되는 견해를 대표하는 배심원(panel)을 4~5명 정도 선정하여, 사회자의 안내로 토의를 진행하는 것이다. 배심원은 토의될 주제에 관심을 갖고 관련된 내용을 조사해야 하며, 필요한 경우에는 전문적인 연구도 해야 하지만 배심원이 반드시 관련 분야의 전문가일 필요는 없다. 사회자가 필요할 때는 청중을 논의에 참가시켜 질문이나 발언의 기회를 주기도 한다. 이견 조정 수단으로 의회나 일반 회의에 자주 사용되며, 시사 문제나 전문적인 문제 해결에 적합하다.

③ 버즈토의

버즈토의(buzz discussion)에서 'buzz'란 벌이 윙윙거리며 날개치는 소리를 의미하는데, 토의 과정이 벌집을 쑤셔 놓은 것처럼 윙윙거린다는 의미에서 붙여진 이름이다. 버즈토의는 토의를 효과적으로 운용하기 위해, 소그룹으로 나누어 토의하도록 한다. 유형은 각 대표자의 보고를 중심으로 토의하는 분단토의, 이와 비슷한 토의법으로 필립스가 고안한 6분단 · 6분간 토의법 등이 있다. 소집단으로 나누어 분과토의를 한 후, 최종적으로 전체 집단이 다 함께 모여 토의 결과를 집결하여 결론을 맺는다.

④ 청중 반응 팀 토의

청중 반응 팀 토의는 학습 대표 집단 참여제 토론이라 불린다. 청중 학습자 중 3~5명의 대표가 필요에 따라 연사의 발언을 중단시키고 질문이나 의견을 던져 청중의 이해를 돕는 방식이다. 이렇게 청중 학습자 대표와 발표자 간의 토의는 학습자 수준에서 이해하기 어려운 내용일 때 강연이 진행되는 동안 질문과 개진을 하면서 진행한다.

⑤ 세미나

세미나(seminar)는 50명 이하의 참가자 전원이 토의 주제 분야의 권위 있는 전문가나 연구가들로 구성된 소수 집단 형태로 이루어진다. 세미나를 주도해 나갈 주제 발표자의 공식적인 발표에 대해 참가자들이 사전에 준비된 의견을 공개적으로 개진하거나 질의하는 방식으로 토의가 진행된다. 이 토의 방식에서는 사전에 철저한 연구와 준비를 전제로, 참가자 전원이 해당 주제와 관련된 지식이나 정보를 체계적이고도 깊이 있게 토의할 수 있게 된다.

⑥ 포럼

포럼(forum)이란 고대 로마의 'forum'형으로, 원래 시장 또는 군중이 모인 곳을 말한다. 포럼은 처음부터 청중의 참여로 이루어지는 토의이다. 1~3명 정도의 전문가나 자원인사가 10~20분간 공개적인 연설을 한 후, 이를 중심으로 청중과 질의응답하는 방식으로 토의를 진행한다. 약 25명의 구성원과 1명 이상의 전문가가 제한된 시간 동안 토의하여 다른 교수–학습 방식(강의, 심포지엄, 패널 등)에 의한 토의에서 제기된 주제의 후속 논의나 탐구의 경우에 활용한다.

⑦ 대담토의

대담토의(colloquy discussion)는 대화식 토의라고도 한다. 인원은 보통 6~8명 정도로, 3~4명은 청중 대표이고 나머지 3~4명은 전문가나 자원인사로 구성되나 사회자의 진행에 의해 일반 청중이 직접 토의 과정에 참가할 수도 있다. 학습자 집단과 전문가 집단에 의해 주로 이루어지는데, 몇 사람의 청중 대표가 먼저 문제를 제시하여 배석한 몇 사람의 전문가의 의견을 구하는 형식이 주된 방법이다.

⑧ 심포지엄

심포지엄(symposium)은 2~5명의 발표자와 사회자, 청중 모두 주제에 대해 전문적인 지식이나 경험을 가지고 있는 전문가들로 구성된다. 강연식 토의, 단상토의라고도 불린다. 동일한 문제에 권위 있는 2명 이상의 강연자가 논제에 대해 서로 다른 각도에서 강연을 하고 결론을 내리면, 그 후에 사회자에 의해 청중과 발표자 간에 질의 및 토론을 전개하는 방식이다. 이를 위해 발표 내용을 미리 준비해야 하며 필요한 자료는 미리 배부하는 것도 토의 진행에 도움이 된다.

4) 반복 연습법

반복 연습법은 학습자들이 새로 습득한 기능을 연마하거나 이미 습득한 바를 확인하기 위해 고안된 방법이다. 학습 목표에 맞게 고안된 일련의 연습 문제를 통해 학습자를 이끌어 가는 형태의 반복 연습법은 학습자들이 연습해야 할 개념, 원리, 절차 등에 대한 수업을 이미 받았다는 가정하에 적용한다. 이 방법이 효과를 거두기 위해서는 연습 과정에서 정답 반응에는 강화 피드백을 제공하여, 오답 반응에는 교정적 피드백을 지속적으로 제공해야 한다.

반복 연습은 주로 수학과에서 연산 연습, 외국어 학습, 어휘 학습 등의 과제에 활용된다. 실험실 수업이나 컴퓨터 보조 수업과 같은 특정 매체 유형이나 전달 매체들은 학습자의 반복 연습에 유용하게 활용될 수 있다. 또한 오디오테이프의 경우 철자 수업과 연산 수업, 언어 수업의 반복 연습에 효과적이다.

5) 개인 교수법

개인 교수법은 사람이나 매체가 개인 교수, 즉 튜터(tutor)의 역할을 하는 학습 방식이다. 예를 들어 사람, 인쇄 자료, 컴퓨터 소프트웨어 등이 개인 교수법을 수행한다고 할 수 있다. 개인 교수는 학습자에게 학습 내용을 제시하고,

이와 관련된 질문이나 문제를 주어 반응을 유도한 후, 그 반응을 분석하여 그에 대한 적절한 피드백을 제공하는 것이다.

또한 학습자가 정해진 학습 성취 수준을 달성할 수 있을 때까지 연습 기회를 제공하기도 한다. 개인 교수는 주로 읽기, 연산과 같은 가장 기본적이고 간단한 기능을 가르치는 데 활용되며 이는 대체적으로 일대일 학습 형태로 진행된다.

개인 교수법에는 소크라테스식 대화법과 같은 교사 대 학습자, 튜터링, 프로그래밍 튜터링과 같은 학습자 대 학습자, 컴퓨터 보조 개인 교수 소프트웨어 활용과 같은 컴퓨터 대 학습자, 인쇄 자료 대 학습자 등의 형태로 나뉠 수 있다. 이중에서 컴퓨터는 그 매체의 특성상 다양한 학습자의 반응을 파악하기 쉽고, 복잡한 메뉴를 빨리 전달할 수 있는 신속성을 갖추고 있어 특히 개인 교수법에 적합한 매체라고 할 수 있다.

6) 협동 학습

기존에 많은 학자들이 학습자들이 팀 과제를 함께 수행하는 과정에서 동료 학습자로부터 많은 것을 배울 수 있다는 주장을 입증해 왔다. 2, 3명의 학습자가 팀으로 과제를 해결하기 위해 학습 활동을 하는 과정에서 이들은 많은 토론과 대화를 하게 되고 이를 통해 학습자들은 혼자할 때보다 더 많은 것을 학습할 수 있다는 것이다.

또한 교육용 협동 학습 시뮬레이션 소프트웨어(SimEarth: The Living Planer)와 같은 컴퓨터 프로그램은 여러 학습자들이 자신들의 컴퓨터를 통해 상호작용할 수 있어 학습자들이 협동적으로 작업하는 것이 가능하다.

경쟁 학습을 비판하는 학자들은 교실 환경에서 과도한 경쟁을 조장하기보다 학습자 상호 간에 배울 수 있는 기회를 제공하는 교수 방법이 바로 협동 학습(cooperative learning)이며 학습자들이 궁극적으로 활동하게 될 실제 사회는 팀 활동을 요구하므로 학교에서 협동 학습을 통해 기본적인 기능과 기술을 발달시켜야 한다고 주장한다.

학습자들은 교재 내용에 대한 토론과 교수 매체를 함께 활용하는 과정을 비롯하여 매체를 제작하는 과정까지의 작업을 협력적으로 수행하며 학습할 수 있다. 따라서 비디오 촬영이나 슬라이드 제작과 같은 활동과 과제를 포함하는 교육과정을 통해 학습자들에게 협동 학습의 기회를 제공하며, 이때 교사는 학습자들의 협력적 파트너로서 역할을 수행할 수 있다.

(1) 협동 학습의 종류

① 성취과제 분담모형(STAD)

성취과제 분담모형(Student Teams Achievement Division: STAD)은 미국 존스홉킨스 대학의 Slavin 등이 개발한 STL(Student Teams Learning) 프로그램 중의 하나이다. 여기에는 공통적으로 집단 보상, 개별적 책무성, 성공 기회의 균등이라는 세 가지 중심 개념이 내재되어 있다(전성연 외, 2007).

STAD에서는 집단 구성원 모두가 학습 내용을 완전히 이해할 때까지 팀 학습이 계속된다. 개별적으로 성취도 평가를 보고 개인의 점수를 받지만 자신의 이전까지 시험의 평균점수를 초과한 점수만큼은 팀 점수에 기여하게 된다. STAD는 집단 구성원들의 역할이 분담되지 않는 공동 학습 구조이면서, 동시에 개인의 성취에 대해 개별적으로 보상하는 구조이다. 개인의 성취에 대해 팀 점수가 가산되고 팀에게 주어지는 집단 보상이 추가된다.

② 팀 경쟁 학습(TGT)

팀 경쟁 학습(Teams Games Tournaments: TGT)은 David Devries와 Keirt Edwards가 개발한 모형이다. TGT에서는 게임을 이용하여 각 팀 간의 경쟁

을 유도한다는 면에서 STAD와 차이가 있다. 집단 간의 토너먼트 게임은 개별 학습 성취를 나타내는 게임이며 매주 최우수 팀이 선정된다.

경기는 상황에 따라 매일 하거나 매주 할 수 있다. 그때마다 경기 대상이 되는 학습 내용을 미리 공지해야 하며 각 팀에서는 되도록 다양한 팀원이 경기 대표로 선발되도록 규칙을 만드는 것이 좋다. 팀 경쟁 학습은 집단 내 협동을 기르고 집단 외 경쟁의 원칙이 적용된다. 따라서 팀 구성원들 모두 동료의 학습을 지원하고 교정해 준다. 그렇기 때문에 팀 구성원 모두가 학습 내용을 이해할 때까지 팀 학습을 진행한다. 그 뒤 토너먼트 게임을 통해 팀별로 평가한 후 팀 등급을 매길 수 있다. 그 뒤 우수 팀을 게시하고 집단 보상을 하도록 한다.

③ Jigsaw I 모형

Jigsaw I 모형에서는 최초로 구성된 모집단이 전문가 집단으로 갈라졌다가 다시 모집단으로 돌아와서야 학습한 내용의 전개가 끝난다. 이렇게 학습을 완성하는 모습이 끼워 맞추기 퍼즐과 같다고 하여 'Jigsaw'라는 이름이 붙게 되었다.

먼저 모집단을 5~6명의 이질 집단으로 구성하도록 한다. 모집단에서 각 구성원에게 전문가의 역할을 부여하는데 고유번호와 학습 과제를 주도록 한다.

다음으로 전문가 집단을 형성하는데 같은 번호이자 같은 과제를 받은 학생들끼리 모여 새로운 집단을 형성한다. 담당한 내용에 대해 학생들이 전문가가 되어 자료를 수집한다. 그리고 함께 모여 토의와 학습을 한다.

그 뒤 모집단으로 돌아가 핵심 내용을 구성원들에게 발표하고 가르친다. 다른 학습자들은 본인의 전문가 활동 외에는 전혀 학습하지 않았기 때문에 다른 영역에서 동료 전문가의 지식을 적극적으로 받아들여야 한다. 학습이 이루어지면 전체 내용에 대해 개별 평가를 한다.

Jigsaw 모형은 집단 내 동료로부터 배우고 또 동료를 가르치는 모형이다. 즉 학습 과제를 분담하여 집단 구성원 간의 상호의존성을 높이고 협동을 기를 수 있다.

④ Jigsaw II 모형

Jigsaw I 모형은 집단 목표, 성공 기회의 균등을 보장하지 못한다는 비판이 제기되었다. 이에 Slavin이 Jigsaw I 모형을 수정하여 Jigsaw II 모형을 만들었는데, 이는 개별 보상에 집단 보상이 추가된 형태이다.

먼저 이질적인 특성을 지닌 4~5명으로 모집단을 구성한다. 4가지 주제에 대해 각각을 맡을 4개의 소집단을 형성한다. 그리고 교수자는 학생들에게 단원 전체를 읽게 하되 자신이 맡은 주제를 중심으로 읽게 하여 전체적인 맥락에서 이해하도록 한다.

다음으로 전문가 집단을 형성하는데 같은 과제를 맡은 학생들끼리 모이도록 한다. 전문가 활동을 통해 담당한 내용에 대한 학습이 이루어진다.

마지막으로 모집단으로 돌아가 학습한 전문적 내용을 구성원들에게 발표하고 가르친다. 단원 전체에 대해 읽은 경험이 있기 때문에 구성원들은 어느 정도 학습 과제를 짐작할 수 있다. 또한 개인의 점수 외에 팀 점수를 산출하여 모든 구성원들이 집단의 성공에 기여할 수 있도록 한다.

7) 게임

게임은 학습자들이 도전해야 할 목적을 달성하기 위해 규칙에 따라 활동하는 학습 환경을 제공하는 방법이다. 게임은 학습자들의 동기를 유발하기 좋은 교수 기법으로 활용되며, 특히 지루하거나 반복적인 내용을 학습할 때 더욱 효과적으로 활용될 수 있다. 게임은 학습자가 한 명일 때뿐만 아니라 그룹으로도 진행할 수 있다. 그리고 진행상 학습자들의 문제 해결 능력을 이용하거나 고도의 정확성과 효율성을 요하는 특정 내용을 완전히 학습할 것을 요구하는 경우도 있다. 가장 일반적인 형태의 교육용 게임으로 경영 관련 학습 게임을 들 수 있다.

8) 시뮬레이션

시뮬레이션 학습은 학습자들이 실제 세계를 축소해 놓은 것과 같은 환경에서 학습하게 하는 교수 방법이다. 시뮬레이션은 실제 상황에서는 고가의 비용상 실시가 어렵거나 위험해서 교실에서 구현하기 어려운 상황 등을 가상적으로 체험하고 연습할 수 있는 기회를 제공한다는 데 그 특징이 있다.

이는 참여자 간 대화, 자료나 장비의 조작, 컴퓨터와 상호작용 등의 활동으로 구성된다. 대표적으로 대인 관계 기술 및 물리학 실험실 실습 등에 대한 학습이 시뮬레이션 교수 방법을 활용하여 이루어진다. 역할놀이 역시 시뮬레이션 교수 방법에서 많이 활용되는 기법이다.

9) 문제 해결 학습

학습한 내용을 실제 세계에서 활용할 수 없다면 진정한 학습이 이루어졌다고 보기 어렵다. 문제 해결 학습은 원래 의료교육에서 출발하여 대학원 교육 프로그램으로 확산된 교수 방법으로 현재는 초등학교 수업에도 활용되고 있다. 이는 학습자가 실제 세계의 새로운 문제 상황에 직면한 능동적인 참여자 역할을 하도록 하는 것을 궁극적인 목적으로 한다. 문제 해결 학습은 실제적인 상황을 기반으로 한 문제 중심 자료, 예를 들어 컴퓨터 기반 상황, 비디오 테이프 자료, 문서 등과 같은 매체를 활용하여 진행된다.

학습자들은 문제 해결 학습을 통해 실제 문제에 직면한 사람의 역할을 수행하는 과정에서 자신의 학습에 대한 책임감을 강하게 느낄 수 있다. 이때 교사는 학습 내용을 학습자들에게 제시하기보다는 발문 기법을 통해 실제적인 추론과 비판적 사고를 촉진할 수 있도록 지원해야 한다. 즉 교사는 학습자의 학습을 안내하는 조력자로 학습자들의 그룹 활동을 촉진하고 개별 활동을 모니터링한다.

이러한 문제 해결 학습의 결과로, 상황이나 정보에 대한 분석, 문제의 세분화와 구조화, 문제 해결, 비판적 사고 기술 등을 비롯하여 실제 문제 해결와 관련되는 내용 지식 획득과 협동 학습 기술 및 집단 활동 기술 등이 나타날 수 있다.

PART 6

스마트 교육

CHAPTER

16 스마트 교육 매체

1) 미래 학습용 매체

현재 학습에 활용되고 있는 개인 휴대용 단말기로는 휴대폰, PDA, 태블릿 PC 등이 있으며 향후 PMP, UMPC, 교육용 PC 등이 사용될 것으로 보인다.

(1) 태블릿 PC

태블릿 PC는 업무용 랩톱의 모든 기능과 능력에 태블릿의 고유 기능을 추가로 제공한다. 키보드가 붙어 있는 컨버터블 형태부터 도킹 스테이션에 부착할 수 있는 슬레이트 형태까지 아주 다양하게 설계되어 있기 때문에, 사용자는 자신의 조건에 맞는 모델을 자유롭게 선택할 수 있다. 보통 A4 크기이고 입력을 위해 스타일러스 펜이 사용된다.

기존의 키보드를 통한 입력이 정형화되고 획일적인 정보를 입력하는 데 적합한 방식이었다면, 태블릿 PC의 펜은 프리 스타일의 즉흥적인 아이디어나

Xnote LT20-488K

Portage M200

TC1100-EH322PA

LIFFBOOK P1510

ThinkPad X41

다양한 태블릿 PC

정보를 입력하는 데 적당하다고 할 수 있다.

IDC에 따르면, 태블릿 PC는 2005년에는 전년 대비 55% 증가하여 64만 대가 출하될 것으로 보이며, 2004년 이후 966만 대가 출하될 것으로 예측되는 2008년까지 97%의 복합 연평균 성장률(CAGR)을 기록할 것으로 전망된다. 이는 같은 기간 동안 노트북 PC가 11.5%의 CAGR을 기록할 것으로 전망된 것과 비교할 때, 시장 확대 속도가 매우 빠른 것으로 볼 수 있다. 2004년 말에는 노트북 PC 중 태블릿 PC의 점유율이 2% 미만으로 나타났으나 2008년에는 10% 이상을 차지할 것으로 전망된다. 구체적인 내용은 다음 그림과 같다.

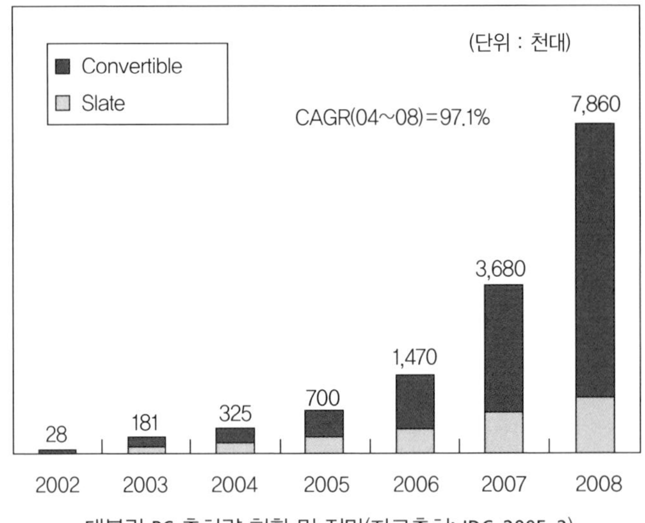

태블릿 PC 출하량 현황 및 전망(자료출처: IDC, 2005. 2)

(2) PDA

PDA(Personal Digital Assistant)는 손에 들고 다닐 수 있는 초소형 컴퓨터로, 개인용, 업무용으로 계산, 정보 저장, 검색 기능을 갖춘 손바닥 크기의 소형 장치를 총칭한다. PC와 호환이 가능하고, 많은 종류의 응용애플리케이션을 통해 전자 수첩이나, 전자 사전, 인터넷, 게임기, GPS 등으로 사용할 수 있다. 간단한 문서 작성과 같은 PC의 기능도 수행할 수 있으며, 최근에는 무선 인터넷 접속이 PDA의 중요한 기능이 되면서 폭넓은 정보기기로 자리매김하고 있다.

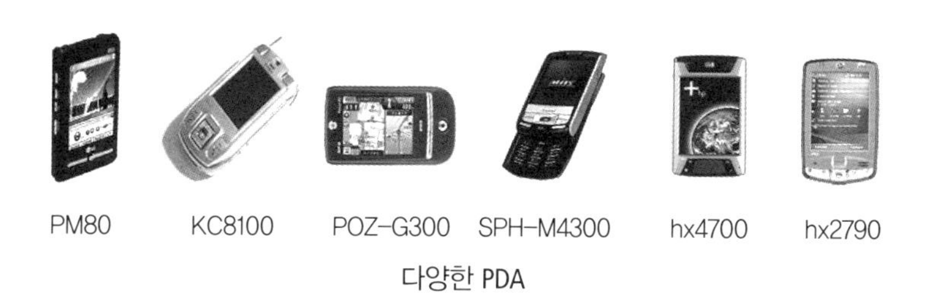

다양한 PDA

PDA는 터치스크린과 스타일러스 펜으로 직접 화면에 기입하거나 소형 키보드를 부착하여 입력하게 된다. PDA는 다른 휴대용 디지털 기기와 달리 하드 드라이브가 따로 없고, RAM과 Flash 메모리로만 구성되므로 대용량 애플

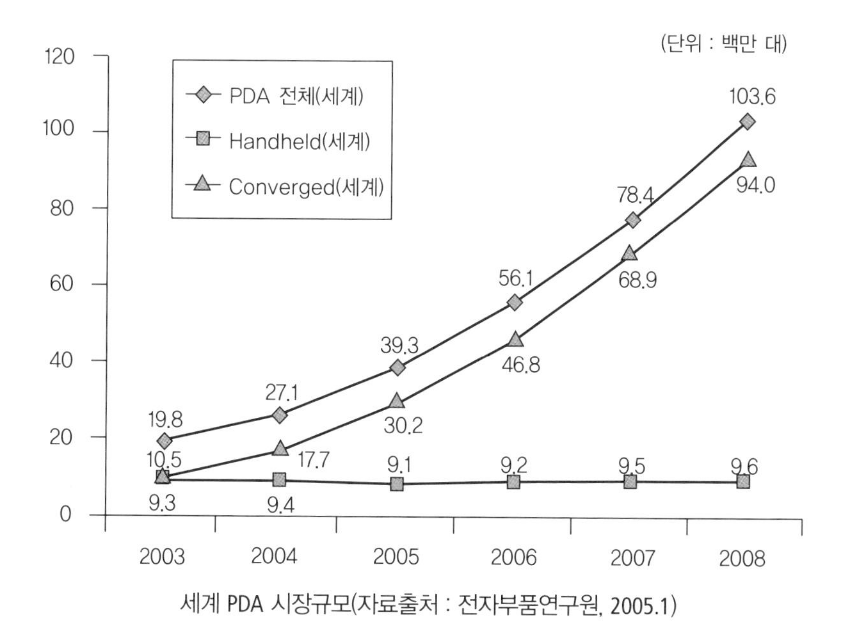

세계 PDA 시장규모(자료출처 : 전자부품연구원, 2005.1)

리케이션 구동이 어렵다는 점이 한계로 지적된다.

IDC의 자료에 의하면 세계 PDA 시장은 2003년 2000만 대에서 2008년 1억여 대까지 급성장하며, 2003~2008년 CARG 39%를 기록할 것으로 전망된다. 구체적인 내용은 앞의 그림과 같다.

또한 국내 PDA 시장의 규모는 2003년 24만 대에서 2007년 120만 대로, 2003~2008년 CAGR 38.2%에 이를 것으로 전망된다. 구체적인 내용은 다음 그림과 같다.

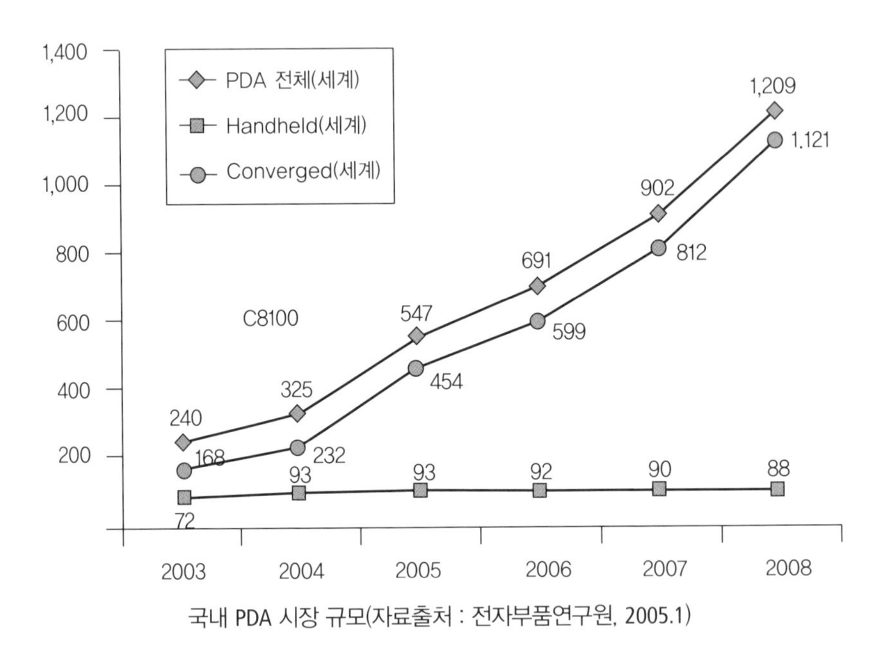

국내 PDA 시장 규모(자료출처 : 전자부품연구원, 2005.1)

(3) 휴대폰

지금까지 휴대용 단말기로 가장 많이 사용되어 온 것은 휴대폰이었다. 휴대폰은 가장 편리한 통신기기로 일상생활의 필수품으로 자리 잡고 있으며, 현재 음성 중심의 단말기에 컴퓨팅 기능을 추가한 스마트 폰, PDA 폰 등으로 진화하고 있다.

다양한 휴대폰

IDC의 보고서 〈Worldwide Mobile Phone 2005-2009 Forecast & Analysis〉에 의하면, 2004년 전 세계 휴대폰 시장이 컬러 디스플레이 및 카메라 폰 수요에 힘입어 출하량 기준으로 2003년 대비 34% 성장하며 6억 9,200만 대를 기록한 것으로 조사되었다. 이에 대한 내용은 다음 그림과 같다. 이는 전년 대비 성장률에서 가장 높은 수치를 보인 것이다. 세계 휴대폰 시장은 지속적 성장세를 보일 것으로 예상되나, 성장률은 다소 둔화될 전망이다.

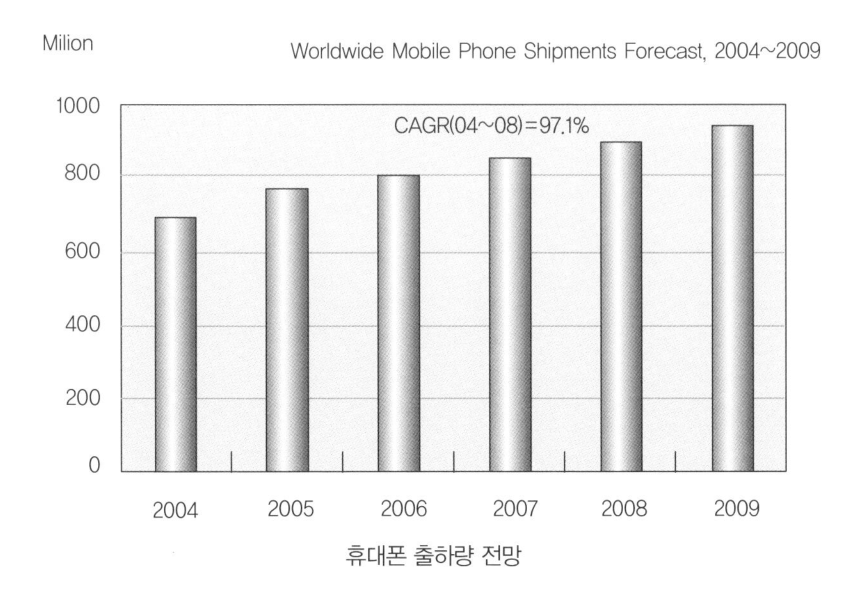

휴대폰 출하량 전망

(4) PMP

PMP(Portable Multimedia Player)는 주된 기능이 동영상, 음악 재생이며, 여기에 디지털 카메라 등 다양한 기능을 결합할 수 있는 휴대형 멀티미디어 재생기이다. 3인치 안팎의 LCD와 Flash 메모리, 하드디스크 드라이브를 내장하여 저장되어 있는 다양한 콘텐츠를 들고 다니면서 재생하여 보고 들을 수 있다.

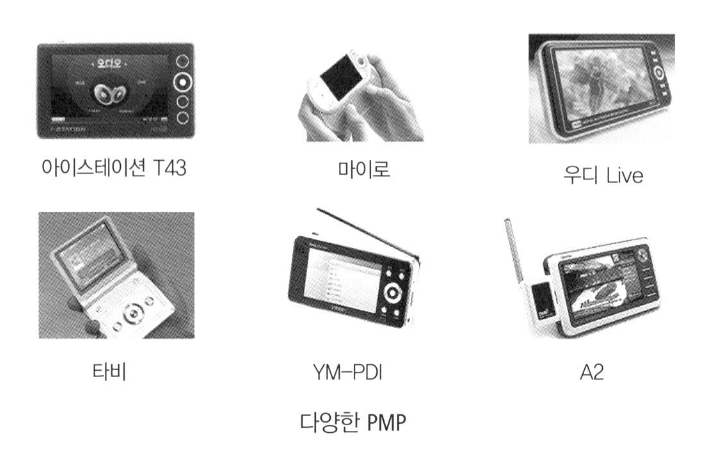

다양한 PMP

지상파 DMB 수신기를 내장하여 KBS, MBC, SBS 등 7개 방송을 무료로 시청할 수 있고, 내비게이션 기능을 갖춰 수도권 항공 사진과 교차로 3D 등을 듀얼 맵 모드로 볼 수 있다. 또한 다양한 응용프로그램을 지원함으로써 사용자의 편리성을 극대화했다. 전자 사전, eBook, 라디오, 포토 슬라이드, 음성 녹음 등의 다양한 멀티미디어 기능을 가지고 있다. 또한 대부분의 오디오 파일과 동영상 파일을 별도의 파일 변환 작업 없이 바로 재생할 수 있다.

IDC에 따르면, 2003~2008년 CAGR은 매출 대수 기준 129.5%, 매출액 기준 101%를 기록하며 급성장할 것으로 예상된다. 구체적인 내용은 다음 그림과 같다.

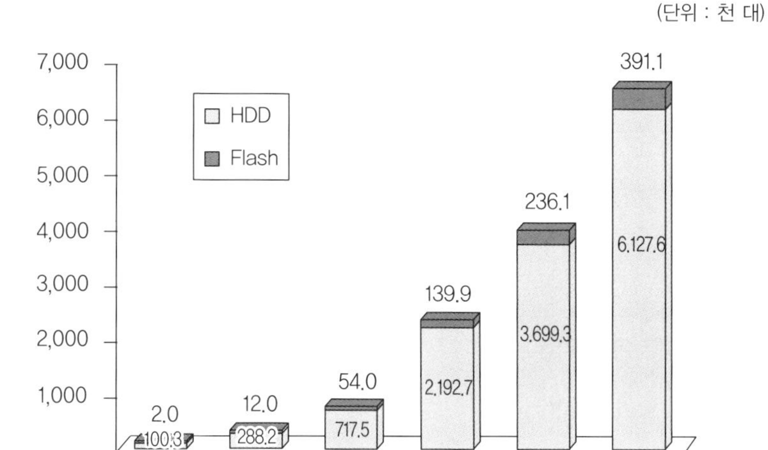

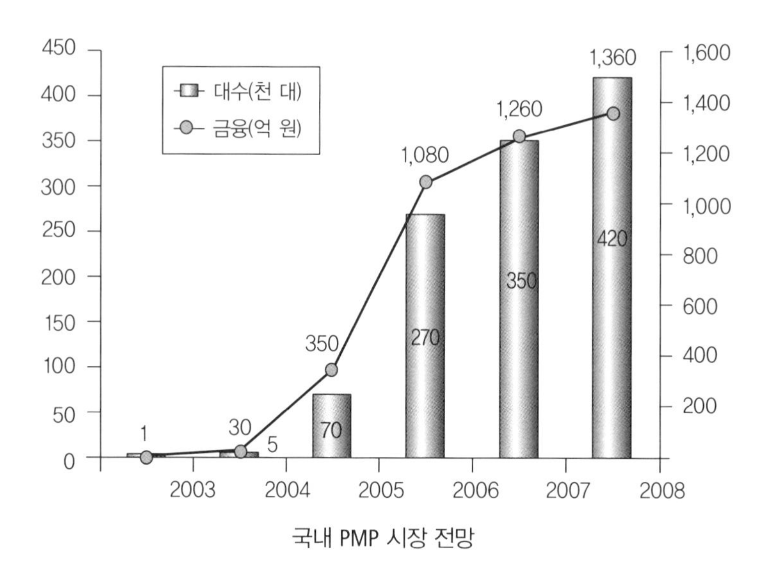

국내 PMP 시장 전망

(5) UMPC

UMPC(Ultra-Mobile PC)는 새로운 범주의 모바일 PC로 2006년 3월 CeBIT

을 통해 처음 발표되었다. UMPC는 '언제, 어디서, 어느 것이든(Anytime, Anywhere, Anything) 할 수 있다'는 유비쿼터스의 이념에 부합하는 제품으로, 이동 중에도 윈도우 기반의 애플리케이션을 사용할 수 있도록 다양한 모바일 상황에 적합한 터치스크린, 펜, 특수 버튼, 키보드와 같은 사용자 인터페이스를 제공한다.

다양한 UMPC

노트북 하나에 PMP/MP3P, DMB, 내비게이션, 휴대용 HDD, 태블릿 PC의 기능을 모두 담았다. 현재 다양한 UMPC들이 출시되고 있으며, 휴대성이 개선되고 가격이 하락하고 있어 앞으로 UMPC가 더 많이 보급될 것으로 기대된다.

(6) 교육용 PC

교육용 PC 시장은 인텔의 'Classmate PC'와 니콜라스 네그로폰테 MIT 교수의 'OLPC'(100달러 노트북)이 경쟁을 벌일 것으로 예상된다.

① 클래스메이트PC(Classmate PC)

인텔은 2006년 5월 미국 텍사스주 오스틴(Texas Austin)에서 열린 '세계 IT 회의(WCIT, World Congress on IT 2006)'에서 '에듀와이즈(Eduwise)'를 공개했다. 에듀와이즈는 플립 여닫이형(flip-open) 시스템으로, 운영 체제를 윈도우나 리눅스 중에 선택하여 사용할 수 있으며, 무선 랜(Wi-Fi)을 내장하여 접속의 편의성을 높였다. 또한 학생들의 편의를 위해 본체에는 손잡이를 달았다.

개발도상국의 교사나 학생들에게 저렴한 학습 환경을 제공할 것을 목적으로 개발되었으며, 교사는 이 PC를 사용하여 프레젠테이션을 이용한 수업 및 테스트를 하거나 각각의 학생에 대한 피드백을 줄 수 있다. 또 인텔이 개발한 교육용 애플리케이션이 탑재되어 무선 펜으로 노트북에 기록하거나 필기 훈련을 하는 것이 가능하다.

에듀와이즈의 사양을 발전시킨 것이 클래스메이트PC이다. 2008년부터 베트남에서 시판되었으며, 태블릿 형태로 300~400달러 예상하고 있다. 아톰프로세서(N270, 1.6GHz)가 내장되어 있으며 1024x600 해상도의 8.9인치 액정을 탑재했고 180도 회전 웹캠도 내장되어 있다.

인텔은 클래스메이트 PC의 발표와 함께 'Learning Series'라는 보급 프로젝트를 발표하여 전세계 어린이들에게 교육용 PC를 보급한다는 계획이다.

② OLPC(100달러 노트북: 네그로폰테 MIT 교수팀)

미국 매사추세츠 공과대학교(MIT)의 미디어 랩 창시자인 니콜라스 네그로폰테 교수가 주도하는 '100달러 노트북' 프로젝트의 시제품이 2006년 5월 23일에 공개되었다. 100달러 노트북 프로젝트는 네그로폰테 교수가 2005년 처음 제안한 것으로 인도, 중국, 브라질, 나이지리아 등 개발도상국의 수백만 어린이들에게 교육용 노트북 PC를 공급하는 것을 목표로 삼고 있다.

이 노트북은 리눅스 기반의 운영체제(약 250MB)와 AMD 500MHz의 프로세서, 128MB의 메모리, 1GB의 하드디스크 대용 플래시 메모리, 7~8인치의 화면, 수동 발전기, 유 · 무선 랜을 포함할 것으로 알려져 있다.

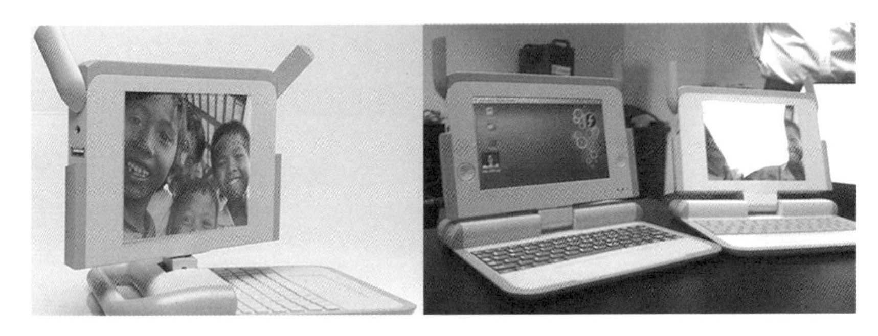

MIT 교수팀의 100달러 노트북(OLPC)

CHAPTER

17 미래 교실 환경

1) 싱가포르 Backpack.net 프로젝트

Backpack.net은 싱가포르의 정보통신개발관청(IDA)과 마이크로소프트 싱가포르 간의 협력 사업으로 테크놀러지를 교육에 활용하여 학습 경험을 보다 풍부하게 하려는 것을 목적으로 삼고 있다. 이 프로젝트의 목표는 다음과 같다.

첫째, 최신 테크놀러지의 교육적 활용을 실험하는 장으로 활용한다.

둘째, 싱가포르 교육 공동체에 교육용 소프트웨어 및 디지털 콘텐츠 활용을 위한 인프라를 제공한다.

셋째, 정보통신 산업 부문에서 전략적 교육 시장과의 협력을 통해 가치를 실현할 수 있도록 한다.

넷째, 정보통신 테크놀러지의 교육적 활용 부문에서 리더로서의 싱가포르의 지위를 강화한다.

미래 교실을 구축하기 위해 활용한 공학으로는 기본적으로 태블릿 PC와 인터넷, 그 외 컴퓨터, 주변 기기와의 연결을 위한 테크놀러지 등이고, 운영체제로 Windows XP를 활용하고 있다. Backpack.net 프로젝트는 4개의 기둥으로 이루어져 있다.

첫째, 시행과 실험: 싱가포르의 몇몇 학교들을 선택하여, 특히 디지털 잉크 테크놀러지를 활용해 보고 다양한 목적과 용도, 즉 과학, 수학, 예술, 언어 등의 분야에서 활용 경험을 축적한다.

둘째, 미래 교실: 이는 실제 운영되는 실험실의 개념으로 각종 최신 테크놀러지를 현장 교실에 적용하고 활용해 봄으로써 그 가능성과 한계와 관련된 경험과 데이터를 축적한다.

셋째, 교육 연구 및 개발: Backpack.net은 교육 테크놀러지 관련 연구 및 개발에 집중함으로써 새로운 아이디어를 구체화하는 데 매우 주요한 정보와 관점을 제공한다.

넷째, 개발자 커뮤니티: 자가 지원적 생태계를 지향하는 개발자 커뮤니티는 디지털 잉크 등의 최신 테크놀러지를 개발, 발전시키는 모태가 될 것이다.

싱가포르 미래 교실 개념도

2) 스탠포드 대학교 학습혁신센터의 미래 학교에 관한 연구

스탠포드 대학교 학습혁신센터에서는 미래 학교에 관해 다음과 같은 사항을 고려했다.

첫째, 테크놀러지 경향성을 살핀다.

둘째, 학습 이론의 발전을 고려한다.

셋째, 학교와 학습의 관련성에 관한 새로운 개념들을 고려한다.

넷째, 10분 안에 많은 것을 처리할 수 있을 정도의 간편성을 고려한다.

① 편만한 휴대용 개인 컴퓨터/장비 활용

- 경향: 저렴한 인터넷 접속과 저렴한 휴대용 기기의 만남이 이루어진다. 더 작고, 더 저렴하며, 더 강력하고, 더 빠른 접속과 장비가 출현하고 있다.
- 함의: 컴퓨터와 네트워크 접속으로 학습은 더욱 강화되고 공식/비공식 학습의 분리를 더욱 무의미하게 할 것이다. 특별히 웹 2.0과의 결합으로 개인의 퍼블리싱과 사회적 소프트웨어 간 결합이 이루어지고, 아울러 관련 사항이 광범위하게 저장/공유될 것이다.

다가올 10년 안에는 인터넷 접속이 가능한 휴대용 컴퓨터 장비를 가져와 무선 통신을 통해 교육을 받는 일대일 디지털 교실의 수가 점차 늘어날 것이다. 이들은 노트북, 태블릿 PC, 서브 랩톱, 포켓 PC, 휴대폰 등의 일반적인 전산 장비이거나 혹은 북아메리카 고등학교들에서 사용하는 그래픽 계산기나 전자 영어 사전, 보다 향상된 무선 통신 기능이나 닌텐도 게임보이 같은 것일 수도 있다.

② 편재된(distributed) 학습: 개인과 학습 팀

- 경향: 학습 관리 시스템, 멀티미디어 학습 자료, 프로젝트 기반 학습 설계, 협력 소프트웨어 등은 원격 학습을 더욱 지원한다.
- 함의: 가상 학습을 통한 실제 역량의 강화, 흥미 기반의 학습 환경을 제공한다.

③ 디지털 학습 평생 포트폴리오

- 경향: 웹 퍼블리싱과 창의적 자료 관리 툴 등(멀티미디어 웹 퍼블리싱, 블로그, 인스턴트 메시지 등)과 연계된 개인 저장 공간(기가바이트에서 테라바이트로)을 제공한다.
- 함의: 평생 학습자는 자신의 세세한 포트폴리오를 가지게 되고, 학교 교사의 경우 학생의 현재 상태를 점검할 수 있으며, 부모는 자녀의 학습을 엿볼 수 있는 창을 가지게 된다.

④ 교육적 대화에 대한 지원 구축

- 경향: 한쪽 벽만한 크기의 상호작용적 디스플레이에 학생들은 그림을 그리고 주석을 다는 등의 활동을 할 수 있다. 이를 통해 지식 소비와 지식 창조가 가능하다.
- 함의: 편재된 개인 컴퓨터 장비는 이 같은 디스플레이 장비와 교수 학습 장면에서 결합되어 결국 자신의 생각하는 바를 시각화할 수 있으며 이를 통해 학습과 평가에 기여하게 될 것이다.

⑤ 융통성 있는 건물 구조

- 경향: 자유로운 활동이 가능하도록 공간과 물건의 배치 및 활용이 융통성 있게 설계된다. 하지만 사용자들은 동시에 여러 학습 활동을 통해 일정한 패턴을 발견하게 된다.
- 함의: 다양한 학습 활동을 할 수 있도록 학교 공간을 재구조화 가능하게 만들어야 한다. 동시에 활용 패턴들을 기억할 수 있도록 하는 기제도 함께 구상되어야 한다.

⑥ 장소 기반 학습 강화

- 경향: 유비쿼터스 컴퓨팅의 장소, 시간에 구애받지 않는 학습의 성격은 오히려 컴퓨터가 있는 장소가 아닌 사용자, 즉 학습자가 처해 있는 상황과 장소에 민감해지며, 이는 누가, 어느 곳에서, 어떤 공동체에 속해서 등의 지역적 맥락에 민감해진다.
- 함의: 각 공동체는 해당 장소, 해당 순간에 각종 학습 자료를 캡처하고 이를 목록화할 수 있으며, 이는 다시 이를 필요로 하는 장소와 학교, 교실에서 공유되고 사용될 수 있다.

3) 영국의 미래 교실 건설 프로젝트

영국의 미래 교실 프로젝트(Classrooms of the Future)는 미래의 학교를 구상하기 위한 목적으로 시작되었다. 교육의 위상을 끌어올리는 것이 정부의 주요 정책 중 하나이므로 적지 않은 재정 투자가 이루어졌다. 미래에도 실제로 이용될 수 있도록 미래 학교의 모습과 미래의 학교에 대해 제기된 새로운 아이디어들을 시험해 볼 필요에 의해 진행되었다.

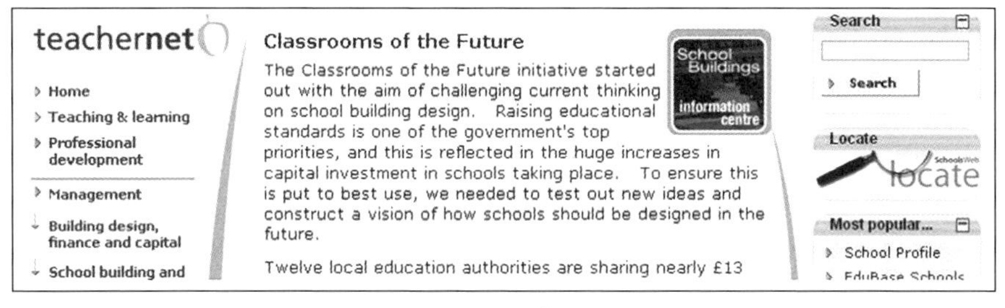

Classrooms of the Future 홈페이지 초기 화면

이 프로젝트들은 주로 미래의 학교 설계 요인에 어떤 것들이 있을지에 대

한 아이디어를 수집하기 위한 것으로, 미래 지향적이고 혁신적인 학습 환경을 만드는 것에 초점을 맞추고 학생들이 더 많은 것을 배워 나갈 수 있도록 하는 데 목적을 두었다. 뿐만 아니라 타 학교, 타 지방, 더 나아가 국외의 학습 기관이나 학교와도 연결할 수 있도록 설계하여 효용도를 높였다. 이 파일럿 테스트들의 결과들은 디자인을 위한 새로운 길잡이를 제시해 줄 것이고, 더 나아가 학교 설계를 잡아 나가는 데에도 도움을 줄 것으로 기대했다. 이 미래 교실 프로젝트는 DfES Ministerial Design Champion's의 후원을 받아 진행되었다.

미래 교실 프로젝트는 12개 지역에서 파일럿 프로젝트 형식으로 진행되고 있다. 12개 지역은 Bedfordshire, Bournemouth, Camden, Cornwall, Devon, Durham, Kensington & durChelsea, Milton Keynes, Norfolk, Richmond upon Thames, Sheffield, Telford & Wrekin 등이다. 12개 지역의 미래 교실 건설 프로젝트 개요는 다음과 같다.

① Bedfordshire

과학박물관을 건설하면서 그 옆에 부속건물 형식으로 3개의 초현대적인 교실(ultra-modern classroom)을 만들고 있다. 상호작용을 가능하게 할 시설을 장착하는 중이며, ICT를 새롭게 사용할 수 있도록 시설 사용의 유연성에 중점을 두고 있다.

② Bournemouth

이러닝과 환경 구성을 위한 센터가 Site of Special Scientific Interest at Hengistbury Head에서 만들어지고 있다. 이곳에서는 인공위성을 통해 학교와 세계의 원거리 센터와 연결할 수 있도록 개발하고 있다.

③ Camden

학교 간 상호 교류를 가능하게 해줄 모바일 기반의 교실이 state-of-the-art ICT에 의해 개발되고 있다. 초등학교나 특수학교에 주로 이용될 예정이며 특수 교육의 필요를 위해 개발되고 있다.

④ Cornwall

우주 개발 분야 연구를 전문으로 하는 센터를 포함하여 과학 연구나 타 연구를 할 수 있는 테마 존(zone)을 개발하고 있다. 시뮬레이션이 가능하고 텔레비전 링크나 인조 인간을 볼 수 있기도 하다. 뿐만 아니라, 영국과 반대편에 있는 하와이와 오스트레일리아에 있는 망원경으로 낮에도 밤의 천문학을 실시간으로 볼 수 있도록 제작하고 있다.

⑤ Devon

Devon 지역에서 진행하는 프로젝트의 목적은 고립되기 쉬운 외곽지역의 교육 기회를 극대화하기 위함이다. 그 지역 대학과 두 곳의 초등학교에 ICT를 활용하여 제작하고 있다.

⑥ Durham

새로운 기술과 교수 학습 스타일, 그것들의 지속성, 그리고 학교 이용률의 확대를 위해 3개의 하이테크 세계화 교실(high-tech global classrooms)을 제작하고 있다.

⑦ Kensington & Chelsea

기술적인 측면이 많이 고려된 학습 환경을 제작하고 있다. 예컨대 연령대와 무관하게 모든 학생들이 사이버 공간, 우주, 그리고 전 세계 어디든 탐험할 수 있게 해 주는 환경이 있다. 망원경, 증강 현실을 체험할 수 있는 학습 존(zone)을 갖출 예정이며, 천장과 바닥을 모두 볼 수 있도록 설계할 예정이다.

⑧ Milton Keynes

인구학적으로 예상하지 못하게 변하는 지역을 위해 기존의 학습 센터를 재개발하고 있다. 인구가 증가하거나 감소할 때 즉시 새로운 유형의 학교로 변화할 수 있도록 할 예정이다. 지속성이 디자인의 주요 개념이다.

⑨ Norfolk

멀리 떨어져 있고 소규모의 인구가 있는 지역의 학교에 다니고 있는 학생들의 교육 요구를 해소해 주기 위해 3개의 파일럿 프로젝트가 진행되고 있다. 각 지역의 초등학교와 고등학교를 하이테크적으로 연결할 수 있어 학생들이 거리에 구애받지 않고 상호작용할 수 있다.

⑩ Richmond upon Thames

자체적으로 하이테크가 재배치될 수 있는 건물이 초·중등학교와 특수학교 상황에서 테스트될 예정이다. 교사와 학습자의 역할을 재정의하고, 창의적 사고를 촉진하고, 학습 과정에 포함되는 모든 새로운 경험들을 실제로 할 수 있는 환경을 만들 것이다.

⑪ Sheffield

자체적으로 특수한 임무가 있는 초등학교 두 곳, 중등학교 한 곳, 특수 초등학교 한 곳에 파일럿 프로젝트를 실행하고 있다. 각 프로젝트는 일반적인 방법도 있지만, 각각 개별적인 설계 방법을 이용하여 개발하려 하고 있다.

⑫ Telford & Wrekin

상호작용적 학습 환경을 개발하고 있어, 모둠 활동을 진행하기 위한 노력과 방해를 최소화하는 데 중점을 두었다. 학습을 향상시킬 수 있도록 지속적으로 사용 가능한 기술을 사용하고, 교육과정 내의 학습 목표를 달성할 수 있도록 도와줄 것이다.

미래 교수 환경(Teaching Environments for the Future: TEF)은 2003년 3월에 지역 교육 관계기관들을 초청하여 미래 교수 환경을 위한 아이디어를 공모한다고 밝혔다. 예산 금액은 1000만 파운드이며 20여 개의 프로젝트를 지원할 수 있을 것으로 예상했으며, 2003년 5월 16일까지 58개의 아이디어들이 제출되었다.

4) DesignShare

DesignShare는 한 달에 15만 명 이상의 방문자 수를 기록하고 있는 웹 페이지로 교육 설비와 그 설비들의 교육적인 효과에 대해 소개하고 있다. 이 서비스들은 초등학교부터 대학 수준의 학교들이 질 높은 수준으로의 혁신이 가능하도록 촉진자로서의 역할을 하고 있다.

DesignShare의 주요 방문객들은 학교나 대학에 서비스를 제공하는 건축가들부터 교육가, 교육 설비에 대한 조언이 필요한 사람까지 그 범위가 다양하다. 2000년부터 30개국 이상을 대상으로 혁신적인 학습 환경을 보여 주는 400여 개의 사례 조사가 수집되고 있다.

① International Design Share Awards Program

올해로 일곱 번째를 맞는 이 프로그램은 미래 학습 설계의 각 프로젝트에서 최고의 수행 혁신에 대해 전 세계에 걸쳐 시상하고 있다.

'교육 시설 설계에 대한 국제 공용 언어의 재정의'라는 기치 아래 2000년부터 전통적인 표준에 도전하고, 학습자 중심의 비용 효율적이며 유지 가능한 학습 환경에 기여하기 위해 운영되고 있다. DesignShare Awards Program은 건축의 한계를 긍정적 방향으로 넘어섰다는 데서 독특하며, 우선적으로 학습, 학습자, 풍부한 학습 기회를 제공하는 환경을 조성하는 데 주안점을 두고 있다.

DesignShare Awards Program은 건축 설계에 있어 구체적인 내용을 공유하는 것을 또 다른 목적으로 하고 있다. 설계 회사들은 고객의 학습을 돕고 다른 전문가들과의 협력을 도모하기 위해 자신들의 작업을 공유하고 있으며, 세계적인 포럼에서 작업을 공유하는 것은 시너지 효과, 프로젝트 기회, 혁신적인 접근법에 대한 새로운 길을 제공하기도 한다. DesignShare는 대학 교수, 건축가, 컨설턴트, 교육학자, 생태학자 등 다양한 전문가들의 논문을 제공하고 있다. 이러한 연구물로는 구체적인 사례 조사, 회의록, 독창적인 연구물 그리고 실용 설계 가이드라인 등이 있다.

5) New Designs for Learning

New Designs for Learning은 교육 개혁에 대한 포괄적인 접근을 의미한다고 주장하고 있으며, 새로운 설계의 목적은 학습자의 삶 전체에 걸쳐 학습 성과를 강화하기 위한 것으로 되어 있다. 새로운 설계의 적용과 이의 결과는 각급 학교와 여러 훈련 기관들에서 실제적으로 효과를 보이고 있다.

주요 설계 테마는 적극적인 학습 전략의 사용, 주제 영역의 통합, 학습 기관들 사이에 혹은 다른 기업과의 파트너십을 조율하는 것이다. 이 연구 결과들은 교육 지도자들에게 학습 경험과 학습 환경에 대한 설계에 있어서 새로운 능력을 갖추도록 도와주고 있다. New Designs for Learning은 전체적인 New Designs에 대한 더 깊은 이해를 도모하고 현재 New Designs와 관련해서 이루어지고 있는 연구 내용과 연구자 그리고 연구의 실제 적용 사례에 대한 정보를 프레젠테이션, 워크숍, 훈련, 기술적인 자문 등의 형태로 제공하고 있다.

현재 수행하고 있는 프로젝트는 다음과 같다.

- 텍사스 라운드 락(Round Rock)의 독립 학군에서의 교육 시설 설계 비전
- 오리건의 캔비(Canby) 고등학교의 응용 기술 센터
- 헤너핀(Hennepin) 기술 대학의 A New Designs College(미네소타 주)
- 중등 교육의 미래 그리기: 아파치 정션(Apache Junction) 통합 학군에서의 중등 교육 학습 계획(애리조나 주)
- 인디애나 주 남부 직업 기술 센터의 2002년도 학습 계획
- 미래를 위한 건설: 코발리스(Covallis) 학군의 뉴 코발리스(New Covallis) 고등학교를 위한 학습 계획

6) 마이크로소프트사(社)의 미래 학교(School of the Future)

마이크로소프트는 필라델피아 주와 연합하여 750명을 수용할 수 있는 혁신적이고 기술 집약적인 고등학교를 설립했다. 이 학교 설립의 목적은 기술 기반의 교육 환경을 만드는 것이었으며, 이는 필라델피아 주 외에도 전 세계적으로 이슈화될 전망이다.

2006년 9월에 필라델피아 시 서부에서 개교했다. 중등 교육을 전반적으로 바꾸어 놓을 수 있을 만한 교육 환경을 만들기 위함이었다. 학습을 위한 개인적인 책임감과 열정을 쏟아 부을 수 있을 만한 실질적인 교육 환경을 만들어야 했다. 학습 커뮤니티의 거의 모든 분야로부터 교육과정 제공, 지역 간 협

동, 행정 업무 지원, 콘텐츠 개발 및 제공을 포함하여 평가까지 지원할 수 있도록 가장 좋은 교실을 위한 기술을 조합하여 만들기로 했다.

① 미래 학교의 성공 요소

미래교육과정개발협의회(The School of the Future Curriculum Working Committee)는 미래 학교의 성공을 위해 다음과 같은 5가지 요소들을 제안했다.

성공 요소 1

서로 연계되고 관련된 학습 커뮤니티를 만들어야 한다. 미래 학교는 학생, 학부모, 지역 사회 전문가, 그리고 기업인들 등 모두가 연계될 수 있는 환경을 제공해야 한다.

성공 요소 2

능률적이며 필수 교육과정 중심의 환경이 만들어져야 한다. 미래 학교는 변화하는 사회의 요구에 걸맞게 구성되어야 한다. 교실, 실험실, 그 밖의 모든 학습 공간이 교수 학습에 유용하게 만들어져야 한다.

성공 요소 3

융통성 있고 지속 가능한 학습 환경을 제작하여 지역사회 구성원들의 요구에도 걸맞는 환경이 되도록 해야 한다. 학생 중심의 교수 모형을 통해 시간과 공간에 구애받지 않고 교육을 받을 수 있도록 만들어야 한다.

성공 요소 4

통합 교육과정과 더불어 연구 개발과도 연계되어야 한다. 최근의 학문적 발전이나 기술 변화, 기업의 동향 변화, 교육기관의 변화에 발 맞추어 나갈 수 있도록 해야 한다.

성공 요소 5

전문적인 리더십이 필요하다. 미래 학교의 리더는 풍부한 권력과 능력을 지니고 있어야 한다. 리더는 첫째, 교수 활동에 긍정적으로 영향을 주고, 둘째, 전략적으로 사고하며, 셋째, 학교 관계자들을 동기화하고 함께 하도록 하며, 넷째, 기술을 적재적소에 도입해야 하고, 다섯째, 분석된 요구를 충족시켜 주기 위해 전문적인 프로그램을 설계하고 진행해야 하며, 여섯째, 지역사회와 상호작용 및 의견 교환을 해야 하고, 일곱째, 재정 면에서도 관리를 잘 하며, 여덟째, 지속적으로 교수 프로그램을 협동적으로 평가 · 수정할 수 있어야 한다.

② 미래 학교의 구축 단계

1단계: 고찰(Introspection)

SWOT(Strength, Weakness, Opportunities, and Threats)라는 분석 방법으로 현 학교의 상황을 분석한다.

2단계: 조사(Investigation)

전 세계를 돌아다니며 다수의 학교들을 방문, 전 세계의 리더들로 구성된 국제자문협회(International Advisory Council)를 조직하여 이 프로젝트를 위한 객관적인 평가와 자문을 구한다.

3단계: 도입(Inclusion)

5개의 독립된 조직을 구성하여 50여 명의 필라델피아 지역 관계자들과 논의한 끝에 필라델피아 주에 도입한다.

4단계: 혁신(Innovation)

건설 전에 모든 교수학습 계획이 먼저 설정되어야 한다는 생각 아래 현재보다 더 나은 학교를 만들기 위해 총력을 기울여 창의적인 아이디어들로 구성한다.

5단계: 건설(Implementation)

2005년 3월에 공사를 시작하여 14개월 안에 건설할 것을 목표로 정했으며, 학교가 개원하기 전에 교장과 훈련받은 교직원들을 미리 선발한다.

6단계: 고찰(Introspection)

한 교실이 완성되자마자 곧바로 다른 교실 건설에 들어가야 했으므로 잘 하고 있는지 반성할 시간이 많지 않았지만, 최대한 비판과 충고를 겸허히 받아들이고 반영했다.

③ 미래 학교의 구조도

미래 학교 홈페이지에는 층별 구성도가 나와 있으며, 설계도를 보고 원하는 교실을 클릭하면 해당 교실의 특성에 대한 설명이 있다.

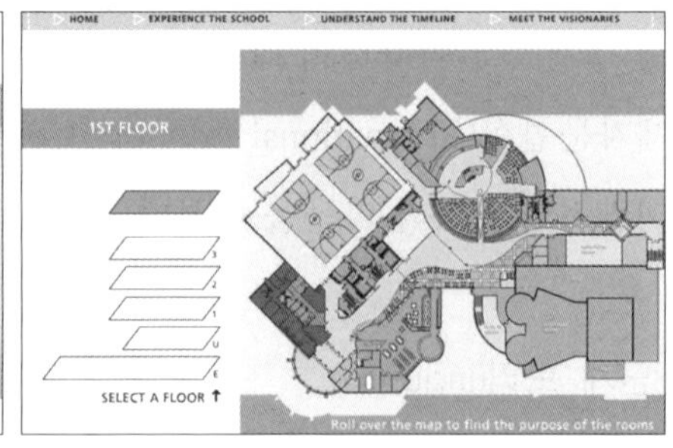

MS의 School of the Future 가상 체험 화면(좌)과 층별 선택 화면(우)

7) Edutopia의 One-to-One Computing(1인 1PC)

전국적으로 1인 1PC 보급이 확대되면서, 학생 1인당 1노트북이나 PC를 사용하는 것이 일반화되어 가고 있는 상황이다. 이와 관련된 배경 연구, 주요 프로젝트 등이 다음과 같이 사이트에 소개되어 있다.

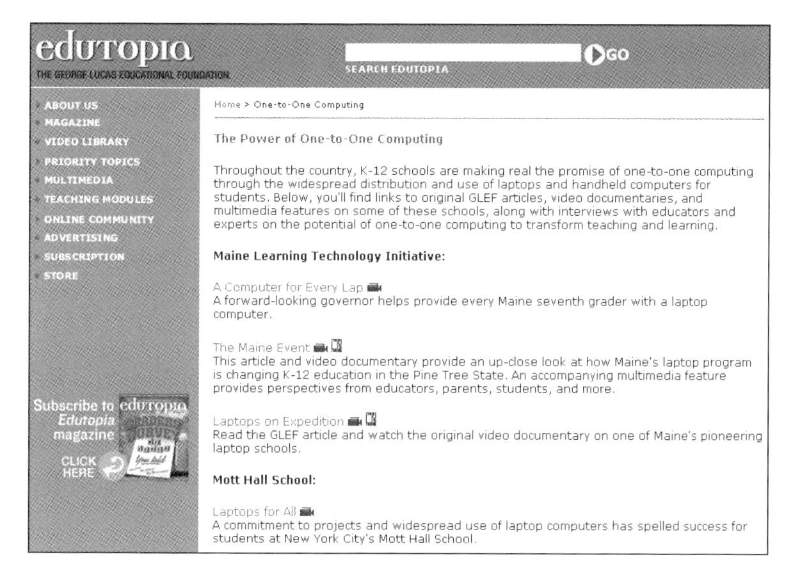

Edutopia의 One-to-One 소개 화면

① One-to-One Computing 사례 1: 메인 주의 7학교 전체

미국 동북부에 위치하고 있는 메인 주의 사례로, 한 정치인의 노력에 의해 지원금을 받아 메인 주의 7학년 학생 모두가 1인당 노트북을 1대씩 보급받았다. 이를 계기로 학생뿐만 아니라 교육가, 학부모 등이 많은 변화를 경험했다. 각 전문가의 지속적인 관찰과 평가에 의하면, 현재까지 이곳의 노트북 보급은 긍정적 효과를 보여 주고 있다.

② Mott Hall 학교 사례 2: 뉴욕 주

뉴욕 주에 위치한 Mott Hall 학교에 1인 1노트북이 보급되면서 학생들은 현실감 있는 학습 경험을 할 수 있게 되었다. 1996년부터 학생들과 교사, 그리고 학부모들이 주축이 되어 1인 노트북 사용을 통한 교수 학습을 추진한 결과, 1999년에는 전교의 모든 학생들이 1인당 1노트북을 받게 되었다. 이 덕택에 현재는 과학 실험부터 비 오는 날 연날리기를 시험해 보는 것까지 다양한 학습을 자유자재로 할 수 있게 되었고, 성공적인 운영 덕에 학교 운영 철학을 이어받아 2001년에는 Mott Hall II라는 새 학교를 뉴욕 시에 짓게 되었다.

- 노트북 구입 비용: 처음에는 한 가정당 35달러를 임대 및 구입비용으로 부담하는 것으로 시작했으나 이후에는 한 달에 1인당 10달러를 내고 대여하게 되어 학부모의 부담이 줄었다. 노트북의 고장이나 업그레이드를 위해서는 학생들로 구성된 문제 해결반을 2001년에 발족하여 화면 교체나 키보드, 하드보드 교체와 같은 큰 수리 외에는 모두 문제 해결반에서 해결하고 있다.
- 학생들의 안전: 개인이 노트북을 들고 다니다 보니 아이들의 안전이 위협을 받을 수 있다는 판단하에 학부모회가 소집되어 등하굣길의 안전에 대한 회의를 개최, 학부모들의 적극적인 참여로 기본적으로는 매 등 · 하굣길에 절대로 혼자 다니지 못하도록 하는 규칙을 만들었고, 오전 근무가 없는 학부모들이 스쿨버스를 이용하지 않는 학생들을 바래다 주는 프로그램이 운영되었다.
- 학부모 참여: Mott Hall의 노트북 보급에 대해서는 학부모의 영향이 컸다. 학부모를 위해 컴퓨터 교실을 개설함으로써 자녀들이 노트북을 이용하여 학습하는 데 어려움이 없도록 했고, 정기적으로 학부모 연수를

실시하여, 소프트웨어 프로그램의 기본적인 업그레이드는 학부모들이 전담하고 있다.

③ 소형 컴퓨터(Handhelds) 사례 3: 시카고 외곽의 한 작은 학교

작은 지갑 크기밖에 안 되는 PDA와 같은 소형 컴퓨터를 통해 학생들이 24시간 웹 환경에 접속이 가능해지기를 바라는 한 교사의 의지에 의해 실현되었다. PDA의 가격이 1년 사이에 225달러에서 100달러로 떨어진다는 것을 인지한 한 교사가 학생들의 학습을 위해 추진했다. 과학시간뿐만 아니라 영어시간에도, 더 나아가 평가의 수단으로 과제 검사도 가능하며 교사들의 학생 성적 관리까지 PDA로 가능해졌다.

④ 앨라배마 주의 사범대학들 사례 4

세 곳의 사범대학들이 예비 교사들을 양성하기 위해 1인용 소형 PC를 보급하고 있다. 이들은 이것을 통해 서로의 아이디어들을 어렵지 않게 공유하여 소그룹 협동 학습도 원활하게 진행할 뿐만 아니라 다양한 학습 지도안을 포함한 문서들과 파일들을 시 · 공간에 구애받지 않으면서 상호 공유하고 각자 휴대하고 다닐 수 있게 되었다. 뿐만 아니라 교생 실습을 나간 기간에도 학생들이 제출한 과제물들을 PDA를 통해 확인할 수 있게 되었다.

8) Mayo Clinic의 미래 교실

Mayo Clinic이라는 병원의 비만 전문 연구자들이 미래 교실에 대한 아이디어를 내고 제작했다. 전국적으로 퍼지고 있는 소아 비만 환자들을 위해 고안된 학교로, "학생들이 공부하는 곳에서 책상은 꼭 필요한 물건일까?"라는 단순한 질문에서 혁신은 시작되었다. 비만을 방지하기 위해 학생들이 움직이게 해야 한다는 기본 취지에 맞는 환경을 구축하기 위해 학습 후 바로 움직이기, 무선 랜 사용, 1인 노트북 사용(Apple 사에서 협찬), 서서 공부하는 책상 등을 모토로 삼고, 혁신을 진행하고 있다. 학생들은 다리부분에 PAD(Posture and Activity Detectors)라는 자세와 활동 감지기를 장착하고 학습함으로써 연구자들이 학습하는 동안에 서 있는 시간과 걷는 시간을 파악할 수 있게 했다. 실험 결과 학생들은 매우 즐겁게 학습에 임했으며 자연스럽게 움직일 수 있는 기회까지 주어 일석이조라는 평을 듣고 있다.

CHAPTER 18

우리나라 u-Class 프로토타입

1) u-Class 프로토타입 구성 전제 조건

u-Class는 유비쿼터스 기술을 통합하는 것과 더불어 교수 학습 모형, 그리고 학습 공간 등의 측면도 고려해야 한다. 단지 유비쿼터스 기술이 도입되었다고 해서 미래 교실이라고는 할 수 없다. 오히려 교수 학습 측면과 학습 공간의 측면이 더 많은 비중을 차지한다.

u-Class는 융통성을 바탕으로 한다. 현재의 교실은 책상과 걸상, 교탁, 학생의 단말기 등이 형태, 목적, 설치 위치 등의 측면에서 고정되는 경우가 많다. 미래의 교실은 교수 학습 활동에 맞춰 재구조화될 수 있어야 한다. 책걸상은 언제든지 이동 가능해야 하고, 학생의 단말기는 휴대 가능한 것이어야 한다.

u-Class에는 다양한 학습 공간이 있어야 한다. 기본적으로 개인 공간, 사회적 공간, 소집단 활동 공간, 전체 활동 공간 등 4가지 공간이 고려되어야 한다. 교실에서 각 공간이 따로 있을 필요는 없겠지만, 각 공간의 독특한 측면(예를 들어, 사회적 공간의 경우 책걸상보다는 소파 형태가 적합)은 공간별로 고려되어야 한다.

u-Class는 학습자의 참여를 촉진해야 한다. 학습 효과가 높아지려면 학생의 참여가 필수적이다. 특히, 학생은 학습과정에서 지식을 능동적으로 구성

하는 기회를 가져야 한다. 따라서 미래 교실에서는 학습자가 직접 지식을 생성할 수 있는 환경, 생성된 지식을 서로 공유할 수 있는 환경, 공유한 지식에 대해 서로 피드백을 줄 수 있는 환경이 구성되어야 한다.

u-Class는 '종이 없는 환경'이어야 한다. u-Class에서는 학생의 교과서, 참고서, 공책까지 모두 단말기로 처리할 수 있어야 한다. 그렇지만 예체능 관련 수업을 위해서는 사물함이 필요할 것이다.

u-Class에서는 기본적인 환경 요소도 중요하다. 예컨대 벽면의 페인트 재료, 교실 바닥과 천정, 복도 등이 어떻게 되어 있는지도 큰 비중을 차지한다는 것이다. 그렇지만 본 연구에서는 학습 공간의 환경적 요소보다는 공학적 요소에 집중했다.

u-Class는 교사와 학생이 대부분의 시간을 보내는 생활 공간이다. u-Class는 교육이 이루어지는 교실인 한편 생활이 이루어지는 공간이기도 하다. 이 점에서 개인의 학습 공간, 사회적 공간 등이 중요하게 다뤄져야 한다.

u-Class는 교사의 부담을 덜어 주어야 한다. 일대일 PC에 관한 연구를 살펴보면, 대부분의 경우에 있어 개인용 단말기의 경우 학습자와 학부모의 책임으로 명확하게 규정하고 있다. u-Class가 효과적으로 활용되기 위해서는 무엇보다도 교사가 현재의 환경보다 더 불편하거나 추가의 업무를 요구받지 않도록 해야 한다. 만약 학습자용 단말기에 대한 관리가 학교에 속하게 되면 u-Class는 효과적으로 운영되기 어려울 것이다. 따라서 u-Class를 구축할 때 무엇보다도 학습자용 단말기는 휴대용으로 하고, 또 이에 대한 책임은 현재 교과서와 필기도구에 대한 책임처럼 전적으로 학생과 학부모에게 속하도록 해야 한다.

u-Class는 향후 학급당 학생 수의 변화를 적절하게 수용해야 한다. 학습자와 교사를 대상으로 한 설문 조사에서 학급당 학생 수를 최소화해야 한다는 인식이 확인되었지만, 본 연구에서 제안하는 u-Class가 실제 교실에 적용되

기 위해서는 예상되는 학급당 학생 수에 맞춰져야 한다. 본 연구에서는 다음 표에 제시된 것과 같이 가장 최근의 전망(정재호, 2006)을 바탕으로 했다.

학급당 학생 수 변화 추이(단위: 명)

학교급 \ 연도	2006	2007	2008	2009	2010	2011	2012	2013	2014	2015
초	32	30	28	27	26	25	24	23	22	22
중	37	36	36	35	34	33	32	30	28	25
고	35	36	37	38	37	36	35	34	33	32

(출처 : 정재호(2006)에서 재정리)

2) Korea u-Class 프로토타입 개발

디지털 기술의 발전으로 유비쿼터스로의 행보가 빨라지고 있다. 그 대표적인 예로 IPTV(Internet Protocol Television)를 들 수 있다. IPTV란 초고속 인터넷을 이용하여 정보 서비스, 동영상 콘텐츠 및 방송 등을 TV로 제공하는 서비스이다. 이를 통해 인터넷, TV, 전화, VOD 등의 서비스가 통합되어 디지털 방송을 통해 고화질, 고음질, 대용량 저장 및 전송, 다채널화와 양방향 서비스 구현이 가능해졌다. KT에서는 쿡(QOOK)이라는 브랜드명으로 유선 통합 시스템을 구축하고 있다. 방통위 · 교과부는「맞춤형 IPTV 교육서비스」를 추진하는 등 앞으로 IPTV를 활용한 미래 교실 구축이 가속화될 전망이다.

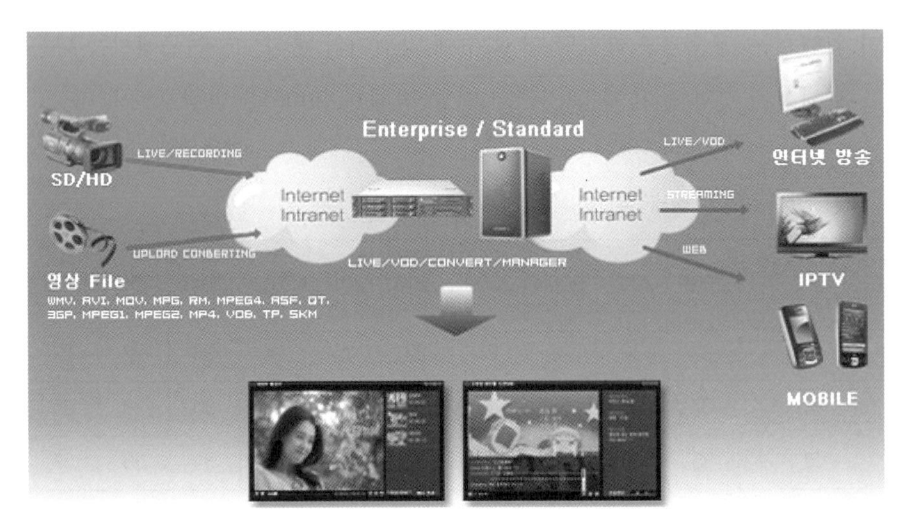

IPTV–인터넷 실시간 방송 구성도

현재 Korea 미래 교실은 u–Class 모형을 연구한 박인우, 김경, 김갑수(2006)에 의해 설계되었으며, 미래 교실의 구성요소는 다음과 같다.

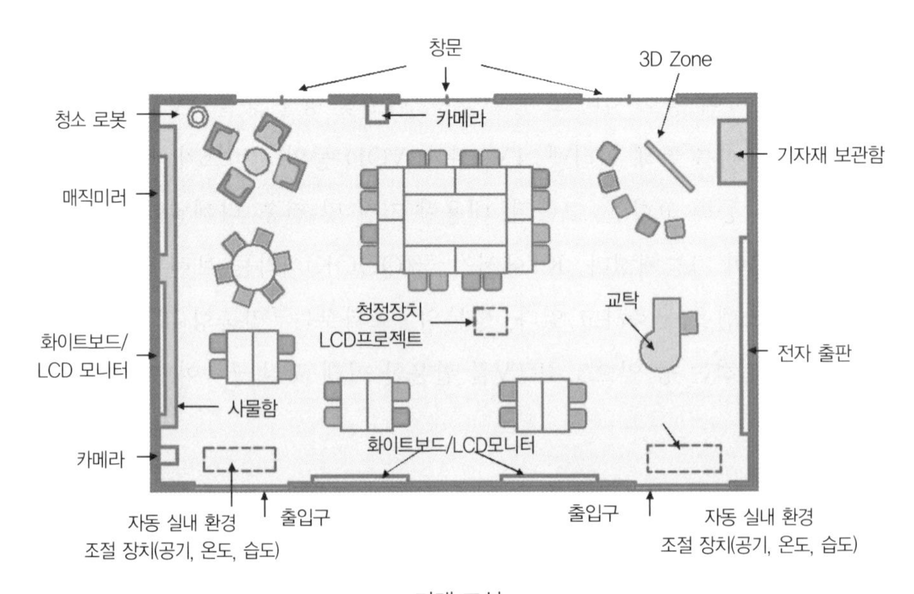

미래 교실

① 소집단 활동 공간

- 현재: 교실은 한 가지 목적, 곧 지식의 전달을 위해 구성되어 있다. 교단과 칠판이 정면에 배치되고, 학생들은 정면으로 향하여 책걸상을 배열하게 된다. 물론 경우에 따라서는 분단별 또는 앞뒤좌우로 학생들을 묶어서 집단 활동이 이루어지기는 하지만, 이러한 활동을 지원하기 위한 공간적 고려는 전혀 없다. 단지 학생들은 책상과 걸상만을 집단 활동에 맞게 배치할 뿐이다.
- 미래: u–Class는 기본적으로 특정 목적을 위해 공간이 고정되지는 않는다. 다만, 현재 교실이 협소하기 때문에 다양한 공간이 구성되는 것에는 한계가 있다. 예컨대 전체 활동과 조별 활동을 위한 공간을 각각 따로 조성할 수는 없다. 이 2가지 활동은 동시에 이루어지는 경우가 없기 때문에 각각의 활동에 맞춰 책걸상의 배치만 달리하면 될 것이다.

다만, 각각의 활동을 할 때 필요한 환경이 조성되어야 한다. 예컨대 소집단 활동을 할 때는 집단별 작업 내용을 같이 보면서 의견 수렴을 해야 하는 경우가 많다. 이러한 경우에 소집단별로 작업 중인 내용을 함께 볼 수 있는 화면 표시 장치가 있어야 한다. 이러한 장치를 u–Class에서는 갖추고 있어야 한다. 위의 프로토타입에는 각 벽면에 화이트보드 또는 LCD 모니터를 설치하여 집단 활동을 할 때 화면 표시 장치로 사용할 수 있도록 했다.

② 사회적 공간

- 현재: 교실에 있는 책상과 걸상은 학생들이 둘러앉아 자유롭게 대화를 나눌 수 있는 장소의 그것과는 완전히 상이하다. 단순히 교수–학습의 목적에만 맞춰 제작되어 있고, 게다가 비용 문제 때문에 그나마도 제대로 충족시키지 못하고 있는 실정이다. 학생들이 사회적 활동, 즉 서로 자유로운 대

화를 나누기 위해서는 교실 밖으로 이동해야 한다.

- 미래: 교실에서는 학급 전체가 참여하는 일제식 수업보다는 집단별 활동, 개인별 작업 등이 많이 이루어지기 때문에 수업 중간중간에 자유롭게 대화를 나눌 수 있는 공간이 요구된다. 이 공간은 보다 안락한 의자와 탁자가 놓여 있고, 둘러앉거나 마주 앉아 자유롭게 대화를 나눌 수 있도록 되어 있다. 이곳에서 집단별 활동을 수행할 수도 있을 것이다. 이 경우에는 매직미러를 활용하여 작업 내용을 같이 볼 수도 있을 것이다.

③ 전자 칠판

- 현재: 현재 학교 현장에서 쓰이는 칠판은 프랑스에서 고안된 것으로 칠판 위에 도표나 전표를 분류할 수 있도록 마그넷을 사용한 것과 철로 만든 것이 있다. 검정색이었던 종래의 흑판과는 달리 학교 환경 위생 기준이 정해지면서 대부분이 암녹색으로 바뀌었고, 높낮이와 각도, 필기할 때 소음의 개선, 분필가루가 날리지 않는 물백묵이 등장하는 등 단점이 개선되었다. 하지만 조도에 따른 반사광으로 인한 학생들의 시력 저하나, 수업이 끝나면 재생이 불가능하다는 단점이 있다.
- 미래: 교수자는 특별히 컴퓨터를 조작할 필요 없이 본인의 수업 내용을 저장할 수 있어 본인의 수업 내용을 스스로 평가하여 개선할 수 있고, 학생들은 특별한 저장 장치를 가지고 다닐 필요 없이 학교 네트워크에 접속하기만 하면 본인이 듣고 싶은 수업을 들을 수 있다. 또한 다른 학교 선생님의 수업도 해당 학교 네트워크에서 인증을 받고 접속하면 수강이 가능하게 된다. 전자 칠판에 교사가 전자 펜으로 판서한 내용과 학습 자료로 제시되었던 자료는 콘텐츠로 학습 DB에 자동 저장될 뿐만 아니라 학생용 단말기에 전송되며 이를 실시간으로 활용 가능하다.

④ **교탁**

- 현재: 현재 학교 현장에서 쓰이는 교탁은 교사의 권위를 나타내는 도구로서 의미를 지니고 있으며, 출석부 또는 교사용 교재와 지도서를 비치할 수 있는 공간으로 활용되고 있다. 최근 5년 사이에는 교탁에 컴퓨터가 설치되고 있지만, 빔프로젝터를 사용하거나 동영상 강의를 재생하는 등의 목적으로 사용되고 있다.
- 미래: 전자 교탁을 통해 교사는 학생과 대부분의 상호작용을 할 수 있게 된다. 전자 교탁은 학생들의 의견을 효과적으로 모아서 이를 공유하고 발표하는 중요한 매체가 될 것이다. 즉, 교실 내 상호작용의 중추로 작용하면서 협동 학습이나 프로젝트 학습, 문제 해결 학습 등의 다양한 교수 학습 방법을 사용함에 있어 기존의 나무 교탁을 활용했을 때에 비해 큰 학습 효과를 가져올 것이다.

U-교탁에서는 네트워크를 통해 전달된 학생 개인의 행동 패턴을 분석하여 교사에게 전달하게 된다. 예컨대 학생들의 학습 태도나 필기 여부 등에 대한 정보를 받아서 분석하여 이를 교사에게 전달하고, 교사는 이를 통해 수업에 집중도가 저하된 학생들을 판단할 수 있다. 그리하여 교사는 주의를 환기하거나 교수 방법을 전환할 수 있으며, 학생들로 하여금 더 수업에 집중하도록 주의를 줄 수도 있다. 또한 학생의 신체 상태를 파악하는 의자에서 전달된 정보를 분석한 자료를 통해 학생의 건강 상태를 파악할 수도 있다.

⑤ **책상과 걸상**

- 현재: 현재 학교 현장에서 쓰이는 책상과 걸상은 학교 안에서 학생들이 가장 많은 시간을 보내는 장소이다. 현재 책상과 걸상은 학생들이 앉아서 책을 놓고 필기를 하는 보조 도구의 의미를 지니고 있으며, 특히 교실 내에서

여러 가지 교수 학습 활동을 하는 데 편리한 형태로 활용되고 있지 못한 실정이다. 또한 학교에는 협동 학습 활동을 위해 학생들이 모여서 모둠 학습을 하는 데 활용 가능한 기자재가 매우 드물다. 특별활동실이 있기는 하지만 그 종류가 적고 학급 전체가 교실 외부로 이동해야 하는 등 사실상 사용할 때 번거로움이 있다. 따라서 교사들은 학생들이 모여서 하는 활동보다는 개별 활동을 위주로 수업을 진행하는 경우가 많다. 학생들이 원활하게 모둠 활동을 하기 위해서는 책상과 걸상을 옮겨야 하는 경우가 많은데, 이 경우 많은 시간이 소요되고 수업 분위기 유지에 방해를 받을 수도 있기 때문이다.

- 미래: 미래에 책상과 걸상은 학습 지원 및 학생 관리와 관련된 중요한 역할을 하게 된다. 책상과 걸상은 인체 공학적 설계를 기반으로 하여, 접이식으로 자유로운 이동이 가능하다. 또한 이는 네트워크와 연결되어 있어 학생들의 학습 태도에 관한 정보를 교사에게 전송하고 이를 분석 및 관리하는 시스템을 통해 학습을 지원하게 된다. 또한 앉음과 동시에 학생의 신체 상태에 관한 정보가 전자 교탁으로 보내져 교사는 보다 손쉽게 학생의 건강상태를 파악할 수 있다. 책상이나 걸상의 형태는 기존의 딱딱하고 무거운 것에서 벗어나 손쉬운 이동이 가능하기 때문에 효과적인 모둠 활동이 편리해진다. 즉, 협동 학습, 문제 해결 학습, 프로젝트 학습 등을 위한 환경이 적절히 구축된다. u-Class에서의 책상과 걸상은 모둠 활동과 관련된 학습 환경을 지원하는 설비이다. 교사는 이 같은 학생들의 활동을 지원하고, 학습 상황을 관찰하면서 학생들이 수업과 관련되지 않은 활동을 할 때 주의를 주고, 자료를 찾거나 모둠 활동을 진행하는 데 어려움을 겪고 있는 모둠에 실시간으로 조언해 줄 수 있다.

⑥ 벽, 게시판

- 현재: 현재 학교 현장에서 벽과 게시판은 그 학급의 학습 상황이나 학급 운영 사항 및 구성원의 특징을 나타내는 종이 형태의 게시물들로 채워지고 있다. 하지만 게시물 대부분이 학기 초에 제작되어 한 학기 이상 바뀌지 않기 때문에 학기 초를 제외하고는 교실의 벽이나 게시판에 관심을 거의 두지 않아 공간 활용도가 낮은 편이다.
- 미래: 미래의 벽과 게시판의 용도는 학급에 비치된 게시물 전시에서 확장되어 학생들이 학교 밖 세상과 상호작용하는 통로가 될 수 있다. 3D로 제공되는 게시판의 뉴스를 통해 사회를 생생하게 경험하고, 듣고 싶은 음악을 들을 수 있으며, 다른 반 친구와 화상 통화를 하거나, 선생님에게 궁금했던 내용을 화상으로 묻기도 한다. 또한 예전에 종이를 이용할 때와는 다르게, 학생들은 적은 시간을 투자하여 자신들이 꾸미고 싶은 대로 게시판을 만들어 나가고, 흰색 일변도였던 교실 벽면의 색깔을 자신들이 원하는 대로 바꿀 수 있다. 뿐만 아니라 게시판에 포함되어 있는 매직미러 기능을 학습용으로 활용할 때 3D 가상 현실 또는 증강 현실을 통한 체험 학습이 가능하고, 이를 통해 3D 멀티미디어 학습 자료 활용이 가능하게 된다. 미래의 교실에서 학생들은 토의 시간이나 협동 학습 시간에 매직미러에서 정보를 찾고 정리할 수 있다. 즉, 모둠 활동에서 구성원 모두가 개인적으로 정보를 검색하고 이를 통합하여 하나의 결과물을 산출하는 것이 가능하다.

⑦ 3D 프로젝터

- 현재: 현재 교실의 프로젝터는 2D 프로젝터로 과거의 괘도나 OHP와 비교했을 때 학생들에게 보다 생생한 자료를 제시할 수 있다. 하지만 2D의 평면적 특성이 가지는 한계를 극복하지 못하고 있는 것이 사실이며, 도입 초기의 기대와는 달리 일정 시간 후에는 학습 동기 유발 및 학습 효과면에

서 큰 차이를 보이지 못할 수도 있다. 또한 현재 3D 프로젝터나 3D 화면을 출력하는 기기들이 등장하고 있지만, 영상이 흐리거나 어지럼증을 유발하는 등 많은 문제를 가지고 있다.

- 미래: 미래에는 기존의 2차원적 화면에서 느끼지 못했던 실감나는 수업 자료를 제작하고, 이를 수업 시간에 활용하는 것이 가능하다. 따라서 학생들은 교재에 나와 있는 장소에 직접 가보지 않더라도, 가본 것과 동일한 학습 효과를 가져올 수 있다. 예컨대 달에 대해 공부할 때, 3D 프로젝터를 통해 학습자는 실감나는 달의 모습을 직접 체험할 수 있고, 과거로의 여행도 가능하게 된다. 그리고 3D 프로젝터의 영상이 더 현실과 가까워지면 교실이라는 공간을 전혀 다른 공간으로 구현하는 것이 가능하게 된다.

⑧ 사물함

- 현재: 현재 사물함은 책이나 소지품 등을 수납 또는 보관할 수 있는 장소이지만, 개인별 공간 확보가 충분하지 않고, 도난을 염려하지 않을 수 없어 교실에서 불신 풍조가 발생할 우려가 있는 것이 사실이다.
- 미래: 미래의 사물함은 학생들의 지문, 홍채, 얼굴 등 생체 정보를 인식함으로써 또는 RFID 신분증을 활용하여 개인 소지품 보관을 안전하게 할 수 있다. 뿐만 아니라, 수업 시간에 쓰는 학생용 단말기를 보관하여 충전할 수 있는 장소이다. 학생은 개인 단말기를 사물함에 넣어서 다음 수업 시간에 사용할 배터리를 충전할 수 있고, 집에서는 USB 없이 인터넷을 통해 사물함의 IP로 접속하여 수업 시간에 필기한 내용이나 자료들을 내려받을 수 있다. 또한 교수자는 학습자의 단말기에 접근하여 학습 진도를 파악할 수 있다.

⑨ 카메라

- 현재: 현재 교실에서는 카메라가 쓰이고 있지 않다. 교실에서 카메라가 쓰이는 경우는 교사가 자신의 수업을 모니터링하거나 개인적으로 학생 활동을 기록하려고 할 때이다. 하지만 사실상 현재 교실에서 카메라를 사용하는 경우는 매우 드물다고 할 수 있다.
- 미래: 미래에 교실에 설치될 카메라는 여러 가지 기능을 가진다. 수업 시간에 학생이 발표를 하게 되면 학생의 발표하는 모습과 목소리를 전자 칠판에 전송하고, 행동 패턴 분석을 통해 수업에 참여하고 있지 않은 학생의 모습을 비추어 교사에게 알려 주기도 한다. 또한 교사와 학부모의 동의하에 학부모는 이 카메라를 통해 촬영된 영상을 인터넷으로 접속하여 학생의 학습 장면을 볼 수 있다.

⑩ 필기 인식

- 현재: 현재 학생들은 수업 시간에 종이로 된 공책에 필기도구를 이용하여 필기하고 있다. 교사는 학생들이 수업을 듣고 자신의 지식으로 구조화하는지 여부를 판단하기 위해 필기 검사를 하는 경우가 있는데, 학생들의 공책을 걷어서 꼭 필요한 내용들이 적혀 있는지 확인하는 방식으로 이루어지고 있다. 하지만 많은 학생들은 필기검사 직전에 정리가 잘 된 공책을 빌려 한꺼번에 적는 경우가 많아서 개인별 학습 효과 및 참여 상태를 파악하는 것이 쉽지 않은 것이 사실이다.
- 미래: 미래에 교사는 수업이 끝나자마자 학생들이 필기한 내용 중에서 그 수업의 핵심 개념들이 포함되어 있는지, 잘못 개념화한 부분이 있는지에 대한 자료를 받아, 학업 성취가 부족한 학생들에게 피드백을 줄 수 있다. 또한 학생이 수업에 참여하고 있는지를 필기 여부로 판단할 수 있고, 그렇지 않을 경우 보충적으로 학습 지원을 하거나 제재를 가할 수 있다.

⑪ 자동 실내 환경 조절 장치

- 현재: 현재 교실에는 미세 먼지, 환경 호르몬 유발 물질 등이 다량 포함되어 있어 다인수 학생들로 구성되어 있는 환경에서 호흡기 질환 등을 유발할 우려가 있는 것이 사실이다. 또한 여름철과 겨울철에 냉난방 시스템이 원활하게 작동하지 않아 더위나 추위 때문에 쾌적한 학습 환경 조성에 문제가 생길 수도 있다.
- 미래: 미래의 교실에서는 자동 실내 환경 조절 장치에서 공기 청정 상태를 자동으로 인식하여 학습 집중도가 저하된 환경을 실시간으로 파악하게 된다. 또한 항온과 항습을 위한 자동 조절 시스템으로 오염된 실내 환경을 개선하는 것이 가능해진다. 또한 학급별로 개별화된 맞춤형 장치를 통해 여름철과 겨울철 냉난방을 효과적으로 자동 관리할 수 있다.

⑫ 청소 로봇

- 현재: 현재 교실에서는 부족한 청소 도구와 번거로움으로 인해 학생들이 청소하는 데 어려움을 겪고 있어, 외부 용역을 활용하거나 학부모의 도움을 받아 학급을 청소하고 있는 실정이다. 다양한 집기들이 밀집되어 있는 좁은 교실 공간에서 많은 학생들이 청소를 위해 이동하다 보면 안전사고를 유발할 위험도 있다.
- 미래: 미래의 교실에서는 바닥의 청결 상태를 인공 지능형 청소 로봇이 실시간으로 파악하는 것이 가능하다. 오염된 환경을 즉각적으로 편리하게 개선할 수 있다는 장점을 가진 청소 로봇은 학습에 방해되지 않을 정도의 무소음 환경에서 이동이 가능하다. 교실 바닥을 항상 청결하게 유지함으로써 쾌적한 환경을 조성할 수 있고, 이로 인해 교사와 학생은 수업에 더욱 집중할 수 있다.

⑬ RFID 신분증

- 현재: 학생증은 기본적으로 학교 내에서만 통용되는 신분증이다. 최근 일부 학교에는 복합 기능을 갖춘 신분증이 등장하고 있다. 학교 내에서도 신분증은 학습자의 활동을 확인하는 데만 사용할 뿐 학습자의 활동에 관한 자료를 수집 및 분석하여 교육에 효과적으로 활용하지는 못하고 있다.
- 미래: 생체공학의 발전에 의해 신분증 자체가 불필요해질 수도 있겠지만, 이 문제는 교육적으로 어떤 의미를 갖는지 생각해 볼 필요가 있다. 이 점에서 중간 단계로 미래 교실에는 RFID 형태의 신분증이 통용될 것으로 보인다. RFID는 교실의 모든 기기를 통제하는 데 활용된다. 학습자는 이것으로 개인용 학습 단말기를 켤 수 있고, 소집단 활동에서 구성원으로 합류하는 것도 표시할 수 있을 것이다. 학습자는 매직미러에 이 신분증을 제시함으로써 자신에게 적합한 정보를 받아볼 수 있을 것이다.

⑭ 개인용 학습 단말기

- 현재: 학습자는 필기도구를 휴대하고 있다. 이와 더불어 전자 도구로 전자사전, MP3, 휴대 전화 등을 갖고 있다. 학습 자료로는 교과서와 참고서 등이 있다.
- 미래: 학습자는 개인용 학습 단말기를 휴대하고 다닐 것이다. 이 단말기는 기본적으로 유비쿼터스의 특성인 내재성과 이동성을 가져야 한다. 즉, 휴대용 단말기는 현재의 컴퓨터가 제공하는 모든 기능을 갖추고 있어야 하고, 휴대할 수 있어야 하며, 언제나 네트워크에 연결되어 있어야 한다. 교실에서 학습자는 초고속 인터넷에 무선으로 연결되어 있어 필요로 하는 학습 자료를 언제든지 받아볼 수 있다. 더불어 학습자는 디지털 형태의 e-book 교과서와 참고 자료, 사전 등을 휴대용 단말기로 볼 수 있다. 이와 더불어 학생들의 컴퓨터에는 지식을 생성할 수 있는 기본적인 장비가 갖

추어져 있어야 한다. 즉, 소형의 웹캠(webcam)이 장착되어야 있어야 한다. 더불어 주변 단말기와 손쉽게 통신 가능한 장비(예컨대, 블루투스)가 포함되어 있어야 한다. 이러한 장비를 통해 소집단 활동에서 학습자들은 LMS 등을 활용하지 않고서도 자유롭게 자료를 주고받을 수 있게 된다.

참고문헌

강인애(1998). PBL에 의한 수업설계와 적용: 초등 사회과 수업사례. 교육공학연구, 14(3), 1-32.

고범석, 이영준, 유헌창, 이원규(2006). 개인 휴대용 단말기의 유형. 연구 CR 2006-19. 한국교육학술정보원.

고재희(2009). 통합적 접근의 교육방법 및 교육공학. 서울: 교육과학사.

권성호(1994). 문제해결력 증진을 위한 비디오디스크 매크로 컨텍스트 구성에 관한 연구. 교육공학연구, 9(1), 3-26.

권성호(1998). 교육공학의 탐구. 서울: 양서원.

권정혜, 박창호, 박태진, 이장호, 홍창희(공역)(1995). 현대심리학의 체계. 서울: 중앙적성출판사.

김경, 김동식(2004). 웹기반 학습에서 학습자료 유형과 학습내용 제시 시기가 인지부하, 효과성 및 효율성에 미치는 효과. 교육공학연구, 20(4), 112-145.

김동식, 노관식, 김지일, 김경(공역)(2004). 인지과학적 구성주의 기반의 4C/ID 모형. 서울: 아카데미프레스.

김경, 김동식(2002), 웹기반 PBL(Problem Based Learning)에서 배경지식 수준과 메타인지 지원 도구의 제공여부가 PBL 활동에 미치는 영향, 컴퓨터교육학회논문, 5(2), 29-37.

김동식(1998). 사용자 인터페이스 상호작용성 증진을 위한 버튼의 이론적 재조명. 교육공학연구, 14(3), 33-54.

김동식(1996). 한국 교육공학 연구동향 분석. 교육공학연구, 12(1), 173-193.

김인식, 최호성, 최병옥(2000). 수업설계의 원리와 모형 적용. 서울: 교육과학사.

김정호(1994). 인지과학과 명상. 인지과학, 4(5), 53-84.

김현중(1985). 교육공학 발달의 역사적 고찰. 교육공학연구, 1(1), 137-157.

김희배(1996). 포괄적 수업설계이론 개발을 위한 기초분석. 교육공학연구, 12(1), 75-94.

김희배(1997). 한국교육공학의 탐구논리와 접근방법. 교육공학연구, 13(2), 9-85.

나동진(2001). 교육심리학 -인지적 접근-. 서울: 학지사.

나일주, 정인성(1993). 최신교수설계이론. 서울: 교육과학사.

박성익(1990). 교육공학의 발전과 탐구동향. 서울대학교 교육학과. 교육이론, 5(1), 88-120.

박성익(1997). 교수-학습방법의 이론과 실제. 서울: 교육과학사.

박성익, 왕경수, 임철일, 박인우, 이재경, 김미량, 임정훈, 정현미(2001). 교육공학 탐구의 새 지평. 서울: 교육과학사.

박인우, 김갑수, 김경, 전주성, 고범석(2006). 유비쿼터스 환경을 지향하는 미래교실 구성

방안. 연구 CR2006-18. 한국교육학술정보원.
변영계(1999). 교수 · 학습 이론의 이해. 서울: 학지사.
서봉연, 이순형(1983). 발달심리학. 서울: 중앙적성출판사.
송상호(1998). ARCS모델에 대한 비판적 고찰. 가정, 특징, 그리고 이론적 쟁점들. 교육공학연구, 14(3), 155-176.
신현정(1994). 인지심리학. 서울: 교육과학사.
오세진(2001). 인간행동과 심리학. 서울: 학지사.
오세진, 최창호(1995). 심리학이란 무엇인가. 서울: 학지사.
유태영(1990). 한국교육공학 연구의 경향. 교육공학연구, 6(1), 3-45.
이성호(1999). 교수방법론. 서울: 학지사.
이영준, 유헌창, 이원규, 계보경, 최재혁, 고범석(2006). 유비쿼터스 기반 개인 휴대용 학습 단말기 개발 연구. 연구 CR2006-19. 한국교육학술정보원.
이용남(1990). 교육방법 및 교육공학. 서울: 교육과학사.
이재경(1997). 기업교육 요구 분석과 교수 외적인 상황요인에 관한 논의. 교육공학연구, 13(1), 81-97.
이정모, 이재호(1994). 기억의 본질. 인지심리학의 제 문제. 서울: 성원사.
이종승(1984). 교육연구방법. 서울: 배양사.
이혜림, 이훈병, 최지영(2004). 실기교육방법의 이론과 실제. 서울: 백산출판사.
이혜정(1998). 필요분석이 교수개발 과정에 반영되는 의사결정 요인 연구. 석사학위논문. 서울대학교 대학원.
임규혁(1996). 학교학습 효과를 위한 교육심리학. 서울: 학지사.
임규혁(1997). 교육심리학. 서울: 학지사.
임선빈(1997). 협동학습의 실천적 접근 방안 모색. 교육공학연구, 13(2), 263-286.
임철일(1996). 교수공학적 교수설계이론의 특성과 가능성. 교육공학연구, 12(1), 95-112.
임철일(2000). 교수설계이론: 학습과제 유형별 교수전략. 서울: 교육과학사.
장남기, 임영득, 강호감, 김영수, 김희백(1987). 탐구과학교육론. 서울: 교육과학사.
전성연(1995). 대학의 교육과정과 수업. 서울: 학지사.
정택희(1987). 수업 외 학습시간의 투입이 동기 및 학습 효과에 미치는 영향. 고려대학교 박사학위 논문.
조완영(1994). 수학교육의 수업 원리로서의 반영적 추상화. 대한수학교육학회, 4(1), 246-248.
최동근(1998). 교육방법의 교육공학적 접근. 서울: 교육과학사.
최욱(1999). 교화적인 웹기반수업을 위한 실용적인 교수중점 설계전략. 교육공학연구, 15(3), 261-282.

최정임(1999). 웹 기반 수업에서 상호작용 증진을 위한 교수전략 탐구. 교육공학연구, 15(3), 129-154.

켈러, 송상호(1999). 매력적인 수업설계. 서울: 교육과학사.

한방교, 윤길근(2001). 실기교육방법론. 서울: 동문사.

호재숙(1986). 교육공학의 교육과정에 대한 모형 연구. 교육공학연구, 2(1), 15-52.

Bandura, A. (1997). Self-efficacy: The excercise of control. New York: Freeman.

Barrows, H. (1994). Practice-based learning: Problem-based learning applied to medical education. Springfield, Illinois: Southern Illinois University School of Medicine.

Block, J. (1984). Making schooling learning activities more playlike: Flow and mastery learning. Elementary School Journal, 85, 65-76.

Bloom, B. S. (1976). Peer and Cross-Age Tutoring in the Schools. Washington, D. C.: National Institute of Education.

Bloom, B. S. (1976). Human characteristics and school learning. New York: McGraw-Hill.

Bogdan, R. C. & Biklin, S. K. (1992). Qualitative Research for Education: an Introduction to Theory and Methods (2nd ed). Boston, MA: Allyn & Bacon.

Brown, J. S., Collins, A., & Duguid, P. (1989). Situated cognition and the culture of learning. Educational Researcher, 18 (1), 32-42.

Bruner, J. S. (1961). A Toward a theory of instruction. Cambridge, mass.: Harvard University Press.

Bruner, J. S. (1996). Toward a theory of instruction. Cambridge, MA: Harvard University Press.

Campbell, J. (1996). Electronic portfolios: A five-year history. Computers and Composition, 13, 185-194.

Carroll, J. (1963). A model of school learning. Teachers College Record, 64, 723-733.

Case, R. (1985). Intellectual development: A systematic reinterpretation. New York: Academic Press.

Cole, P. (1992). Constructivism revisited: A search for common ground. Educational Technology, 32(2), 27-35.

Cronbach, L. J. & Snow, R. E. (1977). Aptitudes and instructional methods. New York: Irvington.

Dale, Edgar. (1969). Audio-visual methods in teaching (3rd ed). New York: Holt, Rinehart & Winston.

Davies, I. K. (1973). Competency based learning: Technology, management, and design. New York. McGraw-Hill.

Denzin, N. K. & Lincoln, Y. S. (1994). Handbook of Qualitative Reseach. Thousand Oakn,

CA: Sage.
Driscoll, Marcy P. (1994). Psychology of learning for instruction. Needham Heights, MA: Allyn & Bacon.
Duffy, T. & Jonassen, D. (1992). Constructivism and the technology of instruction: A conversation. Hillsdale, NJ: Lawrence Erlbaum Associates.
Erlandson, D. A., Harris, E. L., Skipper, B. L. & Allen, S. D. (1993). Doing Naturalistic Inquiry: a Guide to Methods. Newbury Park, CA: Sage.
Flavell, J. H, Miller, P. H., & Miller, S. A. (1993). Cognitive development. Englewood Cliffs, NJ: Prentice-Hall.
Gagné, R. M., & Briggs, L. J. (1979). Principles of instructional design (2nd ed.). N.Y.: Holt, Rinehart & Winston.
Gagné, R. M. (1974). Task analysis-its relation to content analysis, Educational Psychologist, 11, 19-28.
Gagné, R. M. (1977). The conditions of learning (3rd ed.). New York.: Holt, Rinehart & Winston.
Gagné, R. M. (1985). The conditions of learning and theory of instruction (4th ed.). New York.: Holt, Rinehart & Winston.
Gardner, H. (1982). Developmental psychology: An introduction (5th ed.). Boston: Little, Brown.
Gettinger, M. (1984) Individual differences in time needed for learning: A review of literature. Educational Psychologist, 19, 15-29.
Goldstein, I. (1993). Training in organization: assesment, development and evaluation. Pacific Grove, CA: Brook Cole Publishing Co.
Hannafin, M. J. & Rieber, L. P. (1989). Psychological foundations of instructional design for emerging computer-based instructional technologies: Educational Technology Research and Development, 37(2), 91-101.
Hetherington, E. M., & Parke, R. D. (1986). Child psychology: A contemporary viewpoint. (3rd ed.). New York: Macmillan.
Inhelder, B., & Piaget, J. (1964). The early growth of logic in the child. New York: Harper & Row.
Jacob, E. (1987). Qualitative research traditions: a review. Review of Educational Research, 57(1), 1-50.
Johnston, K. L., & Aldridge, B. G. (1985). Examining a mathematical model of mastery learning in a classroom setting. Journal of Research in Science Teaching, 22, 543-554.
Jonassen, D. H,. & Grabowski, B. L. (1993). Handbook of individual differences, learning

and instruction. Hillsdale, NJ: Erlbaum.

Kaufman, R. (1995). Mapping educational success. CA: Corwin Press.

Keller, J. M. (1987). Development of use of the ARCS model of motivational design. Journal of Instructional Development, 26(8), 1-7.

Klausmeier, H. J. (1988). The future of educational psychology and the content of the graduate programs in educational psychology. Educational Psychologist, 23, 230-220.

Kuhn, T. S. (1970). The structure of scientific revolution. Chicago: University of Chicago Press.

Lave, J. (1988). Cognition in practice: Mind, mathematics, and culture in everyday life, New York: Cambridge University Press.

Leshin, C. B., Pollock, J., & Reigeluth, C. M. (1992). Instructional design strategies and tactics. Englewood Cliffs, NJ: Educational Technology Publications.

Lincoln Y. S. & Guba, E. G. (1985). Naturalistic Inquiry. Beverly Hills, CA: Sage.

Mager, R, F. & Pipe, P. (1984). Analyzing performance problems. Bermont, CA: Iake Publishing Co.

McClelland, D. (1971). Motivational tends in society. New York: General Learning Press.

Merrill, M. D. (1994). Instructional design theroy. Englewood Cliffs, NJ: Educational Technology Publications.

Miles, M. B. & Huberman, A. M. (1994). Qualitative Data Analysis: an Expanded Sourcebook. Thousand Oaks, CA: Sage.

Okery, J. R., & Santiago, R, S. (1991). Integrating instructional and motivational design. Performance Improvement Quarterly, 4(2), 11-21.

Paget, Jean (1977). The development of thought: Elaboration of cognitive structures. New York: Viking.

Pelto, P. J., & Pelto, G. H. (1978). Anthropological research: the structure of inquiry (2nd ed). Cambridge, MA: Cambridge University Press.

Piaget, J. (1970). The development of thought: Equilibration of cognitive structures. New York: Viking Press.

Piaget, J. (1973). To understand is to invent: The future of education. New York: Grossman.

Piaget, J., & Inhelder, B. (1969). The psychology of the child(H. Weavwe, Trans.). New York: Basic Books.

Reigeluth, C. M. (1999). Instructional design theories and models: A New Paradigm of Instructional Theory. Mahwah, NJ: Lawrence Erlbaum Pub.

Rogoff, B. (1990). Apprenticeship in thinking: Cognitive development in social context. New York: Oxford Univ. Press.

Romiszowski, A. (1981). Designing instructional systems. London: Korgan Page.

Rosental, R., & Jacobson, L. (1968). Pygmalion in the classroom: Teacher expectation and puplis intellectual development. New York: Holt, Rinehart & Winston.

Rossett, A. (1991). Need assessment. In G. Anglin(Ed.), Instructional technology: Past, present, and future. Englewood, Colorado: Libraries Unlimited, Inc.

Rosssett, A. (1987). Training needs assessment. Englewood Cliffs, NJ: Educational Technology Publications.

Sarason, I. (1984). Stress anxiety, and cognitive interference: Reactions to test. Journal of Personality and Social Psychology, 46, 929-938.

Scissons, E. (1982). A typology of needs assessment definition, Adult Education, 33(1), 20-28.

Shaffer, D. R. (1993). Developmental Psychology: Childhood and Adolescence (3rd Ed.). California: Brooks/Cole.

Skinner, B. F. (1957). Verbal Behavior. New York: Appleton-Century-Crofts.

Srufflebeam, D., McCormick, C., Brinkerhoof R., & Nelson, C. (1985). Conduction educational needs assessment. MA: Kluwe-Nijhoff Publishing.

Sweller, L., & Cooper, G. (1985). The use of worked example as a substitute for problem solving in learning algebra. Cognition and Instruction, 2, 59-89.

Tobias, S. (1994). Interest, Prior knowledge, and learning. Review of Educational Research, 64, 37-54.

Von Glasersfeld, E. (1989). Cognition, construction of knowledge, and teaching. Synthesis, 80, 121-140.

Vygotsky, L. S. (1978). Mind in society: The development of higher psychological process. Cambridge, MA: Harvard University Press.

Wadsworth, B. J. (1978). Piaget for the classroom teacher. New York: Longman.

Weinstrin, C. F., & Mayer, R. F. (1986). The teaching of learning strategies. In M.C. Wittrock(Ed), Handbook of Research on Teaching (3rd ed.). New York: Macmillan, pp.315-327.

Wiegmann, B. A. (1996). Utilizing technology: the effects of methods instruction on preservice teacher planning. Unpublished doctoral dissertation, Northern Illinois University, Dekalb, IL.

Wood, D. J., & Middleton, R. (1975). A study of assisted problem solving. British Journal of Psychology, 66(2), 181-191.

Zimmerman, B. (1995). Self-efficacy and educational development. Self-efficacy in changing societies. New York: Cambridge University Press.

찾아보기

가

나

다

마

바

사

아

자

차

카

타

파

하

기타

김경진
한양대학교 대학원 교육공학과(교육학 박사)
현) 한양대학교 교직과 겸임교수
auti135@hanyang.ac.kr

김경
연세대학교 심리학과(문학사)
한양대학교 대학원 교육공학과(교육학 박사)
현) 한양여자대학교 아동복지과 교수
kimk@hywoman.ac.kr

교육방법 및 교육공학

발행일 2019년 10월 31일 초판 발행
저자 김경진, 김경
발행인 구본하 | **발행처** (주)아카데미프레스 | **주소** (04002) 서울시 마포구 월드컵북로5길 33 2층(서교동 동아빌딩)
전화 02-3144-3765 | **팩스** 02-3142-3766 | **이메일** info@academypress.co.kr
웹사이트 www.academypress.co.kr | **출판등록** 2018. 6. 26 제2018-000184호

ISBN 979-11-968103-2-0 93370

값 16,000원